Jan Eik Dann eben Mord

Jan Eik

Dann eben Mord

Kriminalroman

Bild und Heimat

ISBN 978-3-95958-101-1
1. Auflage dieser Sonderausgabe

Umschlaggestaltung: fuxbux, Berlin
Umschlagabbildung: © fotolia
Druck und Bindung: GGP Media GmbH, Pößneck

1

Müde saß Werner Jarosch an diesem trüben Maimorgen hinter dem mächtigen Schreibtisch, den die Kreisbehörde der Volkspolizei zu einer Zeit inventarisiert hatte, als man dafür noch Metallschildchen prägte. Der Stuhl indes, sinnigerweise ein Erzeugnis des VEB Sitzmöbel Waldheim, war sicherlich der zehnte seitdem, und auch der ächzte bereits bedenklich unter Jaroschs Schwergewicht.

Für Werner Jarosch hatte der Tag begonnen wie die meisten anderen seines Lebens: zu früh. Er war kein Morgenmensch. Edith, seine Frau, nannte ihn nicht zu Unrecht einen Kauz, denn wie der entfaltete er am liebsten erst in der Abenddämmerung Geschäftigkeit.

Melancholisch trank Jarosch seinen Tee und hoffte auf dessen belebende Wirkung. Der Inhalt des aufgeschlagenen Aktendeckels, den er weit genug beiseitegeschoben hatte, um ihn vor Spuren seines Frühstücks zu bewahren, war nicht dazu angetan, seinen Tatendrang anzuspornen. Er enthielt lediglich zwei Formblätter mit beinahe gleichlautendem Text, auf einer uralten Büromaschine getippt und auch auf diese Entfernung bequem zu lesen. Besser als aus der Nähe, wie Jarosch in letzter Zeit festgestellt hatte.

Fahrraddiebstähle. Zwei Räder am helllichten Tage vor der Kaufhalle West entwendet. Auf Nimmerwiedersehen, fürchtete Jarosch, falls sich nicht jemand vorgenommen hatte, Fahrräder in Serie zu stehlen. Die Bearbeitungsfrist lief ab. Ihm blieb nichts anderes übrig, als den Geschädigten mitzuteilen, dass die Ermittlungen vorerst eingestellt werden. Wie die darauf reagieren würden, wusste er: Früher hat die Polizei sich noch Mühe gegeben. Da wurde der

Diebstahl eines Fahrrades mit einem halben Jahr Gefängnis bestraft. Aber heute …

Heute kam einer, der ein Rad »unbefugt benutzte«, allenfalls vor die Konfliktkommission – wenn er einer geregelten Arbeit nachging. Der Oberleutnant machte eine Notiz für das übliche Schreiben und schob den Aktendeckel an die linke Tischkante. Der nächste Vorgang war um nichts erfreulicher als die leidigen Fahrradgeschichten, die seine Laufbahn bei der K von Anbeginn begleiteten, also seit zwei Jahrzehnten. Er hätte Glück gehabt, versicherten ihm die älteren Kriminalisten, weil da die große Zeit der Hühner- und Karnickeldiebe schon vorüber gewesen war. Die der Kioskeinbrecher hingegen noch nicht. An dem Mitropa-Häuschen im nächtlich-einsamen Bahnhofsvorgelände hatten bereits Generationen von Langfingern ihr Ungeschick erprobt.

Für einen Moment dachte Jarosch darüber nach, welchen Umfang eine aus den Archivbeständen des Kreisamtes zusammengestellte Dokumentation über die kriminaltechnische Spurensicherung alleine an diesem Objekt annehmen würde. Die Idee gefiel ihm. Noch vor einem halben Jahr hätte er den Einfall umgehend seiner Kollegin mit dem bemerkenswerten und von aller Welt falsch ausgesprochenen Vornamen Kathleen als Thema für eine Promotionsschrift an der Sektion Kriminalistik vorgeschlagen. Inzwischen aber hatte sie ihren Hang zur Selbstverwirklichung unerwartet auf ein gänzlich anderes, strafrechtlich weniger relevantes Gebiet menschlichen Zusammenlebens konzentriert. Sie befand sich im sogenannten Mütterjahr.

Zum x-ten Mal also der Bahnhofskiosk, der längst nicht mehr jene achteckige Bretter-Rotunde war, die dort gestanden hatte, als Jarosch im Herbst 1945 zum ersten Mal das

holprige Pflaster des Marktplatzes überquerte, die Deichsel des Handwagens mit der verbliebenen Habe zwischen ihm und der Mutter. Inzwischen schrieb man das Jahr 1988; wurde es nicht Zeit, dass er es endlich vergaß?
Und doch hatte er das Bild der hölzernen Bude mit den abblätternden Farbresten und dem geschwungenen Dach viel plastischer vor Augen als den nüchternen Plattenbau, der jetzt dort stand. Die Fotos vom Tatort bewiesen, dass die Täter ebenso unverfroren vorgegangen waren wie die meisten ihrer Vorgänger. Und die entwendeten Waren verrieten die Gleichartigkeit der Interessen: Zigaretten, Alkoholika – keine Kekse. Eine deliktische Kindeshandlung, wie das im kriminalpolizeilichen Fachdeutsch so schön hieß, schied also mit einiger Sicherheit aus.
Einen Augenblick war Jarosch versucht, seinem mit bestem Willen unterdrückten Vorurteil nachzugeben und unter den Namen der Amnestierten nach einem einschlägigen Straftäter zu fahnden. So leicht durfte er es sich nicht machen. Er kannte die offizielle Argumentation in dieser heiklen Frage. Außerdem waren am Tatort brauchbare daktyloskopische Spuren gesichert worden. Das Vergleichsergebnis mit der Kartei lag noch nicht vor. Es war vernünftiger, darauf zu warten.
Jarosch schob den Vorgang in den Papierberg zurück. Der war von normaler Höhe. Fünfzehn Zentimeter ungefähr. Der nächste Hefter enthielt nur ein Blatt: das Protokoll einer Anzeige, aufgenommen durch den Abschnittsbevollmächtigten in Launitz.
Eine Frau, den Angaben zufolge zweiundfünfzigjährig, war gegen einundzwanzig Uhr in der Nähe ihres Hauses von einem Unbekannten belästigt worden. Oder nur angespro-

chen? Von einem tätlichen Angriff war in dem Text nicht die Rede. Der Mann hatte sie in barschem Ton nach dem Weg nach Bartz gefragt. Die Frau war, zu Tode erschrocken, davongerannt. Zum zweiten Mal sei ihr das passiert. Vermutlich handelte es sich in beiden Fällen um dieselbe Person.

Stirnrunzelnd las Jarosch die umständlichen Formulierungen noch einmal. Er verstand die Furcht der Frau, nur lag keine Straftat vor. Nicht mal der Versuch. Und aus dem Raum Bartz – Launitz, an der Grenze zum Nachbarbezirk im Südosten des Kreisgebiets, gab es keine einschlägigen Meldungen oder Anzeigen.

Er blickte auf die Uhr. Neun Uhr achtundvierzig. Um diese Zeit hatte der brave ABVer unterwegs zu sein, wenn er seinen Dienst ernst nahm. Um unbekannte Verdächtige, auf die eine so verschwommene Personenbeschreibung passte, sollte sich zuallererst der kümmern. Ein Telefongespräch konnte man zur Mittagszeit mit ihm führen.

Jaroschs Blick fiel auf die Buchstabenkombination VEB BK, die in Kathleens exakter Normschrift den nach oben geratenen Aktendeckel zierte. Allein schon sein Volumen verriet die Mühe, die eine ganze Reihe von Kriminalisten und inzwischen auch der Staatsanwalt aufgewendet hatten, um Licht in die dunklen Machenschaften des örtlichen Baukombinats zu bringen.

Angefangen hatte alles damit, dass ein Meister des im ganzen Kreisgebiet verzweigten Unternehmens verdächtigt wurde, umfangreiche Baumaßnahmen auf dem eigenen Wochenendgrundstück mit dem Material und den Arbeitskräften des Betriebes auszuführen. Die Beschuldigung bestätigte sich im Laufe der Ermittlungen und führte zu Erkenntnissen, die das Maß der ursprünglich angenommenen Straftat erheblich überschritten.

Jarosch hatte den Fall seinerzeit Kathleen zugeschanzt, aus gutem Grund. Das Grundstück des Beschuldigten Egon Regulski stieß mit einem Eckpfosten an sein eigenes Pachtland. Er kannte also das beanstandete Baugeschehen aus eigener Anschauung, hatte mit Regulski gar am Biertisch gesessen, im neuerdings rustikal aufgemachten »Heidekrug« an der Fernverkehrsstraße, wo der Fahrweg zu den Grundstücken abzweigte.

Die Nachbarn waren sicher, dass nur Jarosch der Urheber der Vorwürfe gegen den allseits geschätzten Baufachmann Regulski sein konnte. Und Regulski nährte diesen Glauben, nachdem er Jarosch während der Vernehmungen im Kreisamt begegnet war.

Die Beweislage war komplizierter als erwartet. Der Staatsanwalt drängte einerseits auf den Abschluss des Ermittlungsverfahrens und charakterisierte andererseits die vorliegenden Untersuchungsergebnisse als unzureichend. Wo genau Regulski den in seinen erdbebensicheren Fundamenten verbauten Zement entwendet hatte, ließ sich zunächst ebenso wenig nachweisen wie die konkrete Verantwortlichkeit für die Schlampereien und Fehlmengen in den Unterlagen des VEB BK. Erst die sichtbaren Schäden an der Brücke der neuen Umgehungsstraße im Gebiet der näher rückenden Braunkohlentagebaue verliehen dem Vorgang eine neue strafrechtliche Dimension.

Längst hatte Kathleen, verehelichte Steinkühler, Jarosch den Fall wieder überantwortet. Er wartete jetzt auf die Untersuchungsergebnisse aus Berlin. Wenn wirklich so wenig Zement in Teilen der inzwischen gesperrten Brücke vorhanden war, wie er das nach eigenen Kratzproben mit seinen laienhaften Kenntnissen vermutete, dann musste der Fall auf Bezirksebene ausgetragen werden. Ihm grauste es vor dem damit verbundenen Papierkrieg. Noch mehr aber schauderte ihm vor dem nächsten Wochenende, wenn er an die verkniffenen Mienen der Nachbarn dachte und an den höhnischen Gruß, den Regulski ihm niemals über den gemeinsamen Zaunpfahl zuzurufen vergaß: Mahlzeit, Genosse Kommissar …

Glücklicherweise hatte er seinerzeit von Regulskis Angebot, ihm Baustoffe zu beschaffen, keinen Gebrauch gemacht. Manchmal konnte er sich auf seine Nase verlassen.

Er erhob sich, reckte die Arme und stieß sich schmerzhaft das rechte Knie. Länger als anderthalb Stunden hielt es ihn selten ohne Unterbrechung hinter seinem Antikmöbel. Seine Tätigkeit bot ihm genügend operativen Spielraum. Über Mangel an frischer Luft brauchte er sich nicht zu beklagen. Er kam überall im Kreis herum, von den sanften Hügeln im Norden bis hin zur sandigen Heide im Süden, an der die gefräßigen Großraumbagger nagten. Wenn es die Zeit erlaubte, parkte er den Dienstwagen weit entfernt vom eigentlichen Ziel und legte einen gesundheitsfördernden Fußmarsch ein. Handelte es sich um einen Ereignisort im kriminalistischen Sinn, einen Tat- oder Fundort also, musste er auf derlei Verzögerungen verzichten. Außerdem war der Einsatzkoffer mit der technischen Grundausrüstung zu schwer.

Solche Wanderungen gehörten für ihn durchaus zu seiner Arbeit. Wie sonst sollte man Landschaft und Leute kennenlernen, sie als ein Abbild in sich aufnehmen, das sich auch nachträglich noch befragen ließ. Mitunter hatte er im Vorfeld mehr über einen Sachverhalt erfahren, als den Betroffenen lieb war. Die Menschen schenkten ihm gewöhnlich schnell Vertrauen, seine Wortkargheit schien deren Redefluss eher anzuregen – eine Tatsache, die vor allem seine eigene Frau in Erstaunen versetzte: Dass dir überhaupt einer was erzählt …

Ja, man erzählte ihm so allerlei, wahrscheinlich weil er zuzuhören verstand oder es zumindest so schien. Die Beichtvaterrolle konnte leicht zur Last werden, wie jetzt, als Jarosch im Sekretariat stand, um die Post in Empfang zu nehmen, und die Ehegeschichte der Tochter von Edelgard Neubert gratis dazugeliefert bekam. »Hmm, hmm …«, sagte er nur und wagte nicht so recht, die beiden Briefumschläge zu öffnen, weil das nach mangelnder Aufmerksamkeit ausgesehen hätte. Das tat man einer besorgten Mutter nicht an, auf die man in den tausend kleinen Zwängen der täglichen Dienstabwicklung angewiesen blieb. Jarosch hatte sich schon einmal überlegt, dass eine Pfeife à la Kommissar Maigret in solchen Situationen eine brauchbare Ablenkung wäre, nur machte er sich nichts mehr aus dem Rauchen, seitdem Edith es ihm abgewöhnt hatte.

Als der Major eintrat, gelang es ihm endlich, den Raum zu verlassen. Noch auf der Treppe kontrollierte er den Inhalt der Post. Eine Vorladung zu einer Hauptverhandlung des Kreisgerichts, die eigentlich Kathleen galt. Ein Fall von Diebstahl sozialistischen Eigentums in Verbindung mit der Vortäuschung einer Straftat. So weit er sich erinnerte, ein dilettantisch fingierter Einbruch in eine Gaststätte, den Kathleen im ersten Angriff aufgeklärt hatte.

Das zweite Kuvert enthielt ein Klarsichttütchen mit mehreren Scheckformularen, dazu die Anzeige der Sparkasse gegen die Kontoinhaberin. Er überflog die stereotypen, ihm

allzu vertrauten Sätze. Scheckbetrug schien sich anhaltender Beliebtheit zu erfreuen.
An seinem Schreibtisch las er die Anzeige noch einmal, schüttelte die sechs grünen Blättchen aus der Tüte und besah sie gründlich. Alle trugen die gleiche, gut lesbare Unterschrift Martina Fahrlandt. Adresse und Personalausweisnummer standen auf der Rückseite. Jarosch blätterte in seinem Kalender und trug Datum und Uhrzeit in ein Vorladungsformular ein. Was sich so eine Frau wohl dabei dachte, das eigene Konto in dieser Höhe zu überziehen.
Er griff zum nächsten Vorgang. Das war ein dicker Hund. Auf der Heide hatten drei Dörfer den Abraumbaggern weichen müssen. Einer der ehemaligen Einwohner von Gorna, ein Mann kaum über die vierzig, war entgegen dem ausdrücklichen Verbot am vergangenen Sonnabend noch einmal in sein aufgegebenes Haus zurückgekehrt und dort von zwei oder drei unbekannten Burschen brutal niedergeschlagen worden. Erst am Montag hatten ihn die Männer vom Tagebau gefunden. Von den Tätern fehlte jede Spur. Es wurde Zeit, dass er nach Gorna fuhr, bevor die Planierraupen die letzten Anhaltspunkte beseitigten. Außerdem musste er den Mann im Krankenhaus aufsuchen und, sofern es dessen Zustand zuließ, ein ordentliches Protokoll aufsetzen.
Das Telefon schrillte. Der Diensthabende in der Anmeldung ließ ihn wissen, dass eine Bürgerin eine Anzeige erstatten wolle.
»Ich komme«, sagte Werner Jarosch ergeben. Beim Aufstehen stieß er sich das rechte Knie.

2

Die junge Frau mit zerzaustem rotem Haarschopf, die Werner Jarosch gegenübersaß, fühlte sich sichtlich unwohl. Angelegentlich beschäftigte sie sich damit, ihre Nase mit einem verknüllten Papiertaschentuch zu putzen, während er ihre Personalien aufnahm.

Isa Matuschek aus Großpöhlow, vor drei Wochen gerade neunzehn Jahre alt geworden. Ein wenig älter sah sie aus, fand Jarosch, oder reifer vielleicht. Ein sportlich wirkendes Mädchen, mehr als mittelgroß, mit kräftigen Händen und energischem Kinn. Sie hatte sich nicht besonders fein gemacht für den Besuch bei der Polizei, trug Jeans und einen dunkelblauen Anorak. Darunter schaute ein Sweatshirt mit englischer Aufschrift hervor.

Jarosch registrierte das ganz automatisch, auch den Schutzhelm, der zu ihren Füßen lag, die in halbhohen Stiefeln steckten. Den Grund für die dunkle Färbung ihres Jochbeins unter dem rechten Auge würde sie ihm gewiss noch verraten.

»Ich wollte nicht kommen …«, sagte sie verdrossen. »Mein Freund meint, man muss so was melden.«

Der Oberleutnant nickte und schwieg abwartend.

Das Mädchen Isa blickte ihm offen ins Gesicht und blähte für einen Augenblick ihre Backen auf. »Ich bin vergewaltigt worden«, stieß sie trotzig hervor.

Jaroschs flächiges Gesicht blieb unbewegt. Wenn es stimmte, was die junge Frau sagte, dann hatte es der Täter gewiss nicht leicht gehabt mit ihr. Sie sah nicht aus, als würde sie sich wehrlos in eine solche Situation fügen, und das Veilchen war damit auch erklärt. *Wenn* es stimmte. Das war allemal der Haken bei so einer Anzeige. Werner Jarosch hätte viel

darum gegeben, jetzt sagen zu können: Meine Kollegin unterhält sich mit Ihnen darüber etwas genauer.
Da Isa Matuschek ihrer Erklärung keinen weiteren Satz folgen ließ, ihn vielmehr erwartungsvoll anstarrte, bequemte Jarosch sich schließlich zu der Frage: »Eine vollendete Vergewaltigung – oder hat der Täter nur versucht, Ihnen Gewalt anzutun?«
Die Röte schoss ihr ins Gesicht. Zornesröte, wie Jarosch annahm, denn peinlich schien ihr die Auskunft darüber nicht zu sein. »Vollendet!«, sagte sie in einem Ton, der keinen Zweifel an der Tatsache zuließ, blickte sich dann aber doch um, ob auch kein Unbefugter sie hören konnte. Am Hinterkopf ging ihr strubbeliger roter Schopf in glattgestriegeltes mittelblondes Haar über. Wahrscheinlich war das ihre natürliche Haarfarbe. Aber das auffällige Rot stand ihr, fand Jarosch.
»Sie sind nicht beim Arzt gewesen?«, vergewisserte er sich.
Sie sah ihn an, als habe sie ihn nicht verstanden. »Wozu sollte das gut sein?«
»Das ist bei einer so schweren Straftat unerlässlich«, erklärte Jarosch mild. »Wann ist es denn passiert?«
»Am Sonnabend.«
»Heute ist Dienstag.« Aus seiner Stimme klang kein Vorwurf. Eher Resignation. So waren die Menschen eben. Beeilen musste sich nur die Kripo.
»Sie hätten unverzüglich Anzeige erstatten müssen. Schon wegen der Spurensicherung.«
In ihrem Blick lag eine Mischung aus Ekel und Unglauben. »Spurensicherung?«, sagte sie abfällig. »Ich habe erst mal 'ne Dreiviertelstunde geduscht, als ich nach Hause kam, falls Sie sich das vorstellen können.«
Jarosch nickte. »Und die Kleidungsstücke, die Sie trugen?«

»Die habe ich in die Waschmaschine gesteckt! Wohin hätte ich sie mitten in der Nacht bringen sollen?«
»In Großpöhlow gibt es einen Abschnittsbevollmächtigten.«
»Ich dachte, für so was sind Sie zuständig. Und heute hatte ich sowieso hier in der Kreisstadt zu tun. Ich kann mir schließlich nicht freinehmen, wann ich will!«
»Der ABV hätte uns angerufen. Wir wären sofort gekommen!«
»Am Sonntag?«, fragte sie zweifelnd.
»Am Sonntag. Feuerwehr und Kriminalpolizei sind immer im Dienst. Wussten Sie das nicht?«
»Bei uns ist mal im Stall eingebrochen worden. Da kam erst nach einer Woche einer vorbei.«
Jarosch ließ sich ungern auf didaktische Erläuterungen ein, obwohl seine Frau behauptete, an ihm wäre ein Pauker verloren gegangen, mit seiner geradlinigen Betulichkeit und seiner ostpreußischen Geduld. Er sagte: »Eine Vergewaltigung ist eine schwere Straftat gegen die Würde des Menschen, Frau Matuschek. Da dürfen wir keine Minute zögern, um alle Spuren zu sichern, die zu einer Aufklärung führen.«
»Sie meinen, Sie kriegen den?«, fragte sie, sichtlich ungläubig.
Wir müssen, hätte er beinahe gesagt, denn dass sie ein Sexualverbrechen aufklären mussten, daran konnte kein Zweifel bestehen. Das war etwas anderes als ein Fahrraddiebstahl oder Scheckbetrug als Freizeitsport. Wenn ein solcher Täter herumlief, kochten die Gerüchteküchen in den Dörfern. Die Miefwolke würde bis hierher in die Kreisstadt wehen, der Major eine Lagebesprechung nach der anderen anberaumen. Und Edith würde zu Hause keine Ruhe geben und jeden Tag mit neuen Tartarenmeldungen aus ihrer Bibliothek heimkehren.

»Mit Ihrer Hilfe!«, sagte Jarosch fest. »Sie müssen versuchen, sich an jede Einzelheit zu erinnern. Auch wenn sie Ihnen noch so unwesentlich erscheint. Wann und wo genau ist es passiert?«
Isa Matuschek schien doch ein wenig eingeschüchtert. »Am Sonnabend …«, sagte sie zögernd. »Irgendwann nach zehn. Ich war mit dem Roller unterwegs nach Hause.«
»Woher kamen Sie?«
»Na, aus der ›Sonne‹. Da war Disko. In Bartz.«
In Bartz. Die Mappe mit dem Protokoll über den Vorfall in Launitz lag rechts. Jarosch schlug sie auf. Nein, der Mann in Launitz hatte sich schon am Donnerstagabend nach dem Weg nach Bartz erkundigt. Möglicherweise bestand dennoch ein Zusammenhang.
Mit der Täterbeschreibung ließ sich in beiden Fällen nicht viel anfangen. Zwischen vierzig und fünfzig hieß es in der Launitzer Anzeige, groß, mit einer Mütze. Und Isa Matuschek behauptete zwar, den Mann jederzeit wiederzuerkennen, aber beschreiben – nein, beschreiben könnte sie ihn beim besten Willen nicht. Außerdem hatte er ja eine Pudelmütze mit Augenschlitzen über sein Gesicht gezogen. Jedenfalls in dem Augenblick, als sie mit dem Roller bereits angehalten und der Kerl mit raschem Griff den Zündschlüssel herausgerissen und damit das Licht gelöscht hatte, bevor sie ihn auch nur annähernd zu erkennen vermochte. Auf dem stockdunklen Weg von Bartz nach Großpöhlow war das gewesen, mindestens ein, zwei Kilometer vor der Kreuzung mit der Umgehungsstraße. Sie war nur mühsam vorangekommen zwischen all den Löchern und Pfützen auf dem unbefestigten Fahrweg, auch weil irgendwas mit dem Roller nicht in Ordnung war. Wie sie später festgestellt hatte,

war kaum Luft auf dem Hinterreifen. Auf dem Knüppelpflaster vor der »Sonne« war ihr das nicht aufgefallen.
Ihr war gar nichts anderes übrig geblieben als anzuhalten, als da eine Gestalt genau an der schmalsten Stelle zwischen dem Feldrain und einer Riesenpfütze auftauchte.
Natürlich hatte sie sich gewehrt, war ihm an den Hals gefahren und hatte ihm das Hemd zerrissen, wenn sie sich recht erinnerte. Mit ihren langen Fingernägeln musste sie ihn verletzt haben, irgendwo am Schlüsselbein. Ein Nagel war sogar abgebrochen. Nachdenklich starrte sie auf jenen Finger, während Jarosch schrieb.
Isa Matuschek war gewiss couragiert, doch der Täter war mit so großer Brutalität und Zielstrebigkeit vorgegangen, dass ihr kaum eine Chance blieb. Geschrien hatte sie auch, selbstverständlich. Aber erst, nachdem der ihr ins Gesicht geschlagen hatte, einmal und sehr heftig. Wahrscheinlich als Reaktion auf den Kratzer am Hals. Und dann hatte er sie geknebelt, mit ihrem eigenen langen Schal, und ihre Hände damit auf dem Rücken zusammengebunden. Und die ganze Zeit irgendwelche Sauereien geflüstert, dass sie es sich schön machen wollten miteinander, und noch viel schlimmere Sachen, die sie prompt aussprach, als Jarosch danach fragte, um sie getreulich zu protokollieren.
Irgendwann war ihre Gegenwehr erlahmt. Wenn du nicht ruhig bist, mache ich dich kalt, hatte er geflüstert, immer nur geflüstert, kein lautes Wort, obwohl wahrhaftig keine Gefahr bestand, dass jemand dort vorbeikam. Die Disko in Bartz ging mindestens noch eine Stunde, und aus Großpöhlow war sowieso kaum jemand in der »Sonne«. Dass der sie umbringen würde, davor hatte sie plötzlich Angst gehabt, und deswegen hatte sie sich alles gefallen lassen von dem Sau-

kerl, nachdem der sie die Böschung rauf aufs Feld geschubst hatte. Irgendwann war er aufgesprungen und zurück auf den Weg gerannt. Sie hatte aufgeatmet und begonnen, den festgezogenen Schalknoten an ihren Händen zu lösen; aber der hatte nur den Roller beiseitegeräumt, ihn einfach in den Graben geschmissen, und war noch einmal zurückgekommen und wieder über sie hergefallen.

Es war so ziemlich das Scheußlichste, was Jarosch seit langem zu hören bekam, und er war einiges gewöhnt. Eine weniger robuste Person als Isa Matuschek hätte er wahrscheinlich am Krankenbett vernehmen müssen, ohne je so genau zu erfahren, was da vorgefallen war.

Wenn es vorgefallen war. Der Gedanke, dass jemand, der ihm auf dem Stuhl gegenübersaß, einfach log, dieser Gedanke war in Jaroschs großem Kopf immer wach. Dann bliebe zu klären, weshalb sie ihm eine solche haarsträubende Geschichte auftischte, fast ohne emotionale Regung und mit Einzelheiten, von denen kaum vorstellbar war, dass sie sie nur erfunden hatte. Außerdem beschuldigte sie keine bekannte Person. Und von ihrer äußeren Gelassenheit ließ er sich nicht täuschen. Es gab keine Regel, wie sich Opfer eines Sexualverbrechens zu verhalten hatten. Gerade durch ihre Unbefangenheit erschien ihm Isa Matuschek glaubwürdig.

»Bleiben wir bei dem Täter«, sagte Jarosch behutsam. »Versuchen Sie sich genau zu erinnern, wie er aussah. Wie er bekleidet war.«

Sie schüttelte den Kopf. »Es war wirklich stockdunkel«, versicherte sie. »Kein Mondschein. Nichts. Es fing ein bisschen an zu nieseln, als er weg war …«

»Wohin ist er gegangen?«

»Ich weiß nicht. Ich hatte nur Angst, dass er noch mal zurückkommt. Dann ist irgendwo ein Auto angefahren. Ziemlich weit entfernt.«

»Wie weit? Wie viele Minuten ungefähr waren inzwischen vergangen? Fünf … oder zehn?«

Sie sah ihn wütend an: »Liegen Sie da mal auf der Erde, nach so einer Sauerei, gefesselt mit Ihrem eigenen Schal, und dann fragt einer, wie viele Minuten vergangen waren! Ich habe mich erst mal ein Stück weiter ins Gebüsch geschleppt, damit der mich nicht wiederfindet!«

Es war nicht Jaroschs Art, Anteilnahme zu zeigen. Isa Matuschek konnte nicht ahnen, wie ungewohnt mitfühlend seine Stimme klang. »Ich verstehe Sie ja, Frau Matuschek. Und ich will den Täter fassen und überführen. Dazu muss ich auch wissen, auf welche Weise er vom Tatort verschwunden ist. Haben Sie eventuell den Autotyp am Klang erkannt?«

»Sie meinen, Viertakter oder so? Da hätte Fredo dabei sein müssen. Der könnte Ihnen das Baujahr nennen.«

»Einen Trabant erkennt man beim Starten. Ein Lada klingt ganz anders.«

Isa Matuschek schien in sich hineinzuhören. »Beides nicht …«, sagte sie schließlich zögernd. »'n Lada brummt so, wenn er fährt. Vielleicht war es gar nicht der Wagen des Kerls. Es war ja still, kaum ein bisschen Wind. Und unheimlich duster auf dem ollen Acker …«

O ja, Werner Jarosch verstand sie gut. Oft genug hatte er selbst irgendwo im nächtlichen Dunkel gehockt, irgendjemanden beobachtet, auf irgendein Ereignis gelauert. Unheimlich war es immer, wenn das Licht fehlte, das dann die gesamte Zivilisation auszumachen schien. Wie musste ihr erst zumute gewesen sein, mutterseelenallein, nach einem solchen Erlebnis.

Er öffnete die linke Seite seines Schreibtischs. Ganz unten befand sich die Mappe mit den alten Messtischblättern, die zehnmal genauer waren als alles, was im Zeitalter der Satellitenerkundung als Karte galt. Die Südostecke des Kreisgebietes. Die Dörfer jenseits der Kreisgrenze gab es längst nicht mehr. Bartz, Launitz und Großpöhlow bildeten die Eckpunkte eines annähernd gleichseitigen Dreiecks mit Großpöhlow an der Nordspitze.

Jarosch drehte das Blatt und schob es zu ihr. »Sehen Sie mal hier, Frau Matuschek. Auf diesem Weg müssten Sie gefahren sein.«

»Sagen Sie nicht immer Frau Matuschek zu mir. Das klingt, als würden Sie mit meiner Mutter reden!«

Für einen Moment schaute Jarosch sie hilflos an. »Entschuldigen Sie – Fräulein Matuschek …«

»Ist ja auch egal. Ich mache es jedenfalls zur Bedingung, dass meine Mutter nichts von der ganzen Sache erfährt. Kein Sterbenswort. Verstehen wir uns?« Sie sah ihn herausfordernd an.

Die Bemerkung, dass man dem Untersuchungsorgan keine Bedingungen zu stellen habe, schien Jarosch fehl am Platz. Ihre Forderung war ebenso einleuchtend wie leicht einzuhalten. Vorläufig jedenfalls. Also ging er nicht darauf ein und deutete mit seinem dicken Zeigefinger auf einen Punkt des Fahrwegs, der Bartz und Großpöhlow gewiss seit undenklichen Zeiten miteinander verband. »Hier etwa verläuft die neue Fernverkehrsstraße.«

Isa Matuschek beugte sich über das Blatt. »Es war weit davor. Ungefähr auf der Hälfte zwischen Bartz und der Straße. Das ist der Pfuhl in der Senke.« Lebhaft stieß ihr Finger auf den winzigen blauen Fleck. »Auf der Anhöhe davor ist es

gewesen. Hier ungefähr.« Ihr lackierter Fingernagel markierte die Stelle.
»Und wo fuhr das Auto ab?«
Das Mädchen blickte Jarosch einen Moment an und dann wieder auf die Karte. »Das könnte da unten gewesen sein«, sagte sie nachdenklich. »Aus dieser Richtung müsste das Geräusch gekommen sein.«
»Nehmen wir an, der Täter hatte dort ein Fahrzeug abgestellt und erwartete Sie gut vierhundert Meter davon entfernt. Der Weg wird zu dieser Zeit kaum befahren, oder?«
Sie nickte.
»Und während der ganzen Zeit ist niemand vorbeigekommen? Ich meine, auch nicht danach, während Sie sich befreiten?«
»Keine Menschenseele. Mir ist bis Großpöhlow niemand begegnet. Ich hätte auch gar keinen gesehen bei der Dunkelheit.«
»Die Wahrscheinlichkeit, ausgerechnet dort und zu der Zeit mit Erfolg einer einzelnen Frau aufzulauern, war demnach für den Täter äußerst gering.«
Sie verstand sofort, worauf er hinauswollte. »Das habe ich mir schon selber überlegt. Es konnte keiner wissen, dass ich da entlangfahre. Ich habe es ja zehn Minuten vorher selbst noch nicht gewusst. Oder zwanzig Minuten. Es war ein ganz spontaner Entschluss. Plötzlich hatte ich es satt, und das habe ich Fredo gesagt und bin abgehauen.«
»Fredo hat es also gewusst«, stellte Jarosch fest.
Sie ließ sich nicht beirren. »Natürlich! Er war ja schuld an dem ganzen Theater. Wir haben uns gestritten. Nicht, was Sie gleich denken. Ich habe mit ihm gestritten. Er war zu betrunken, um Streit mit mir anzufangen. So einer ist er nicht.

Er wird gemütlich und manchmal auch weinerlich. Streitsüchtig nie.«
Da sie schwieg, sagte Jarosch: »Sie haben ihm Vorwürfe gemacht, wegen seines Zustands.«
»Er war ziemlich voll, na ja. Das hätte ich ihm noch verziehen. Aber denken Sie, der hätte ein einziges Mal mit mir getanzt? Weshalb geht man denn zur Disko?«
»Hat er mit einem anderen Mädchen getanzt?«
»Der doch nicht! Die ganze Bande hat gesessen wie angeleimt und nur geschluckt und gequasselt, soweit man das bei der Lautstärke kann. Über ihren dämlichen Fußball und über Autos – worüber Männer eben so reden. Ich saß da wie bestellt und nicht abgeholt.«
»Sie haben kein einziges Mal getanzt?«
»Das schon. Da haben sie dann mit blöden Bemerkungen nicht gespart und so rumgeätzt, dass dem Dieter die Lust vergangen ist. Der ist sowieso einen halben Kopf kleiner als ich.«
Allmählich vermochte Jarosch sich die gemütliche Atmosphäre der Sonnabend-Disko in der Gaststätte »Zur Sonne« vorzustellen. Als besonders friedfertig galten die Einwohner der Ortschaften in jener Gegend ohnehin nicht. »Und der Dieter – war der noch da, als Sie das Lokal verließen?«
»Der ist lange vorher abgehauen. Hat wahrscheinlich befürchtet, dass die Bartzer noch Stunk mit ihm anfangen.« Sie lachte auf. »Sie denken, Dieter …? Nein, es war keiner, den ich kannte. Mit Dieter bin ich zusammen zur Schule gegangen. Dieser Kerl – der war viel älter, das habe ich gemerkt. Vielleicht so um die vierzig …«
»Sind Sie sicher?«, fragte Jarosch. Bisher hatte sie eine Altersangabe für den Täter vermieden.

»Nein«, antwortete sie denn auch sofort und wirkte plötzlich niedergeschlagen. »Ich bin überhaupt nicht sicher. Er war größer als ich. Und sehr kräftig, mit ganz harten Pfoten. Nicht so ein Milchbart wie der Dieter …«
Sie schien erneut über das Aussehen des Täters nachzugrübeln. Der Oberleutnant ließ ihr Zeit. Schließlich wiederholte sie: »Ich bin sicher, ich würde ihn wiedererkennen.« Das half Jarosch aber auch nicht weiter.
»Sie haben also den Fredo zur Rede gestellt und ihm erklärt, dass Sie gehen werden.«
»Als er zum Klo musste, da habe ich ihn mir geschnappt. Heut wird 's nichts, Mäuschen, hat er gesagt, und das hat mich richtig hochgebracht. Wenn der mich schon Mäuschen nennt! Immerhin war ich seinetwegen rüber nach Bartz gefahren.«
»Auf dem gleichen Weg wie zurück?«
»Ich benutze nie die Umgehungsstraße. Das wäre ein Riesenumweg.«
Aber vielleicht ein bisschen sicherer, dachte Jarosch.
»Ich wollte eigentlich gar nicht zurückfahren. Das wusste Fredo aber nicht. Ich habe ihm nicht gleich auf die Nase gebunden, dass ich meiner Mutter erzählt hatte, ich würde bei meiner Freundin Nina übernachten, damit mir nichts passiert. Mutter hat immer furchtbare Angst um mich. Und deshalb darf sie es auch nicht erfahren.«
»Ja, ja«, beruhigte Jarosch sie. »Was haben Sie denn zu Fredo gesagt? Ich meine, bezüglich Ihrer Absicht, die ›Sonne‹ vorzeitig zu verlassen.«
Sie zuckte die Achseln. »Was Sie alles wissen wollen. Mein Roller findet den Weg auch alleine oder so was. Und dass es mir reicht und ich nicht länger bleibe.«

»Und das haben alle Umstehenden gehört.«
»Kaum. Das war etwas, was nur uns beide anging. Draußen im Flur, vor den Toiletten, war ja auch keiner außer uns. Jedenfalls bin ich voller Wut rausgestürzt und gleich losgefahren. Die Schlüssel hatte ich in meiner Umhängetasche. Erst unterwegs wurde mir bewusst, dass ich nicht mal meine Jacke mitgenommen hatte. Also musste ich umkehren und noch mal zurück in den Saal. Ich war stinksauer. Und ausgerechnet in dem Moment fordert mich einer zum Tanzen auf. Ich habe nicht mal gleich gemerkt, dass der mindestens so viel getrunken hatte wie Fredo. Er fing an, dämliches Zeug zu reden und mich zu betatschen. Ich dachte, Fredo müsste jeden Augenblick zurück sein vom Klo, und der Anblick wird ihn vielleicht ernüchtern, aber der kam und kam nicht. Erst als ich den Kerl mitten auf der Tanzfläche stehen ließ, da tauchte er plötzlich auf. Mit zwei Martini in der Hand! Was Besseres war ihm nicht eingefallen. Da war bei mir endgültig Feierabend. Ich habe ihm den Spießer mit der Zitronenscheibe und der klebrigen Kirsche ins Hemd gesteckt, meinen Beutel vom Haken genommen und bin raus. Draußen habe ich die Jacke angezogen, und die flachen Schuhe natürlich.«
»Und dann sind Sie losgefahren? Trugen Sie keinen Helm?«
»Den hatte ich hinten drauf. Nach der Räucherei im Saal brauchte ich frische Luft. Soll ich jetzt etwa zehn Mark Strafe zahlen?« Sie guckte herausfordernd.
Jarosch winkte ab. »Ich versuche, mir ein Bild von der Situation zu machen«, sagte er ruhig. »Haben Sie jemanden bemerkt, der in der Zeit zwischen Ihrem Gespräch mit Fredo und Ihrem zweiten Aufbruch die Gaststätte verlassen hat?«
»Das sieht man vom Saal aus nicht. Mir ist keiner aufgefallen.«

»Und der Angetrunkene, der mit Ihnen getanzt hat? Wo ist der geblieben?«
»Da, wo alle Männer bleiben, die sich trösten wollen: an der Theke. Nehme ich jedenfalls an.« Ihr Ton war zunehmend unfreundlicher geworden. »Der war es auch nicht. Das müssen Sie mir schon glauben. Der Kerl auf dem Acker roch nicht nach Alkohol. Nach Zigaretten, das ja. Und nach Schweiß und …« Sie schlug die Hände vor ihr Gesicht. »Ich will nicht mehr daran denken!«, sagte sie heftig. »Auf diese Weise finden Sie den nie. Ich hätte mir den Weg sparen können.«
Jarosch zögerte einen Augenblick, bevor er seine massige Gestalt vom Stuhl hievte und um den Schreibtisch herumging. Isa Matuschek hielt ihre Fingerspitzen an die rechte Wange gepresst, genau da, wo das Hämatom bereits einen gelben Rand zeigte. Er blieb dicht neben ihr stehen, unterließ es jedoch, sie in irgendeiner Weise zu berühren.
»Wir werden ihn fassen«, versprach er. Und ein Versprechen hatte er noch niemals leichtfertig abgegeben. »Es war Ihre Pflicht, diese Anzeige zu erstatten.«
Sie blickte voll ungewisser Erwartung zu ihm auf. »Aber ich muss ihn identifizieren. Ja?«
Jarosch nickte.
»Und dann erfährt es meine Mutter doch! Sie kennen sie nicht. Die ist schon verrückt genug, weil Fredo die ganze Nacht bei mir verbracht hat.«
Erstaunt hob Jarosch die Augenbrauen. »In welcher Nacht war Fredo bei Ihnen?«
»Von Sonnabend zu Sonntag. Ich war vielleicht zwanzig Minuten im Bett, nach dem Duschen, da schmiss er Steinchen an mein Fenster. Ich habe mich fast zu Tode erschreckt.«

Gemessenen Schritts begab Jarosch sich zurück hinter seinen monströsen Schreibtisch und ließ sich wieder auf den Stuhl nieder.

»Fredo hat nichts damit zu tun!«, erklärte Isa Matuschek. »Der dachte erst, ich spinne, als ich ihm erzählt habe, was mir seinetwegen passiert ist. Und dann wollte er los und den Kerl umbringen. Ich konnte ihn nur mit Mühe zurückhalten. Er war inzwischen fast nüchtern nach dem langen Weg, vielleicht auch von dem Schock, den ihm die Geschichte verpasst hat. Er hat gleich gesagt, ich muss zur Polizei gehen. Aber nicht mehr in dieser Nacht. Danach war mir nicht.«

»Wenn Fredo Ihnen auf demselben Weg gefolgt ist – hat er da nicht Ihren Roller bemerkt?«

Sie sah ihn verständnislos an. »Denken Sie, den habe ich im Graben liegen lassen? Das war das Einzige, woran ich mich festhalten konnte in meinem Zustand. Fahren konnte ich nicht. Der Zündschlüssel war ja weg. Und auf Latschen stand er auch fast. Das habe ich beim Schieben gemerkt.«

Jaroschs Vorstellungsvermögen reichte aus, um zu ermessen, was für eine Tortur der Heimweg für die junge Frau gewesen sein musste. »Wir schreiben den Rest jetzt mal genau auf«, sagte er zurückhaltend. »Und dann fahren wir gemeinsam zu der Stelle, wo sich der Überfall zugetragen hat.«

Isa Matuschek riss ihre Augen unnatürlich weit auf und sagte entsetzt: »Ich dachte, ich bin jetzt fertig!«

Jarosch kratzte sich sorgenvoll über dem Ohr.

»Eine ärztliche Untersuchung wird sich nicht umgehen lassen …«

»Was sollen denn die jetzt noch feststellen!«, fuhr die junge Frau ihn an.

»Wenigstens mit einem Psychologen sollten Sie sprechen.

Die können aus dem, was vorgefallen ist, bestimmte Schlüsse auf den Typ des Täters ziehen.«

»Es war ein absolut widerlicher Typ«, sagte Isa Matuschek abweisend. »Das ist alles, was ich denen sagen kann.«

3

Die Kerchower Schule bestand aus zwei schmucklosen, durch einen verglasten Gang miteinander verbundenen Plattenbauten. Swetlana Schildhauer empfand die nach Süden gewandte Fensterfront als den besten Einfall des Architekten, besonders an einem Nachmittag wie diesem, an dem die Maisonne endlich einmal über den Pappeln vor dem Schulgelände schimmerte. Von ihrem einsamen Platz an der Stirnseite des langen Tischs im Lehrerzimmer blickte sie sehnsüchtig durch die offene Tür bis hinüber zum Wartehäuschen, wo der Bus mit den Kindern gerade abgefahren war.

Swetlana liebte die Sonne. Daran vermochten Meldungen über die Gefährlichkeit des Ozonlochs und die Zunahme von Hautkrebs unter Sonneneinstrahlung nichts zu ändern. Nach sieben Stunden Schulmief sehnte sie sich nach der frischen Luft auf ihrer Terrasse. Die Schule war noch nicht alt und roch dennoch wie alle Schulen riechen: nach Bohnerwachs und feuchter Kreide, Schulspeisung und Staub. Ein Geruch, an den Swetlana seit ihrem siebenten Lebensjahr gewöhnt war und den sie sonst kaum wahrnahm. Seit dreißig Jahren, dachte sie. Weshalb fiel er ihr heute auf? Weil draußen endlich der Frühling in der Luft lag?

Im linken Gebäudeteil lärmten die Hortkinder. Ein Nach-

zügler aus der Oberstufe tappte den Flur entlang, musterte sie erstaunt durch die offen stehende Tür und hielt es nicht für nötig zu grüßen.
Sie nahm ein Heft von dem vor ihr liegenden Stapel, schlug es auf. Die Buchstaben strebten in alle Richtungen auseinander. Was sie las, verriet ihr, dass es von einem ihrer Sorgenkinder stammen musste: Lars oder Nicole oder Silvio.
Die Kaze hat junge gekrikt es wahren Fümf vir hat papa tohtgemagd.
Silvio Ney stand auf dem Umschlag, der spurengezeichnet war wie eine zu lange benutzte Tischdecke. Für einen Augenblick sah sie die hellgrauen Augen des Jungen auf sich gerichtet. Ohne sichtbare Gefühlsregung würde er ihre Kritik hinnehmen, sich höchstens drohend nach einem allzu lauten Lacher in der Klasse umdrehen. Was sollte aus ihm werden? Mit der Mutter, einer drallen, ein wenig schielenden, aber nicht einmal hässlichen Frau, hatte sie zwei Gespräche geführt. Es mangelte ihr nicht an Willen, wohl aber an den Fähigkeiten, Silvios Leistungen zu beeinflussen. Sie arbeitete als Köchin in dem Ferienheim, in dem ihr Mann Hausmeister war. Rede mal mit dem, hatte Hannelore Griebenow ihr geraten. Swetlana hatte darauf verzichtet. Sie kannte Reinhold Ney bereits durch Hannelores Vermittlung. Der hatte er eine Bauerntruhe zum Kauf angeboten. Swetlana war mit ihr nach Hahnshof hinausgefahren, um das eichene Ungetüm in Augenschein zu nehmen. Ein prächtiges Geburtstagsgeschenk für Arne, wenn auch ein bisschen gewaltig für ihr Wohnzimmer.
Der Hausmeister Reinhold Ney, ein schmalschultriger, kräftiger Mann mit hoher Stirn, die blonden Haare über die Kopfblöße zur Seite gekämmt, schien sich in seinem Reich

wohl zu fühlen, einer Mischung aus Werkstatt, Garage und Trödellager. Zäh handelte er um den Preis der Truhe und bot ihnen noch etliche andere Gegenstände an.
Swetlana gefiel sein Blick nicht. Sie zahlte schließlich hundert Mark mehr, als sie sich als Höchstgrenze gesetzt hatte, und schaute ihm ungeduldig zu, wie er den Deckel demontierte, damit die Truhe in ihren Trabant passte.
Arne hatte sich sehr gefreut über das Prachtstück und sich nicht einmal nach der Herkunft erkundigt. Aber irgendwann im Winter war Ney plötzlich bei ihnen in Kerchow aufgetaucht. Er musste schon eine Weile im Flur mit Arne verhandelt haben, bevor sie seine Anwesenheit überhaupt bemerkte. Er bot einen kompletten bäuerlichen Türstock an, mit guterhaltener Schnitzerei. Arne lehnte schroff ab. Sie hatte dazu geschwiegen. Sie wusste, wie schwierig es war, Arne umzustimmen, wenn es ums Geldausgeben ging.
Mit solchen Leuten macht man keine Geschäfte, hatte er gesagt, als Ney verschwunden war. Der hatte anscheinend gleichmütig auf die Absage reagiert. Nur der Blick aus seinen grauen Augen war wieder unangenehm gewesen.
Die gleichen Augen wie Silvio?
Da schien ihr Vorsicht geboten. Gleich nach der Übernahme der Klasse war sie tief ins Fettnäpfchen getreten, als sie den Vater von Lars Pritzlaff gewissermaßen ermunternd auf die Ähnlichkeit des Sohns mit ihm hingewiesen und gemeint hatte, dass die sich irgendwo doch auch in den intellektuellen Fähigkeiten zeigen müsste. Pritzlaff hatte ihr geduldig und, wie sie hoffte, einsichtig zugehört, ein schwaches Lächeln um den Mund. Mal sehen, was sich machen lässt, hatte er schließlich gesagt – wenn ich auch nicht Lars' leiblicher Vater bin …

Nein, Swetlana verspürte wenig Lust zu einem Gespräch mit dem Mann, der den Wurf Katzen auf die in Kerchow übliche Weise beseitigt hatte. Sie schloss das Heft und schob den ganzen Stapel ein Stück von sich. Während sie sich eine Zigarette anzündete, merkte sie wieder einmal, wie stark der Gestank von Ulbergs Pfeifentabak in dem Raum vorherrschte. Gegen die Gewohnheit des Zeichenlehrers kämpfte das Kollegium seit Jahren vergeblich. Kein Wunder, wo auch der Direktor in stillen Stunden an so einem übelriechenden Knösel zutschte. Davon wusste Swetlana ein Lied zu singen. Sie war schließlich mit ihm verheiratet, und das seit fünfzehn Jahren. An einem Tag wie heute erschien es ihr, als bedeute das: schon immer.
Wieder tappten Schritte auf dem Linoleum, leichtfüßig und ohne Eile. Swetlana wartete, wer von den Großen da wohl auftauchen würde. Wie lange blieb der neben der Tür stehen? Dort hing keine Wandzeitung.
Gerade wollte sie zu einem scharfen: Was soll der Unsinn? ansetzen, da tauchte im Türausschnitt, kaum einen Meter über dem Boden ein Gesicht mit einem Bärtchen auf. Unwillkürlich musste Swetlana lachen.
»Was hätten Sie getan, wenn Ulberg hier gesessen hätte? Oder mein Mann?«
Carsten Ederlein, von den Kerchower Schülern »Federbein« getauft, richtete sich auf und griente. Er wusste nur zu genau, wie gut ihm das stand.
»Oder Frau Rosner. Na, so ein Schreck!«, spöttelte er. Elfriede Rosner war die älteste und verdienstvollste der Kerchower Pädagogen, stellvertretende Direktorin, DFD-Vorsitzende und Vertrauensfrau der Gewerkschaftsgruppe. Keiner hätte gewagt, sie nicht zu wählen.

»Ulberg ist dienstags nur zwei Stunden anwesend.« Ederlein blickte finster und zog die Mundwinkel herunter, als schmauche er eine Pfeife. »Und der Herr Direktor ist mit wehenden Rockschößen zur Konferenz in die Hauptstadt abgeflogen …«

Deswegen saß sie jetzt hier und nicht zu Hause auf der Terrasse. Jemand musste da sein, falls das Telefon klingelte. Wenigstens bis fünfzehn Uhr. Bevor Arne eine der Kolleginnen darum bat, sprach er lieber gleich mit ihr. Auf sie wartete niemand. Nicht einmal eine hilfsbedürftige Mutter wie auf Hannelore Griebenow.

»Also hatten Sie es auf mich abgesehen«, stellte Swetlana amüsiert fest.

»Ich wollte lediglich ergründen, wer hier im Dienst die Frühlingssonne genießt.« Er lächelte, setzte sich nahe zu ihrer Linken auf einen Stuhl und betrachtete sie ungeniert. »Wie könnte ich es denn auf Sie abgesehen haben«, sagte er mit gespielter Melancholie. »Ausgerechnet auf die Frau Direktor …« Seine Augen funkelten.

»Noch dazu, wo Sie im Vogtländischen so gut wie verheiratet sind.«

Ederlein zog einen Flunsch. »Das dürften Sie gar nicht wissen. Ich habe es dem Herrn Direktor vertraulich mitgeteilt.« Er meinte das nicht ernst. Swetlana fühlte sich dennoch verpflichtet, Arne zu verteidigen. »Wenn ich mich recht erinnere, sprach nicht mein Mann, sondern Hannelore Griebenow davon.«

»Das ist eine dumme Gans!«, entfuhr es Ederlein. Er sah sie aus seinen samtbraunen Augen an. »Entschuldigen Sie. Mit irgendwem muss man ja mal reden. Schließlich wollen auch die Kolleginnen Gesprächsstoff haben, nicht?«

Swetlana fühlte sich nicht angesprochen. Sie hielt sich aus allem Klatsch heraus, schon Arnes wegen. Mit Hannelore hatte sie Ederlein nur ein wenig aufgezogen. Die würde sich den jungen Mann gewiss gerne angeln. Wenn man dreiunddreißig ist und unverheiratet, kommt einem jeder neue Kollege recht. Noch dazu ein gutaussehender wie Ederlein. Allerdings glaubte Swetlana nicht, dass an dem Getuschel wirklich etwas dran war, das natürlich auch ihre Ohren erreicht hatte. Ederlein schien ihr nicht der Typ, der eine Frau, mit der er etwas gehabt hatte, hinterher als dumme Gans beschimpfte. Für die Kerchower Schule war er in mehrfacher Hinsicht ein Glücksfall. Ein Mathe-Physik-Lehrer, der die meisten anderen Fächer vertreten konnte, einschließlich Sport. Ein Mann, den die Schüler akzeptierten. Überhaupt ein Mann in dieser Weiberwirtschaft, in der es nur noch den zauseligen Ulberg gab und Arne.

Ederleins Familie stammte aus dem Vogtland, wo er auch seine Absolventenzeit verbracht hatte. Sein Vater aber war hier bei der Braunkohle gelandet und hatte sich ein Haus gebaut, weit genug vom Tagebau entfernt, in der ein paar Kilometer vor Kerchow gelegenen Siedlung. Swetlana kannte ihn, seit der ehemalige Chef der Freiwilligen Feuerwehr sie vergeblich anzuwerben versucht hatte.

Vor zwei Jahren war Carstens Mutter gestorben. Krebs. Der alte Ederlein war wunderlich geworden seitdem, hatte alle Ehrenämter aufgegeben, nur gebarmt, der Sohn möge endlich kommen und sich des armen Vaters annehmen.

Da war er nun. »Was soll man denn in diesem öden Nest anfangen?«, klagte er. »Vierundzwanzig Kilometer bis zur Kreisstadt, vierzehn bis zum nächsten Kino. Die Straßen zu schlecht zum Radfahren. Zweimal im Monat Disko, und die

Mädchen sind entweder aus der neunten Klasse oder längst in festen Händen von Kerlen, die nur darauf warten, dem Schulmeister aufs Maul zu hauen.«

»Seien Sie nicht so trübsinnig.« Swetlana versuchte ihn aufzumuntern. Er sah nicht aus, als ließe er sich hauen. »Es ist Frühling. Alles wird besser.«

»Mit den Mädchen?«, erkundigte sich Ederlein treuherzig. Sie lachten beide. Ihr Geplänkel zog sich noch eine ganze Weile hin, bis Swetlana feststellte: »Jetzt könnte ich einen Kaffee vertragen.«

Er verdrehte die Augen und seufzte: »Kaffee …«

In dem verräucherten Raum hatte Swetlana keinen rechten Appetit darauf. Sei nicht so spießig, dachte sie. Sollen die Leute wenigstens einmal etwas zu reden haben. Und sie sagte entschlossen: »Ich lade Sie ein, wenn Ihnen der Weg zu uns nicht zu weit ist.«

Elfriede Rosner, die pünktlich zehn Minuten vor drei dem Schulgebäude zustrebte, um den Batikzirkel zu leiten, wunderte sich sehr, als sie die beiden Gestalten mit zusammengekniffenen Augen endlich identifiziert hatte. Diese Swetlana in ihrem geschlitzten Rock und den dunkel getönten Strumpfhosen! Als ob das hier die Hauptstadt und sie nicht die Frau des Direktors wäre. Im Auto mochte so eine Bekleidung noch angehen, doch damit war Arne ja nach Berlin gefahren. Dass sie sich ausgerechnet an diesen Charmeur Ederlein hängte.

Sorgenvoll schüttelte Frau Rosner ihr ergrautes Haupt. Das Paar bog zum Bäcker ab. Fehlt nur noch, dass er ihr das Händchen hält, dachte sie und wandte sich ab.

Verwaist stand Ederleins Rad im überdachten Fahrradständer.

4

Der Gasthof »Zur Sonne«, am Großpöhlower Ende des alten wendischen Haufendorfs Bartz gelegen, war geschlossen. Ruhetage Dienstag und Mittwoch stand auf einem Schild im sauber geputzten Fenster. Der Dienst hatte Oberleutnant Werner Jarosch seit langem nicht mehr hier vorbeigeführt, und außerdienstlich kam er schon gar nicht nach Bartz. Immerhin hatte die Gastwirtschaft sich äußerlich sehr zu ihrem Vorteil verändert seit seinem letzten Besuch vor vielleicht fünf oder sechs Jahren.

Bis zum Zentrum des Ortes waren es von hier gute tausend Meter. Kein Wunder, dass Isa Matuschek den direkten Weg nach Hause bevorzugt hatte. Bei dem Pflaster auf der Dorfstraße zählte jeder Meter Umweg.

Seine Zweifel am Wahrheitsgehalt ihrer Anzeige waren ohnehin nicht stark gewesen. Die Spurenlage an dem Punkt des Weges, den sie als Tatort angab, hatte ihn vollends überzeugt. Leicht war es nicht gewesen, das widerstrebende Mädchen zu veranlassen, exakt die Stelle zu suchen, wo der Täter auf sie gelauert hatte. War diese unbefestigte Verbindungsstraße nachts auch kaum befahren, am Tage herrschte trotz des Fahrbahnzustandes reger Verkehr. Mehrmals begegneten ihnen Rad- und Mopedfahrer. Autobesitzer ließen sich anscheinend seltener auf das holprige Wagnis ein.

In den sich kreuzenden und überlagernden Spurrinnen nach bestimmten Abdrücken zu suchen schien aussichtslos. Endlich hatte die junge Frau ihr Zweirad angehalten, vor einer Pfütze von beachtlichen Dimensionen, und hatte hinüber zum jenseitigen Ufer gewiesen: Dort ist es gewesen.

Es gab eine Unzahl von Radspuren auf dem schmalen Isth-

mus zwischen der teichartigen Wegvertiefung und der Grasnarbe, die links zum Graben abfiel. Es gelang Jarosch ohne Mühe, dort den Lageplatz des umgeworfenen Rollers zu finden, samt den tief eingedrückten Schuhspuren Isa Matuscheks, die sie beim Bergen des Gefährts hinterlassen hatte. Der Täter hatte das Fahrzeug wahrscheinlich vom Weg aus in den Graben geschoben. Auf der gerade handbreiten Landenge neben der Pfütze hatten der Durchgangsverkehr und das schwappende Wasser längst alle anderen Abdrücke getilgt. Außerdem hatte es am Sonntagvormittag geregnet. Ein Nieselregen, dick wie die Luft, die der Südwestwind aus der Braunkohle herantrug.
Die Feuchtigkeit hatte den Spuren ihre Schärfe genommen, sie jedoch nicht ausgelöscht. Wenn man wusste, was sich hier ereignet hatte, sprachen die Abdrücke am Rande des im Herbst geeggten Ackerlandes eine deutliche Sprache. Jarosch hatte mehrere tief eingeprägte Stapfen von Männerstiefeln ausgegossen und durchaus brauchbare Sohlenprofile der Größe 29 oder 30 erhalten. Immerhin ein Anfang.
Als er danach das Buschwerk an der Böschung sorgfältig absuchte, war ihm gerade in dem Augenblick, als unten auf dem Weg jemand hupte, ein unregelmäßig geformtes Stück Kupferblech aufgefallen, von dem ein angelöteter Draht abgebrochen schien. Ein verlorener Ohrschmuck? Isa Matuschek konnte er nicht fragen, die hatte er endlich nach Hause fahren lassen.
Unter den misstrauischen Blicken des Trabantfahrers, dem der Wartburg die Durchfahrt versperrte, war er die meterhohe Böschung hinuntergekraxelt und hatte den Wagen seitlich zurückgesetzt. Ist das nicht ein bisschen tief?, hatte er dem anderen zugerufen. Ohne zu antworten, war der mit

Getöse durch das aufspritzende Wasser davongerauscht. Ein verkniffen blickender dicker Mann mit einem Hut, auf den die Täterbeschreibung ganz und gar nicht passte.

Der Oberleutnant hatte den Wagen stehen lassen und den von uralten Erlen gesäumten Weg zurückverfolgt, in Richtung auf die Senke, wo ein Gehölz einen verschilften Weiher verbarg. Dabei glaubte er zwei-, dreimal auf die zu seinen Abgüssen passenden Schuhspuren gestoßen zu sein. Unmittelbar vor dem kaum erkennbaren Pfad zum Pfuhl entdeckte er dann im satten Schwarz eines Maulwurfhügels einen deutlichen Abdruck, der mit der linken Sohle der gesuchten Stiefel präzis übereinstimmte. Vorsichtig hatte er die federnde Grasnarbe weiter abgesucht. Anscheinend wurden hier häufiger Autos abgestellt.

Im Verlauf einer Stunde hatte er die Abdrücke von abgefahrenen, kaum noch mit Profil versehenen Reifen vermessen und gesichert, dazu die Spuren von tief eingedrückten Stollen zweier M+S-Reifen. Jetzt lagen die Plastetüten mit den Abgüssen und Bodenproben im Gepäckraum des Wartburg, und er stand hier vor der geschlossenen Gaststätte und kam nicht weiter mit seinen Ermittlungen. Vergeblich klopfte er an Tür und Hoftor. Nicht einmal ein Hund schlug an.

Es war inzwischen Nachmittag geworden. Die Sonne schien zaghaft zwischen schnell dahinziehenden Wolken hindurch auf die menschenleere dörfliche Idylle.

Jarosch beabsichtigte nicht, unverrichteter Dinge in die Stadt zurückzukehren. Er wollte zumindest diesen Fredo befragen. Der würde die Namen von zwei, drei anderen wissen, die etwas über den Verlauf des Samstagabends in der »Sonne« sagen konnten.

Der Oberleutnant schlenderte los, ein übergroß und ein

wenig ungelenk wirkender Mann in einem dunkelgrauen Steppanorak. Unauffällig konnte man den Kriminalisten Werner Jarosch wahrlich nicht nennen. Er hatte es längst aufgegeben, seinen Beruf zu verleugnen.

Ein Mann mit einer Schiffermütze auf dem silberweißen Haar kam ihm auf dem schmalen Fußweg neben der buckligen Dorfstraße entgegen. Er schritt langsam aus, wohl mit Rücksicht auf den Schäferhund, der ihm steifbeinig folgte. Wache Äuglein blitzten hinter einer goldgefassten Brille.

Der Oberleutnant grüßte höflich. »Ich dachte, ich könnte in der ›Sonne‹ einen Kaffee trinken …«, fügte er so beiläufig hinzu, wie man eben in einem Dorf ein Gespräch beginnen konnte, nachdem man einmal als Fremder aufgefallen war.

Der Mann blieb stehen. »Meine gesetzlichen Schließtage muss ich einhalten.«

Der Sonnenwirt also. Dass die Kriminalpolizei ihn befragen wollte, schien ihn nicht zu beunruhigen. »Was Besonderes passiert?«, erkundigte er sich, bestand jedoch nicht auf einer Antwort, die Jarosch ohnehin nicht gab.

»Ich werde uns ’n Kaffee machen. Ist sowieso meine Zeit.« Und zu seiner betagten Hundedame, die Jaroschs Hosenbeine beroch, sagte er ebenso freundlich: »Komm, Astachen.«

In der stillen Gaststube mischte sich der beißende Geruch kalten Tabakqualms mit säuerlichem Bierdunst zu einer Duftnote, die dem Oberleutnant beinahe den Atem nahm.

Der Wirt wuselte mit trippelnden Schritten, die in merkwürdigem Gegensatz zu seiner fülligen Figur standen, zwischen Tisch und Küchentür, quackelte unaufhörlich vor sich hin, berichtete ausführlich über das Alter der Hündin und deren Gebrechen und über die Gründe, weshalb die Frau gerade heute in die Bezirksstadt gefahren war, und was die

Tochter tat und der Schwiegersohn bei der Marine trieb, bis er endlich mit zwei Kaffeekännchen und einem Teller mit Streuselkuchen erschien und sich zu Jarosch setzte: »So, nun schießen Sie mal los.«

Nein, er kannte längst nicht alle Gäste, die so tagtäglich in die »Sonne« hereinschneiten. Sogar mancher Fernfahrer scheute die zwei Kilometer Umweg von der Fernverkehrsstraße nicht. Die Leute schätzten eben die Küche seiner Frau. Wenn sie auch zu wenig Personal hatten – wie überall; der gute Ruf ihrer gebackenen Forellen war bis in die umliegenden Städte gedrungen. Kaum dreihundert Meter weiter begann ja auch der Wald, den die Städter zunehmend für Wanderungen entdeckten, ja sogar für den Wintersport, solange die Braunkohle das eben noch zuließ.

Die Dörfler? Die aßen zu Hause und hielten Wandern und Skilanglauf für ganz und gar überflüssige Bewegungsarten. Im Gegensatz zu ihm selber. Fünf Kilometer täglich waren sein Minimum mit dem Hund, und die fielen dem schwerer als ihm.

So ging das Gerede dahin. Jarosch ließ es laufen und schlürfte das heiße Getränk. Wenn das die normale Kaffeequalität in der »Sonne« war, dann gebührte nicht nur den gebackenen Forellen der Ruhm.

Zur Disko am Wochenende? Da war hier allemal der Hund los! Davon konnten die Jungschen nie genug bekommen. Es brauchte keine besondere Reklame dafür. Der Saal immer gerammelt voll, zum Ärger der Altansässigen, die in Ruhe hier vorne ihr Bier trinken wollten. Nur war mit denen alleine auf die Dauer die »Sonne« nicht am Leuchten zu halten, im Vertrauen gesagt. Er könnte dem Oberleutnant gerne mal die Abrechnung eines normalen Regentages zeigen,

wenn sich kaum ein halbes Dutzend der Einheimischen in der Gaststube einfand.
Keine Rede, dass er etwa alle Gäste bei der Disko kennen konnte; dem Zulauf nach mussten viele von weither kommen. Die aus Launitz und Großpöhlow waren ihm ja noch vertraut. Auch Isa Matuschek, die natürlich. Die hatte hier öfter mal ausgeholfen, zuerst beim Schälen in der Küche und im letzten Jahr gelegentlich sogar beim Servieren. Ein anstelliges, fleißiges Mädchen, und die blanken Augen verrieten, dass dem Wirt nicht allein diese Eigenschaften an ihr gefielen. Warum um alles in der Welt erkundigte sich die Kripo ausgerechnet nach Isa? War da etwas im Betrieb vorgekommen, bei der Landwirtschaftlichen Instandsetzung in Launitz, wo sie im Büro arbeitete?
Jarosch hielt sich wie immer mit Auskünften zurück. »Sie war am Sonnabend hier zur Disko«, sagte er nur. Der silberhaarige Sonnenwirt bestätigte das, ohne zu zögern. »Sie ist fast immer hier. Wie gesagt, als sie noch Lehrling war, hat sie gerne mal mittags ausgeholfen und ist dann gleich bis abends geblieben. Was ist mit ihr?«
Auch darauf antwortete Jarosch nicht. Er wollte wissen, wann und mit wem Isa Matuschek gekommen war, mit wem sie getanzt und mit wem sie gesprochen hatte, und bekam immer wieder nur den Namen Fredo zu hören. Fredo Bartus und Isa gehörten zusammen, daran bestand kein Zweifel.
Ja, der Fredo hatte mit seinen Kumpels zusammengehockt, und sie hatten vielleicht auch mehr getrunken als sonst üblich, das mochte schon sein. Zwei von den Burschen waren von der Fahne heimgekehrt, und die hatten schon ab Mittag hier gesessen, bis die »Sonne« dann vor der Abendveranstaltung für zwei Stunden geschlossen wurde. Danach waren

sie wieder aufgetaucht, und der Fredo hockte immer dabei. Später gesellte Isa sich dazu, soweit er das mitbekommen hatte, denn abends stand er ja hier am Tresen und guckte höchstens ab und an rein in den Saal, um den Überblick zu behalten. Meistens nur in den Musikpausen, weil ihm das Gedröhn auf die Ohren ging.
Ihm war nichts Besonderes aufgefallen zwischen der Isa und dem Fredo. Die Isa hatte flott ausgesehen wie immer, wenn auch ein bisschen verrückt: rote Haarsträhnen, eine Blechplatte am Ohr und in voller Kriegsbemalung, die Bluse in Türkis und einen schwarzen Rock, der viel von ihren Beinen sehen ließ, und die waren schon ansehnlich, mal unter Männern gesprochen. Wenn er sich recht erinnerte – und daran zweifelte Jarosch nach dieser Beschreibung nicht –, hatte sie dunkle Strümpfe mit Glitzerzeug drauf getragen und Schuhe mit reichlich hohen Absätzen, obwohl sie ohnehin nicht gerade klein war, die Isa. Vielleicht schaute sie gern ein bisschen auf die Leute herunter, und Fredo war ja lang genug, wenn er mal aufstand. Ein toller Tänzer war der sowieso nicht. Über die Tanzfreudigkeit der Männer hatte der Wirt so seine eigene Theorie: Die meisten waren doch nur darauf aus, eine abzuschleppen. Oder anzumachen, wie das jetzt hieß. Dazu war denen jedes Mittel recht. Wenn sie dann ein, zwei Jahre später fest am Haken hingen und mit der Angetrauten hier auftauchten, die oft genug so eine ehemalige Angemachte war, dann konnte von Tanzlust gar keine Rede mehr sein. Nee, nee, nach seinem Dafürhalten gab es nur einen ganz geringen Prozentsatz von Männern, die aus reinem Spaß an der Tanzerei – dem Sternbild nach die Waagen, und er selber war ein Fisch …
Jarosch hatte einige Mühe, den Redefluss des Mannes nicht

ausufern zu lassen. Der schwätzte so vor sich hin, bewies jedoch mit dem, was er sagte, seine gute Beobachtungsgabe. Leider hätte man vom Tresen aus nur einen begrenzten Einblick in den Saal. Und dann würde nicht selten einer der Stammgäste hier vorn den offen stehenden Türflügel wegen der Geräuschbelästigung schließen. Das wäre ein nie aufhörender Kampf mit der Serviererin, die nicht für jede Runde Bier die Tür aufklinken konnte. Speisen gab es nicht bei der Disko, allenfalls Bockwurst. Mehr schaffte die Frau am Samstagabend alleine in der Küche nicht, wenn schon das Sonntagessen vorbereitet werden musste.
Zu den Toiletten gelangte man vom Saal aus durch den Flur, von dem aus man auch die Gaststube erreichte. Er hätte das beim Umbau, als er die Gaststätte vor sieben Jahren übernahm, extra so angeordnet, damit nicht der gesamte Durchgangsverkehr vom Saal an der Theke vorbeiführte. Isa und Fredo hätten links hinten in der Ecke gesessen, so weit weg von diesen mörderischen Schallboxen, wie es eben ging. Hin und wieder hätte er Isa beim Tanzen gesehen, oder was die heute so nannten. Mit dem Dieter, ja, der mindestens einen Kopf kleiner war als sie, und später dann mit einem Blonden von der Tierzucht. Der wäre da schon ganz schön dun gewesen, und er hätte ihm zugeredet, es lieber mit Cola pur zu versuchen, als der mitten im Tanz hier am Tresen auftauchte und einen Doppelten verlangte.
Der Fredo? Der war da gerade mit zwei Martini losgezogen und mit einer Packung Weinbrandbohnen in der Jackentasche, und er hatte noch gedacht, dass es ganz gut war, dass der Blonde nun hier stand und Fredo die beiden nicht mehr beim Tanzen erwischte. Danach war ihm Isa nicht mehr aufgefallen, wenn er es recht bedachte, und Fredo auch nicht.

Der war vom Flur aus hier hereingeschneit, auch schon ganz schön mitgenommen, und dann noch Martini …
»Wer hielt sich denn zu dieser Zeit sonst noch in der Gaststube auf?«, wollte Jarosch wissen und schielte möglichst unauffällig auf seine Uhr.
Der Wirt lachte gutmütig und wies auf einen Fassdeckel mit Zeigern über der Theke. »Die geht richtig. Keine Attrappe. Der Laden war knüppeldicke voll. Ich hatte kaum Zeit, mal hochzugucken.«
»Erinnern Sie sich, ob in der Zeit, bevor Fredo hereinkam und die Martini bestellte, jemand die Veranstaltung verlassen hat? Oder die Gaststube?«
Der Wirt schob das Kaffeegeschirr zusammen und sah Jarosch bedauernd an. »Da bin ich total überfragt. Wollen Sie mir nicht wenigstens 'n Tipp geben, worum es überhaupt geht? Ist der Isa etwa was passiert?«
»Fräulein Matuschek ist – auf dem Heimweg belästigt worden …«, sagte Jarosch zögernd.
Der Wirt griente, wurde aber sofort wieder ernst. »Na ja«, sagte er beinahe verlegen, »man kann sich das schon vorstellen, dass da einer bei ihr 'n bisschen heißläuft … Hat der Fredo sie denn nicht begleitet?«
Jarosch schüttelte kaum merklich den Kopf. »Wer könnte denn da heißgelaufen sein am vergangenen Sonnabend?«
»Kann sie Ihnen das nicht selber sagen? Sie kennt doch hier in der Gegend mehr Leute als ich.«
»Sie meint, es sei ein Fremder gewesen. Vermutlich so um die vierzig. Ziemlich groß. Größer als sie selbst jedenfalls. Und nicht angetrunken.«
»Das schränkt den Kreis erheblich ein«, sagte der Wirt ohne jeden ironischen Unterton.

»Solche sind sonnabends in der ›Sonne‹ die Ausnahme.«
»Und? Erinnern Sie sich an eine solche Ausnahme? Irgendwelche Laufkundschaft vielleicht?«
»Kauft immer mal einer nur Zigaretten oder eine Flasche Wein für zu Hause. Da waren zwei Kraftfahrer, die tranken nur 'n Kaffee. Das muss so nach neun gewesen sein. Sie standen einen Augenblick drüben in der Saaltür und guckten rein.«
»Kannten Sie die beiden?«
»Der eine war schon öfter hier. Auch mal am Wochenende, mit Familie. Die müssen irgendwo von der Braunkohle sein.«
Sorgfältig notierte Jarosch die Personenbeschreibung der beiden, was dem Wirt zu missfallen schien. »Die sahen nicht so aus, als würden sie … War es denn so ernst, das mit der Isa?«
Jarosch vermochte einen Gesprächspartner sehr eindringlich anzublicken. »Fräulein Matuschek legt wenig Wert darauf, dass die Angelegenheit publik wird. Und wir ebenfalls. Verstehen wir uns?«
Der Wirt hob abwehrend die Hände. Erschrocken sprang auch der Hund auf, der zu seinen Füßen gedöst hatte. »Bloß nicht solche Geschichten hier! Die alten Weiber tratschen genug. Und die Kerle erst recht.«
»Sie können sich an keinen weiteren fremden Gast erinnern?«
Der Wirt rückte an seiner Brille herum. Anscheinend dachte er wirklich nach. »Da war noch einer … Der hat nur Zigaretten verlangt, ich glaube, Alte Juwel. Ist doch gar keine Jagdsaison, habe ich noch gedacht … Auf was anderes kann ich mich nicht besinnen …«
»Wie kamen Sie auf die Jagdsaison?«

»Das überlege ich ja gerade. Vielleicht trug der eine Lodenjacke … Irgend so was muss es gewesen sein. Die paar Leute vom Forst kenne ich. Von denen war es keiner.«
Mehr war nicht aus ihm herauszubringen. Der Mann war ihm einfach nicht im Gedächtnis geblieben. Ob er alt oder jung gewesen war?
»Eher jung.« Er griff sich an die Stirn. »Nichts!«, sagte er ärgerlich. »Das Gesicht ist einfach weg.«
»Würden Sie ihn wiedererkennen?«
»Vermutlich.«
Unzufrieden erhob Jarosch sich zu seiner vollen Größe. »Was bin ich Ihnen schuldig?«
Der Wirt schüttelte den Kopf. »Schließtag heute. Kann ich gar nicht abrechnen.« Er stellte das Geschirr aufs Tablett. »Warten Sie, ich lasse Sie raus. War nett, mit Ihnen zu plaudern. Als Junge wollte ich auch mal zur K.«
Jarosch gab ihm die Hand und bedankte sich.
Draußen im Flur sah er, dass die Herrentoilette sich direkt neben dem Ausgang zur Straße befand.

5

Es war bereits dunkel, als Werner Jarosch an diesem Abend endlich nach Hause kam. Seine Frau, die im Bad mit dem Füllen des Waschautomaten beschäftigt war, verlor kein Wort darüber. Sie waren seit neunzehn Jahren miteinander verheiratet, da sprach man nicht über solche Kleinigkeiten. Außerdem war sie selbst noch nicht lange zu Hause. Dienstags war in der Bibliothek Spätausleihe.
Im Vorbeigehen drückte Jarosch seine Hand kräftig auf ihr

Hinterteil. Er wusste, dass sie das nicht mochte, aber irgendetwas musste er schließlich zur Begrüßung tun. Sie drehte sich um und bedachte ihn mit einem missbilligenden Blick, der ihn spüren ließ, wie sehr er durch seine bloße Anwesenheit ihre Bemühungen um Ordnung und Sauberkeit in der Wohnung behinderte.

»Was Besonderes bei dir?«, fragte er harmlos, während er sich tief über das Waschbecken beugte und seine Hände schrubbte. Keine Spritzer auf die blankgeputzten Fliesen. So weit hatte sie ihn abgerichtet.

Sie verschloss geräuschvoll die Trommel und schlug den Deckel der Maschine zu. »Und bei dir?«, fragte sie zurück.

Er schüttelte den Kopf und trocknete sich ab.

Im Kühlschrank fand er noch Buletten vom Vorabend, vielmehr vom Sonntag, und sogar noch eine Flasche von dem guten Bier. Er hatte sich am Wochenende zurückgehalten. Sein Gewicht bereitete ihm Sorgen. Edith machte nur noch selten eine Bemerkung darüber, seit er ihr vorgerechnet hatte, dass ihr Übergewicht prozentual zum Körpergewicht doppelt so hoch war wie das seine. Mit Zahlen ließ sich alles beweisen. Geglaubt hatte sie ihm nicht.

»Ich habe eine Gurke mitgebracht«, sagte Edith. »Doreen hat sie in der Mittagspause ergattert.«

»Ich will auch Gurke«, verlangte Marie, die plötzlich in der Küchentür stand, das Gesicht ein einziger Vorwurf. »Du hast mir nicht gute Nacht gesagt!«

Ihre Mutter versprach ihr ein Stück Gurke zum Schulfrühstück, und Werner Jarosch brachte die Tochter zurück ins Bett. Das kleine Zimmer war überheizt.

»Mach das Fenster auf«, bat sie, »und dann erzähl mir eine Geschichte. Von früher …«

»Früher … Früher wurde bei uns im Schlafzimmer überhaupt nicht geheizt. Und in den ersten Jahren nach dem Krieg schlief ich in meinem Bett auf einem Strohsack.«
Marie tat beleidigt. »Das weiß ich längst. Hast du heute einen Verbrecher gefangen? Oder zwei?«
Seit er versucht hatte, ihr zu erklären, womit er sich Tag für Tag herumzuplagen hatte, fragte sie ihn das öfter. »Ich habe ganz brauchbare Spuren gesichert«, sagte er, um sie nicht zu sehr zu enttäuschen.
»Und was hat er gemacht?«
Sanft drückte Jarosch ihre Schultern auf das Kissen und küsste sie auf die Stirn. »Das erfährst du, wenn wir ihn festgenommen haben. Jetzt musst du schlafen.«
»Eine Geschichte noch …«
Es war an jedem Abend das gleiche Spiel. Heute blieb er hart. Ihm war nicht nach Geschichtenerzählen zumute. Allzu deutlich hatte die Neunjährige ihn an das erinnert, womit er einen großen Teil des Tages verbracht hatte: mit der Suche nach einem Sexualtäter. Der hatte zwar eine erwachsene Frau überfallen, aber wusste man bei so einem, was er als Nächstes tat? Isa Matuschek war auch einmal so ein kleines Mädchen gewesen, vor zehn Jahren erst …
Die Spuren, die der Mann hinterlassen hatte, würden ihn überführen – wenn man ihn hatte. Jarosch gab sich da keiner Illusion hin. Was er bis jetzt herausgefunden hatte, reichte nicht einmal zu einem Identikit. Aber vielleicht besaß die Zeichnerin mehr Einfühlungsvermögen als er und bekam aus Isa Matuschek ein paar markante Merkmale für ein Phantombild heraus. Das konnte man in der Presse veröffentlichen, falls die Leitung zustimmte. Und da befürchtete Jarosch Schwierigkeiten. Für eine Pressefahndung waren

die Fakten viel zu dünn. Selbst wenn die Techniker sich den Tatort und den vermutlichen Abstellort des Täterfahrzeugs noch einmal gründlich vornahmen, würde sich das kaum grundsätzlich ändern. Es stand nicht einmal fest, dass der Täter einen PKW benutzt hatte.
Und niemand konnte sich an einen Mann in einer Lodenjoppe erinnern, der in der »Sonne« Zigaretten gekauft hatte. Weder Nina, Isas Freundin, die am Samstagabend eine der beiden Serviererinnen im Saal gewesen war, noch Fredo und seine Kumpel, die Jarosch in einer Garage aufgespürt hatte, wo sie zu viert an einem alten Trabant herumbauten. Die anderen waren auch zur Disko gewesen, und Fredo hatte ihn beschwörend angestarrt. Die durften nicht einmal ahnen, was vorgefallen war, das hatte er Isa versprochen.
Die Menschen besaßen eine merkwürdige Vorstellung von der Arbeit der Kriminalpolizei, fand Jarosch. Er war gekommen, um etwas zu erfahren, nicht um etwas zu erzählen. Das versuchte er auch Fredo Bartus klarzumachen, der eigentlich Alfred hieß. Hinten in der Weinlaube von Bartus' Garten, wo sie beide ungestört saßen, war der ganz schön ins Schwitzen geraten bei Jaroschs bohrenden Fragen.
Fredo und seine Freunde hatten das Bild nicht wesentlich ergänzen können, das Jarosch inzwischen im Kopf hatte. Oder vielmehr den Film. Er sah alles ganz plastisch vor sich, hörte den betäubenden Lärm der Diskothek, vernahm die trunkenen Reden der Jungen, die ihre Kumpel mehr feucht als fröhlich begrüßten, ja, er roch den Mief aus Zigarettenrauch, Alkohol und Schweiß, der wie eine Dunstglocke über dem Saal lag. Vorn in der Gaststube aber, im Qualm der billigen Zigarillos, da stand einer an der Theke, für Minuten vielleicht, einer, den niemand beachtete, ein unauffälliger

Mann also – und auf eben den kam es möglicherweise an. Werner Jarosch stellte die Bierflasche auf das Teakholztablett zurück. Edith fegte herein, nahm die Geschirrtücher vom Haken und schenkte ihm erneut einen kritischen Blick.
»Weshalb hockst du hier in der Küche?«
»Wo ist Marko?«, fragte er zurück. Das war eine eher rhetorische Frage. Der Fünfzehnjährige tauchte meist in den frühen Nachmittagsstunden zu Hause auf, verschlang drei Viertel eines Weißbrots und ein halbes Glas Konfitüre und verschwand wieder: Sport, Jugend- oder Schulklub, Arbeitsgemeinschaft oder Fotozirkel, Kino oder Arbeitseinsatz der Naturschützer – irgendetwas lag immer an. Und gegen keine der Freizeitbeschäftigungen ließ sich ernsthaft mehr vorbringen, als dass dem Jungen nicht genügend Zeit für die Hausaufgaben und zum Schlafen blieb.
Du hast doch nie Zeit für dich! Auf diesen Vorwurf hin hatte der Sohn, inzwischen nur noch drei Zentimeter kleiner als Jarosch, den sehr erstaunt angesehen: Ihr etwa für euch? Heute war Marko zu einem Vortrag »Ethik und Umweltschutz«. Edith wusste das nur, weil er sich bei ihr nach der Bedeutung der Wortes Ethik erkundigt hatte. Im Unterricht sei das bisher nicht vorgekommen. Jarosch nickte dazu und trank noch einen Schluck Bier. Solange den Jungen derartige Fragen beschäftigten, brauchte er sich hoffentlich keine Sorgen um ihn zu machen. Bei seiner Arbeit traf er mit Altersgenossen von Marko zusammen, mitunter sogar mit erst Zwölf- oder Dreizehnjährigen, deren Aktivitäten von ganz anderer Art waren. Und fast immer waren die Eltern überzeugt, mit ihren Sprösslingen keinerlei Sorgen zu haben.
Es war eher väterliches Verantwortungsbewusstsein als berufliches Misstrauen, das Jarosch im letzten halben Jahr

veranlasst hatte, in der einen oder anderen der von Marko angegebenen Wirkungsstätten unangemeldet aufzutauchen, bis der ihn schließlich gefragt hatte: Interessiert dich das wirklich, oder kommst du zur Kontrolle? Ein Kriminalist fiel bei den Umweltschützern nun einmal aus dem Rahmen. Die meisten gucken mich deinetwegen sowieso schon komisch an, gab Marko zu bedenken.

Edith nahm das Tablett und begann das Geschirr abzuspülen. »Wo warst du heute?«, fragte sie.

»In Gorna.«

»Gorna? Das gibt's doch gar nicht mehr. Die Gemeindebibliothek haben wir im Oktober aufgelöst.«

Nein, Gorna gab es wirklich nicht mehr. Ein Ort, unter dem in vierzig Meter Tiefe eine mächtige Schicht urtümlicher Bäume zu Kohle gepresst lagerte und auf eine nicht weniger urtümlich betriebene Umwandlung in Energie und Schadstoffe wartete, wie Marko das ausdrückte. Ein verlassener Ort, erschreckend schnell von Zerstörung und Schmutz überwuchert und zum Teil schon von der Erdoberfläche getilgt. Auch das Gehöft des Schwerverletzten war bereits eingeebnet; nur die Grundmauern markierten sich noch im grauschwarz überstäubten Erdreich.

Der restliche Teil der ehemaligen Gemeinde strahlte nichts von der Wildwest-Romantik verlassener Goldgräberstädte aus; wohin Jarosch blickte – nur Ödnis und Verfall, besonders unheimlich in der einsetzenden Dämmerung.

»Es treiben sich da Leute herum, die in den Häusern nach zurückgelassenen Gegenständen suchen«, sagte Jarosch. »Oder nach Feuerholz …«

»Feuerholz! Dass ich nicht lache.« Edith wusste es wieder einmal besser. »Antiquitäten suchen die, oder was die Leute heute so bezeichnen. Ich habe noch gelernt, dass die Antike die Epoche der alten Griechen und Römer war. Für den sogenannten Antikhandel scheint diese Zeit nicht mehr als fünfzig Jahre zurückzuliegen. Deiner Freundin Swetlana hat jemand einen wurmstichigen Türstock aus einem Bauernhaus angeboten. Für lumpige tausend Mark. Arne wusste nur nicht, wo er den in ihrer Villa einbauen sollte, sonst hätten sie ihn am Ende genommen.«

»Wer hat ihr den angeboten? Der Antikhandel?« Jarosch tat gern, als sei er schwer von Begriff; und Edith fiel immer aufs Neue auf diese vorgetäuschte Naivität herein.

»Der Antikhandel!«, brauste sie auf. »Was du dir denkst! Der Vater von einem Schüler ihrer Klasse muss das gewesen sein. Fahr hin und frage sie selber. Hast du wenigstens einen Grund, sie zu besuchen. Ich glaube allerdings nicht, dass Swetlana mir dann noch jemals ein Wort erzählen wird.«

Die Bierflasche war leer. Werner Jarosch stellte sie zu den anderen hinter dem Vorhang und sagte, bevor Edith es aussprach: »Die Flaschen müssen weg.« Das war Markos Amt. Er selbst fühlte sich für das Heranschaffen der Getränke verantwortlich, nicht für das Leergut.

Vertraulich legte er seinen Arm um Ediths Hüfte. »Heute fahre ich nicht mehr nach Kerchow.« Er nahm es ihr nicht übel, dass sie ihn mit Swetlana aufzog, die er wohl wirklich ein bisschen angehimmelt hatte, solange die Schildhauers mit ihnen im selben Haus gewohnt hatten und sie sich oft sahen. Die Frauen waren beinahe so etwas wie Freundinnen. Und für den ein bisschen verspinnerten Arne, der damals noch stellvertretender Schulleiter hier in der Stadt war, hatte Werner Jarosch von Anfang an Sympathie empfunden.

»Am liebsten würde ich nach Kerchow ziehen«, sagte Edith. »So eine Zentralbibliothek hat etwas Idyllisches, und die paar Mark weniger …«

»Und die alte Frau Renow geht nächstes Jahr sowieso auf Rente«, ergänzte Jarosch. Das Thema war nicht neu zwischen ihnen. Seit über zehn Jahren lebten die Schildhauers in Kerchow, gut zwanzig Kilometer von hier entfernt, in einem Haus, das sie dort günstig erworben hatten, nachdem Arne zum Direktor der neuen Oberschule berufen worden war. Und in regelmäßigen Abständen, so regelmäßig Swetlana eben in der Stadt- und Kreisbibliothek aufkreuzte, um sich einen Riesenstapel von Neuerscheinungen abzuholen, den Edith ihr reservierte, schwärmte ihm seine Frau etwas von der dörflichen Beschaulichkeit in Kerchow vor. Dagegen hatte nicht einmal der letzte, unangemeldete Besuch bei den Schildhauers geholfen. Im grauen Monat November waren sie auf dem lehmigen Weg, der zu deren Haus führte, steckengeblieben, und die feuchte Nebelluft hatte sich Edith auf die Bronchien gelegt.

Werner Jarosch liebte die Natur – von Mai bis Anfang Oktober. Und eventuell noch an sonnigen Schneetagen im Februar.

Edith missverstand seine Abneigung gegen einen Umzug aufs flache Land als Trägheit, Bequemlichkeit und Furcht vor körperlicher Arbeit, die ihm so gutgetan hätte. Wie gut, das sah man ja an Swetlana.

»Sie sieht aus wie das blühende Leben.«

»Die alte Frau Renow? Vielleicht macht sie doch ein paar Jahre länger …«

Nun musste Edith doch lachen. »Verstell dich bloß nicht! Du weißt genau, von wem ich spreche!«

Bei jenem Besuch im November hatte Swetlana eher blass und verfroren gewirkt, unzufrieden mit ihrem Schicksal; mit Kerchow und dem Dorfklatsch, mit der miesen Versorgung und der fehlenden Unterhaltung, mit der Schule, in der sie sich als Unterstufenlehrerin und Frau des ach so geachteten Direktors als das fünfte Rad am Wagen fühlte, mit dem Haus, das zunehmend versteckte Verfallserscheinungen preisgab. Arnes Sinn für das Praktische war nun einmal begrenzt. Er betrachtete lieber geologische Gesteinsaufschlüsse als den Putz unter der Dachrinne.

Edith verstand es ausgezeichnet, das alles zu überhören und zu übersehen. Er dagegen konnte Swetlana gut verstehen. Eindruck hatte sie selbst in dem sackähnlichen Pullover auf ihn gemacht, der von ihrer Weiblichkeit kaum etwas ahnen ließ. Sie musste jetzt sechsunddreißig oder siebenunddreißig sein. Einige Jahre jünger als Edith jedenfalls. Und schlanker. Eine Frau, die sich ihrer Wirkung bewusst war und die sie sich auch von ihm hatte bestätigen lassen. Insgeheim argwöhnte er noch immer, dass es sich um einen raffiniert geplanten Test gehandelt hatte, über dessen Ergebnis Edith besser informiert war als er selbst.

An ihrem Geburtstagsabend vor drei, vier Jahren hatte Swetlana ihr Interesse für ihn vor Arne und Edith nicht verborgen, ihn schließlich aufgefordert, im Garten die laue Aprilnacht zu genießen. Sie war ausgelassen gewesen und anschmiegsam, ließ sich bereitwillig von ihm küssen und wehrte seine Hände nicht ab, ermutigte ihn eher, bis er selber merkte, dass eine Grenze erreicht war. Es fiel ihm nicht leicht, die Situation ins Weinselig-Unverbindliche zu wenden und mit ihr über die Terrasse ins Haus zurückzuschlendern. Edith und Arne saßen zwei Meter voneinander entfernt, noch immer in ein ernsthaftes Gespräch vertieft. Vergessen hatte er diese Viertelstunde, aus der Edith bei gelegentlichen Anspielungen gerne eine Stunde machte, nicht. Fünfzehn oder sechzig Minuten – die Zeit hatte genügt, um seine Kenntnisse der weiblichen Psyche um eine wesentliche Erfahrung zu bereichern. Nie hatte Swetlana auch nur mit einem Wort an diese Augenblicke unter nächtlichem Himmel erinnert. Schon Minuten später hatte sie so unnahbar gewirkt wie eh und je. Und das war Werner Jarosch eigentlich ganz recht gewesen.

»Also – wenn einer von uns beiden zuerst stirbt, dann ziehst du nach Kerchow«, sagte er mit ernster Miene, und Edith brauchte eine gute Weile, ehe sie verstand, dass er nur einen Witz aus einem der Bücher variiert hatte, die sie in großer Menge ins Haus schleppte, und von denen er wahrscheinlich mehr las als sie. Fürs Fernsehen hatte er nicht viel übrig, von Sportübertragungen mal abgesehen. Was man da geboten bekam, hatte mit dem, was er täglich als reale Gegenwart erlebte, nicht die geringste Ähnlichkeit. In Büchern fand er davon schon eher etwas wieder. Er liebte es, sich sein eigenes Bild zu machen, und für solche Leute schienen die beiden Fernsehprogramme nicht gedacht. Im Grund seines Herzens war Werner Jarosch ein fröhlicher Mensch. Es war Marko gar nicht schwergefallen, ihn zu Otto und Loriot ins Kino zu lotsen.

Auf Edith wirkte seine Art von Humor heute nicht ansteckend. Sie maulte: »Kerchow ist jedenfalls besser als Gorna!« Es schien Jarosch, dass sie noch etwas loswerden wollte, sonst wäre sie längst mit den Handtüchern verschwunden gewesen.

Und da sagte sie auch schon so vorwurfsvoll, als habe er

einen ihm persönlich erteilten Auftrag nicht erledigt: »In Großpöhlow warst du natürlich nicht!«
Jarosch schaute sie an, mit dem Blick, der ihr gewöhnlich zu verstehen gab, dass er weder geneigt noch befugt sei, dienstliche Angelegenheiten zu erörtern. Dann öffnete er ihr die Küchentür, weil er ins Wohnzimmer zu entweichen gedachte. Dass sie so schnell nicht aufgeben würde, wusste er aus Erfahrung. Zumindest nicht, wenn sie bei dem Ortsnamen Großpöhlow an das Gleiche dachte wie er.
Wie hatte sie davon erfahren? Das war eine Frage, die ihn stets aufs Neue beschäftigte, wenn er und seine Kollegen sich wieder einmal alle Mühe gegeben hatten, die Vertraulichkeit ihrer Ermittlungen zu wahren und Edith dann aus ihrer Bibliothek eine phantasie- und detailreiche, aber nicht völlig unzutreffende Darstellung der Straftat und ihrer gelungenen oder nicht gelungenen Aufklärung mitbrachte. Es schien, als ob sich die Frauen zwischen ihren eng gestellten Bücherregalen den ganzen Tag über damit beschäftigten, die Kriminalität auf Kreis- und Bezirksebene in allen ihren Aspekten zu diskutieren, und er fürchtete, dass Edith dabei als Gattin eines Kriminalisten eine Expertenrolle zukam.
Jarosch war Kriminalist genug, um während der paar Schritte durch den Flur die Glieder der Kette zu ordnen, die Großpöhlow möglicherweise mit der Bibliothek verbanden. Das war nicht schwierig. Unter Ediths Mitarbeiterinnen befand sich eine junge Kollegin, nur etwas älter als Isa Matuschek: Doreen. Seit einem halben Jahr war sie hier in der Kreisstadt verheiratet, stammte jedoch aus Großpöhlow.
»Was hat Doreen euch denn für Schauergeschichten aufgetischt?«, fragte Jarosch, die Klinke der Wohnzimmertür schon in der Hand.

Edith, der das Licht der Lampe im Bad einen Strahlenkranz um ihr Haar verlieh, sagte über das Geräusch der wasserpumpenden Waschmaschine hinweg voller Empörung: »Kein Wort hat sie gesagt! Ihre Freundin hat nur auf einen Sprung reingeguckt bei uns, und der sah man an, was los war. Weiß wie die Wand und das Gesicht zerschlagen. Natürlich habe ich Doreen nachher gefragt. Die weiß, dass ich so was nicht weitertrage. Schon deinetwegen nicht. Von dir hätte ich ja nie erfahren, was dem armen Mädel passiert ist.«
In der Tat nicht, dachte Jarosch und flüchtete ins Zimmer; es nutzte ihm wenig.
Vergewaltigung, das war etwas, was eine Frau natürlich emotional ganz anders bewerten musste als ein Mann, der wohl insgeheim immer etwas Sympathie für einen Sexualtäter aufbrachte. Dessen jedenfalls verdächtigte Edith ihn wenig später in einem zwanzigminütigen Monolog. Jarosch saß im milden Schein der Stehlampe, das aufgeschlagene Buch auf den Knien, und durfte nicht einmal so tun, als lese er darin. Dass es sich um ein Werk über Kriminalpsychologie handelte und ihn darin insbesondere ein Beitrag über die Persönlichkeitsstruktur von Sexualdelinquenten interessierte, blieb besser unbemerkt.
»Was gedenkt ihr zu tun?« In dieser inquisitorischen Frage gipfelte Ediths Rede. Sie erwartete keine Antwort darauf, denn selbstverständlich nahm sie an, dass weder er noch einer seiner männlichen Kollegen wusste, wie der Unhold von Bartz zu fassen sei. Dass ein Kriminalist vom Schlage ihres unbeholfenen Ehemannes allein und ohne weibliche – also ihre – Hilfe zu brauchbaren Ermittlungsergebnissen gelangen konnte, vermochte sie sich ohnehin nicht vorzustellen.
»Habt ihr überhaupt keine Spuren?«

Jarosch blickte zur Wohnzimmertür. Er hörte Marko im Flur mit den Schlüsseln klappern und sagte: »Mehrere«; aber das schien sie auch nicht zu beruhigen.

6

Im Juni viel Donner bringt einen trüben Sommer. Der Mann dachte ernsthaft über den Spruch nach, als er aus dem Auto stieg. Er hielt etwas von Bauernregeln. Fern im Nordwesten, über den Hügeln hinter Kuschwitz, wetterleuchtete es schon seit geraumer Zeit. Und jetzt, wo der Motor nicht mehr lief, hörte er auch den Donner grummeln. Stand der Wagen hier im Schutz der mächtigen Linde hinter dem Wartehäuschen wirklich gut? Der Regen würde allerlei klebriges Zeug auf den Lack spülen.

Die Wipfel der Pappeln vor dem Schulflügel beugten sich unter den ersten Windböen. Im linken Gebäude, oben im zweiten Stock, brannte noch Licht in einem der Klassenräume. Er war viel zu spät dran. Vielleicht war die Elternversammlung schon zu Ende?

Der Mann knallte die Wagentür zu und stapfte hinüber zur Schule. Der Wind trieb mit zunehmender Heftigkeit Staub und Unrat auf ihn zu. Für einen Moment musste er seine Augen mit der erhobenen Hand schützen.

Die Glasfront des Verbindungsganges, zu dem die Eingangsstufen emporführten, war unbeleuchtet. Aber vor einer Viertelstunde war es draußen auch noch hell gewesen.

Ein Blitz tauchte Eingangstür und Flur in weißes Licht. Ganz automatisch zählte der Mann die Sekunden: einundzwanzig zweiund … bei fünfundzwanzig begann der Donner zu krachen. Also war das Gewitter nicht einmal mehr zwei Kilometer entfernt. Er schloss die Tür hinter sich und wandte sich nach links. Die Dunkelheit machte ihm nichts aus. Mit sicheren, fast geräuschlosen Schritten hielt er sich in der Mitte des Ganges. Aus einer Tür, die nur angelehnt war, drang ein Lichtschein. Das musste das Lehrerzimmer sein oder das Sekretariat.

Jetzt war er an der Treppe angelangt. Von oben schimmerte Licht. Jemand sprach unaufhörlich. Eine Frau, eine Einheimische. Und dann sagte ein Mann, der der Stimme nach noch nicht alt sein konnte: »Fallen Sie nicht. Die Beleuchtung auf der Treppe ist nicht in Ordnung.«

»I bewahre!«, antwortete die Frau, und nun erkannte der Mann am Fuß der Treppe die Stimme. »Ich bin wie 'ne Katze. Ich seh auch im Finstern, was ich nicht sehen soll.« Ihre Schritte klappten auf der Treppe.

Vorsichtig trat der Mann einige Schritte zur Seite. Da war keine Wand. Wahrscheinlich machte der Gang einen Knick zu den Klassenräumen hin.

Wieder zuckte ein Blitz, der Donner ließ diesmal nur zwei Sekunden auf sich warten und polterte los. Kein Zweifel, das war unübersehbar Margot Stachowiak, die Kerchower Postfrau, die sich da an ihren Begleiter klammerte, als fürchte sie sich. Ausgerechnet Margot – die und Angst. Die wollte sich an den jungen Lehrer randrängeln. Das musste der Bursche sein, der nur durch sein Schnurrbärtchen von den Schülern der zehnten Klasse zu unterscheiden war.

Die beiden gingen so nahe an ihm vorbei, dass er nach der Frau hätte greifen können. »Huch«, sagte die neckisch. »Wir zwei sind, scheint's, die Letzten …«

Also waren die Elternversammlungen längst zu Ende. Und

Margot konnte auch gar nicht aus der Klasse kommen, zu der er eigentlich wollte. Stachowiaks Madeleine war schon vierzehn oder fünfzehn und hatte bereits einen üppigen Busen. Wie die Mutter früher. Da hatte man gerne mal hingeguckt. Und Margot war kein Kind von Traurigkeit gewesen. Der junge Lehrer hatte jetzt mit der Frau den Ausgang erreicht. »Mein Gottchen, es fängt ja an zu regnen!«, sagte Margot Stachowiak laut. Was der Lehrer entgegnete, verstand der Mann nicht. Nur, dass der die Tür abschloss, das hörte er. Und dann kehrte er zurück, mit leisen Schritten, die in dem plötzlich einsetzenden Rauschen des Regens gänzlich untergingen.
Das war schon eine merkwürdige Situation. Der immer noch in der Nische am Fuß der Treppe verborgene Mann erwartete, dass jeden Augenblick die Flurbeleuchtung aufflammte, doch der Lehrer fand sich anscheinend im Dunkeln zurecht. Wenn der jetzt vorbeikam, würde er ihn ansprechen.
Aber der Lehrer kam nicht. Sein langgezogener Schatten zeichnete sich im gelben Lichtrechteck der geöffneten Lehrerzimmertür ab, und der Mann vernahm seine weiche Stimme. »Du bist ja noch hier …«
Ein greller Blitz und der sofort scharf krachende Donner erschreckten den Mann für einen Augenblick. Als er um die Ecke spähte, war die Tür wieder bis auf einen schmalen Spalt geschlossen. Mit der linken Hand die Wand berührend, tappte er langsam darauf zu. Der dumpf brausende Gewitterregen übertönte das Geräusch seiner Schritte.
Er hätte jetzt einfach anklopfen und sein Sprüchlein vom Zuspätgekommenen, der sich im dunklen Schulhaus verlaufen hatte, herbeten können; aber ihn reizte die Heimlichkeit. Schon als Kind hatte er gerne Leute beobachtet, die nichts

davon ahnten, und wie damals empfand er auch jetzt dabei einen regelrechten Kitzel, der sich noch verstärkte, als er aus dem Raum die Stimme einer Frau vernahm: »Wenn uns jemand durch das Fenster sieht …«

Er wusste sofort, wer das war. Er erkannte jede Stimme wieder, die er einmal gehört hatte. Ein Schauer überlief ihn.

Es dauerte einen Moment, ehe der Lehrer antwortete: »Dazu müsste man auf dem Dach der Turnhalle sitzen, und das wird kaum jemand tun bei dem Regen.«

Das Deckenlicht im Zimmer wurde gelöscht. Es brannte anscheinend nur noch eine Tischlampe.

»Mach wenigstens die Tür zu«, bat die Frau.

»Besser nicht, sonst hören wir nicht, wenn jemand am Eingang auftaucht.«

Eine ganze Weile sprachen die beiden kein Wort. Dann sagte die Frau: »Bist du ganz sicher, dass niemand mehr im Haus ist?«

Es klang atemlos, als hätte sie sich gerade aus einem Kuss gelöst.

»Ganz sicher«, beruhigte sie ihr Partner und lachte. »Frau Stachowiak wäre allerdings gerne noch ein bisschen geblieben …«

»Da würdest du mit deinen Armen …« Der Rest ging im nächsten Donnerschlag unter.

Der Mann auf dem Flur stand stocksteif an der Wand, das linke Ohr ganz nahe am Spalt, der zwischen Tür und Angel klaffte.

»Holt Arne dich ab?«, erkundigte sich der da drinnen. Es hörte sich an, als wäre er mit etwas anderem beschäftigt.

»Er hat mir das Auto gegeben. Er hat Angst, dass mir was zustößt …«

Die beiden kicherten. »Wenn du jetzt zum Auto gehst, wird das hübsche Kleid nass«, sagte er. Wieder blieb es eine ganze Zeit still hinter der Tür, allenfalls ein Rascheln war zu vernehmen. Und dann drangen Geräusche an das Ohr des lauschenden Mannes, die seinen Herzschlag allmählich zu einem harten Trommeln anstachelten. Zitternd lehnte er an der Wand, besorgt, das Pärchen könnte das Klopfen in seiner Brust hören, so laut erschien es ihm selber. So eine war das also, die kühle Frau Direktor! Das hatte er ihr nicht zugetraut. Oder doch. Frauen war alles zuzutrauen. Den studierten ebenso wie jeder anderen. Vielleicht waren das die schlimmsten, die so vornehm taten.

Nur langsam beruhigte sich der Mann. Ein Blitz blendete seine aufgerissenen Augen. Es wurde Zeit, dass er hier wegkam.

»Morgen in deinen beiden Freistunden«, sagte die Frau so unvermittelt, dass der Mann hinter der Tür zusammenfuhr.

»Da habe ich Vertretung in der Fünften.«

»Hannelore wird das übernehmen. Die redet sich oft genug mit ihrer kranken Mutter raus.«

Er schien nicht begeistert zu sein. »Willst du wirklich bei dem Wetter zum Kiesloch?«, fragte er, und man hörte, dass er nicht wollte. »Alles wird nass sein …«

Nun fiel ihm wohl doch auf, dass sie zehn Jahre älter war als er. Der Mann, immer noch wie gebannt auf seinem Horchposten, registrierte es mit Schadenfreude.

»Umso besser«, entgegnete sie. »Kein Mensch wird baden. Die Kinder sind hier in der Schule. Und die Erwachsenen haben hoffentlich was Besseres zu tun …«

Sie lachte. Wieder überlief den Mann ein Schauer. So sind die Weiber, dachte er. Genau so. Und im gleichen Augen-

blick schlug die Tür auf. Hatte sie seine Fußspitzen berührt? Er hielt den Atem an, doch der Lehrer schien nichts bemerkt zu haben. Er trappelte den Gang entlang in die entgegengesetzte Richtung, öffnete irgendwo eine Tür und schaltete das Licht ein.
Übermächtig spürte der Mann das Verlangen, die Frau dort drinnen zu überraschen, jetzt, in ebendiesem Moment, einfach in der offenen Tür aufzutauchen, ihr Gesicht zu sehen, vielleicht noch viel mehr.
Aber das war Wahnsinn. Der andere konnte jeden Augenblick zurückkommen.
Lautlos, Schritt für Schritt, den Rücken an der Wand, tastete er sich in Richtung auf die Treppe zurück. Er musste sich verstecken, bis die beiden das Haus verlassen hatten, und dann irgendwo aus dem Fenster.
Mit der Schulter stieß er gegen eine Tafel, die an der Wand hing. Das Geräusch ging im Rumpeln des Donners unter, das jetzt beinahe gemütlich klang. Nur der Regen rauschte noch immer mit kaum verminderter Stärke.

7

Die letzte Woche vor den Ferien hatte begonnen. Die allerletzte. Ahnten die Kinder, dass auch die Lehrer die Tage zählten? Die Stunden sogar. Swetlana Schildhauer verstand eigentlich selbst nicht, weshalb sie den Beginn der Ferien so herbeisehnte. Das lag nicht nur an dieser unmöglichen dritten Klasse, die sie im Februar von einer schwangeren Kollegin hatte übernehmen müssen.
Jetzt waren die Zeugnisse geschrieben. Die Ferien verspra-

chen kein reines Zuckerlecken. Weiterbildung und drei Wochen Ferienspiele. Und zuvor gründlicher Hausputz. Den hatte sie immer wieder aufgeschoben, seit dem Frühjahr. Damit konnte sie gleich am Sonnabend beginnen, sobald Arne abgefahren war. Er würde ihr nicht fehlen. Im Gegenteil: Er war ihr bei des Heimes Pflege seit langer Zeit schon sehr im Wege. Dieser frivole Vers kam ihr öfter in den Sinn, seit sie ihn in einem der Bücher von Edith gelesen hatte. Da brachte die Försterin am Nikolausabend ihren Ehemann um.
Zu Edith wollte sie gleich am Anfang der kommenden Woche fahren. In letzter Zeit las sie noch mehr als sonst. Um sich abzulenken wahrscheinlich. Fernsehen, und noch dazu in Schwarz-Weiß, fiel ihr auf die Nerven. Sie schlief einfach ein vor dem Kasten. Und für einen Farbfernseher war Arne zu sparsam. Wenn sie ihn ärgern wollte, nannte sie es Geiz. Aber sie wollte ihn eigentlich gar nicht ärgern. Irgendwie tat er ihr leid. Das Buch mit dem Gedicht von der blutrünstigen Försterin hatte sie vor ihm versteckt, obwohl er selten in den Bücherbergen stöberte, die sich auf der Schreibplatte, in der Anbauwand und auf ihrem Nachttisch türmten. Er las nur Fachliteratur, immer ausgefallenere Titel mit der Zeit, die ebenfalls Edith besorgte. In belletristische Neuerscheinungen guckte er nur, wenn sie ihm bei der monatlichen Anleitung als besonders wichtig empfohlen wurden. Das kam anscheinend kaum vor.
Edith hatte sich ein bisschen gewundert über ihre Bücherwünsche in den vergangenen Wochen. Kriminalromane hatte sie schon immer gelesen, daran war Edith gewöhnt. Aber sonst …
Swetlana trat vor den Spiegel und lächelte sich zu. Es stand ihr gut. Sie lächelte stärker, bis es unecht zu wirken begann.

Selbst Edith war aufgefallen, wie blendend sie in letzter Zeit aussah. So etwas verjüngte eben doch. Sollte Edith auch mal probieren. Die war viel zu hausbacken, mit ihren zwei Kindern und dieser deutschen Eiche von der Kripo. Der würde alles sofort herauskriegen mit seiner Spürnase. Obwohl – *alles* bekamen die auch nicht heraus. Der Sittenstrolch von Großpöhlow lief noch immer frei herum. Fast zwei Monate musste das her sein mit der jungen Frau. Seitdem hatte Arne Angst um sie. Ob inzwischen noch mehr passiert war? Wer weiß, wie viele Frauen so ein Kerl auf dem Gewissen hatte, die nicht darüber redeten. Hätte sie denn darüber gesprochen, wenn ihr so etwas widerfahren wäre?

Zu wem wohl? Zu Edith, die es dann unter dem Siegel tiefster Verschwiegenheit doch weiterplauschte? Zu Werner? Na, danke. Zu irgendwem in der Schule? In Kerchow wäre man gezeichnet, wenn einem so etwas passierte, darüber musste man sich klar sein. Alle würden einen aus tiefstem Herzen und mit vor Sensationslust funkelnden Augen bedauern. Und Arne? Die liebe reine Seele. Einen so rauen Einbruch der Wirklichkeit in seine heile Welt der abgesegneten Schulpädagogik, der Mineralien und der Fische, würde er den verkraften? Arne war der beste Mensch, der ihr je in ihrem Leben begegnet war. Und der langweiligste. Wie konnte ein Mann von beinahe athletischer Statur und überdurchschnittlicher Intelligenz stunden- und tagelang mit dem Klassifizieren und Sortieren irgendwelcher Gesteinsbrocken zubringen oder verträumt im grünen Licht der Aquarienbeleuchtung ausharren. Dass er sich in seinen Schulkram vergrub, verstand sie – das war seine Arbeit. Wie genau er die nahm, das hatte ihm einst die Bewunderung eines jungen Mädchens namens Swetlana eingetragen. Die Absolventin des Lehrerbildungsinstituts hatte den bärtigen Dreißigjährigen angehimmelt, bis es schließlich sogar ihm aufgefallen war. Ja, er hatte ihr damals bald seine geologische Sammlung gezeigt, und drei Aquarien hatte er auch besessen – und eine viel zu schmale Liege für zwei. Auf dem Monstrum schlief er noch heute am liebsten, zwischen all seinen allmählich einstaubenden Steinen und den Riesenbassins, die nach und nach die gesamte obere Etage des Hauses einnahmen. Sie hatte freiwillig die Mansarde geräumt und war mit ihrem Schreibtisch vor das Blumenfenster im Wohnzimmer gezogen. Einmal war eins der Becken leck geworden, glücklicherweise ein kleineres mit nur achtzig Liter Fassungsvermögen. Genau über dem Fußende des Doppelbetts hatte sich eine Wasserblase im Putz gebildet und war mit einem kurzen glucksenden Geräusch auf sie niedergestürzt.

Bis in den Keller war die Flut gelaufen, und dahin hätte sie am liebsten alle Aquarien verbannt, doch Arne sorgte sich weniger um die Wasserschäden als vielmehr um die Fische, und für die war der Keller im Winter zu kalt. Wieder einmal war sie Arnes Argumenten nicht gewachsen gewesen. Mit Argumenten blieb er stets der Stärkere, ob es um die Tagespolitik ging, deren Wendungen er als Staatsbürgerkundelehrer ihr im Sinne der Dialektik darlegte, oder um eine Urlaubsreise, auf die sie im Sommer des Hauses und des Gartens wegen verzichten mussten, und im Winter, weil sonst die Heizung einfror. Dabei dachte er immer nur an die Fische, deren Pflege er niemandem anvertrauen mochte. Es ging ihr nicht besser als den Bauersfrauen in Kerchow mit ihrem individuellen Vieh. Als sie ihm das einmal vorgeworfen hatte, erwiderte er nachdenklich: Hühner wären gar nicht so übel …

Ach, Arne, du Ärmster, Glücklicher. Ein paar von deinen Zackenbarschen werden wohl die nächsten vierzehn Tage nicht überleben, und einige andere Fische, besonders wertvolle sicher, würden sich gegenseitig auffressen vor lauter Liebe, oder mindestens die Nachkommen. Wie das bei diesen Viechern eben zuging. Sahen ja hübsch aus, aber irgendwie glotzten sie blöd. Und ihr blieb die Arbeit damit. Heute war auch wieder so ein Tag: Sitzung beim Kreisschulrat. Wer weiß, wie lange die dauerte. Und die Fische mussten pünktlich gefüttert werden. Arne hatte vorgesorgt und Futtervorschriften an jeden Behälter gehängt.

Eigentlich hätte er ihr gleich die Bücher aus Ediths Bibliothek mitbringen können. Für die nächsten Wochen wünschte sie sich einen ganzen Packen. Besser, sie holte sie sich selber. Ein bisschen was Aufregendes und ein bisschen was Anregendes, hatte sie zu Edith gesagt und ihr zugezwinkert. Was ist denn mit dir los, hatte die gefragt und ihr dann ein paar ziemlich gepfefferte Sachen herausgesucht. So hatte sie das eigentlich gar nicht gemeint. Sie brauchte eher etwas fürs Herz, natürlich mit Sex, aber nicht so direkt. Die Anthologie mit der mordenden Försterin enthielt einiges von dieser Art. Ein Gedicht in witzig verballhorntem Deutsch begann: *Purrno, ömma wüdar Purrno, mall vann hüntn, mall vann vurrno …*

Nichts für Arne. In solchen Dingen war er ein wenig verklemmt, wahrscheinlich als Folge der prüden Erziehung durch die Mutter. So etwas gehörte sich nicht für einen ehrgeizigen Buben, der seine Gedanken auf Wesentliches zu konzentrieren hatte. Büldung, immer wieder Büldung, Arne. Das steckte noch heute in ihm. Er hatte sich gleich bereit erklärt, die achte Klasse auf der Fahrt nach Dresden zu begleiten. Nachgeholte Jugendweihefahrt wohl auch für den ehemaligen Schüler Arne. Grünes Gewölbe und Geologische Sammlungen – wie seine Augen leuchteten. Und die Argumentation war schlagend: Kann man einen jungen Kollegen mit einer solchen Rabaukenklasse alleine nach Dresden schicken?

Dass Arne fuhr – in Gottes Namen. Viel mehr zu schaffen machte ihr, dass sie Carsten nun vierzehn Tage nicht zu Gesicht bekommen würde. Ja, sie war sich bewusst, was für eine ungeheuerliche Feststellung das eigentlich war – aber einmal musste sie ehrlich mit sich sein, und es entsprach nun einmal der Wahrheit, dass Arne der stillen Beobachtung des Liebesspiels der Buntbarsche der eigenen Aktivität im Ehebett den Vorzug gab. Da half kein noch so raffiniertes Negligé und kein aufreizendes Parfüm.

Nur ein paar Minuten noch, Liebste!, konnte er betteln und lief schon die Treppe hinauf, und ihr blieb die Muße, sich in dem makellos geschliffenen Glas der Schranktür zu spiegeln. O ja, sie konnte sich noch immer sehen lassen. Das wusste sie nicht erst, seit es ihr Carsten ins Ohr geflüstert hatte. Wenn sie an ihre gleichaltrige Freundin Nicki dachte, was war das einmal für ein niedliches Mädchen gewesen … Und jetzt?

Swetlana verspürte plötzlich Sehnsucht nach einem langen, langen Gespräch mit ihr. Nicki war die Einzige, die alles verstehen würde – oder inzwischen auch nicht mehr? Bei ihrem letzten Wiedersehen in den Maiferien hatte sie kaum zu erkennen gegeben, ob sie die Andeutungen verstand, hatte nicht nachgefragt. Wes Herze voll ist, des Maul läuft über, dachte Swetlana wehmütig und blickte aus dem Fenster. Die vorerst letzten Tage mit Carsten … Was war das überhaupt für ein Sommer. Die Wolkendecke wollte und wollte nicht aufreißen. Und vierzehn Grad auf dem Thermometer. Kein Wetter für die Liebe in der freien Natur oder wenigstens für ein Sonnenbad auf der Terrasse, hinter dem extra hohen Sichtschutz aus Drahtglas, den Arne errichtet hatte. Von Glaserarbeiten verstand Arne etwas. Er baute alle seine Aquarien selber. Nun konnte niemand aus der Nachbarschaft, oder wer immer den Weg am Feldrain benutzte, beobachten, was auf der Terrasse vor sich ging. Nicht, dass es ihr etwas ausgemacht hätte. Wer sie betrachtete, wurde nicht gleich blind. Nur eine wie Margot Stachowiak, die gebärdete sich prüde, was sie nicht hinderte, im BH von der Größe eines Fesselballons am offenen Küchenfenster zu agieren. Auch aus Margots Jugendtagen hörte man mancherlei, was nicht gerade auf übertriebene Zurückhaltung schließen ließ. Ausgerechnet diese Frau hatte mit Carsten und der achten Klasse nach Dresden fahren wollen. Erst als feststand, dass alle nach Geschlechtern getrennt in einer Schule auf Luftmatratzen schlafen würden, gab sie den Plan unter einer fadenscheinigen Ausrede auf.

Swetlana begann, sich ihrem Blumenfenster zu widmen. Carsten hatte ihr eine seltene Orchidee mitgebracht, die sie lange betrachtete. Arne war die blassrosa Blüte offenbar nicht aufgefallen. Aber sie bemerkte ja auch nicht, wenn sich unter seinen Prachtsalmlern plötzlich ein neues Exemplar tummelte, für das er entgegen seinen sonstigen Sparsamkeitsprinzipien eine Unsumme ausgab. Geschenkt bekam er die gewiss nicht. Swetlana lächelte. Für welchen Liebesdienst sollte jemand ihren braven Arne belohnen?

Behutsam sprühte sie einen Wassernebel über die Pflanzen. Sie brauchte dringend einen neuen Zerstäuber. Es gab schon seit Monaten keine. Früher hatten die in allen Blumenläden herumgestanden. Irgendwann würde es wahrscheinlich wieder welche geben, werterhöht, mit vernickeltem Rohr, für den dreifachen Preis …

In der Diele rasselte die Telefonglocke. Das galt sowieso nur Arne. Oder es war Arne selbst, der ihr fürsorglich mitteilen wollte, dass es in der Stadt länger dauern würde als erwartet. Wenn sie eine eifersüchtige Ehefrau wäre … Wieder dieser zermürbende Glockenton. Sie presste die letzten Tropfen aus dem Zerstäuber und ging hinaus. Der Telefonapparat stand nicht auf der Flurgarderobe. Die Glocke über dem Spiegel schlug ein drittes Mal an.

Leichtfüßig und ohne Hast stieg Swetlana die Treppe hinauf. Ein wichtiger Anruf würde das kaum sein. Anrufe waren selten wichtig.

Der Apparat stand mitten auf Arnes Schreibplatte, die so aufgeräumt aussah, als wäre der Besitzer zu einer längeren Auslandsreise aufgebrochen. Sie nahm den Hörer ab, gerade als es unten zum fünften Mal läutete, während der Apparat hier nur sanft schnurrte.

»Hallo?«

Sie hörte den hartnäckigen Anrufer am anderen Ende der Leitung atmen; er antwortete jedoch nicht. »Hallo!«, sagte sie noch einmal, ein bisschen unfreundlicher schon. Arne hatte ihr geraten, sich nicht mit dem Namen zu melden und bei einem eventuellen Schülerscherz einfach aufzulegen. Solche Anrufe waren bisher nur zweimal vorgekommen.

Sie wollte gerade den Hörer auf die Gabel legen, als eine seltsam gepresste, fast quäkende Stimme fragte: »Frau Schildhauer?«

»Ja!«, antwortete Swetlana gereizt. »Wer spricht denn da?«

»Ist Ihr Mann in der Nähe?«
Die Stimme war zweifellos verstellt. Also doch ein Schülerulk. Obwohl sie dafür nicht jung genug klang. »Wer spricht da?«, fragte sie noch einmal, deutlich ungehalten.
»Ich muss mit Ihrem Mann reden.«
»Der ist nicht zu Hause. Versuchen Sie es heute Abend.«
Sie hielt das Gespräch für beendet, lauschte eigentlich nur noch auf die Reaktion des seltsamen Anrufers, und der sagte nun etwas noch viel Seltsameres: »Sehr gut. Ich möchte mich mit Ihnen treffen.«
»Mit mir?«, fragte sie verblüfft. »Was sollen denn diese Albernheiten!« Sie nahm das ganz heiter, doch gleichzeitig beschlich sie ein warnendes Gefühl. War das so ein Mensch, der Frauen mit obszönen Anrufen belästigte? Nicki hatte ihr erzählt, dass jemand sie monatelang auf diese Weise behelligt hatte. Aber das war in Berlin gewesen. Wer sollte hier in Kerchow auf eine solche Idee verfallen?
»Sie werden sich mit mir treffen!«, sagte der Mann, nach wie vor mit verstellter Stimme. Wer mochte der Kerl sein? Auf jeden Fall jemand, der ihren Namen und ihre Telefonnummer kannte. Woher? Das Telefonbuch des Bezirks war mehr als drei Jahre alt, und sie standen nicht drin, weil sie den Anschluss erst danach bekommen hatten. Also musste es jemand sein, der irgendeine Verbindung zur Schule besaß.
»Bitte unterlassen Sie derartige Belästigungen!«, sagte sie entschieden.
Wieder vernahm sie nur das Atmen des Mannes, dann sagte der, und seine quakende Stimme klang mindestens ebenso bestimmt: »Sie werden kommen, und ich werde Ihnen etwas zeigen, was Sie interessieren wird.«
Was für ein unverschämter Bursche. »So!«, sagte sie mit aller

Herablassung, der sie fähig war. »Da wäre ich an Ihrer Stelle nicht so sicher!«

Doch die Froschstimme forderte nur: »Donnerstag um elf am Kiesloch. Sie wissen schon, wo. Und alleine, verstanden?«

Für einen Augenblick schnürten ihr der Schreck und die Empörung die Kehle zu. »Wer sind Sie?«, fragte sie schließlich fast flüsternd. Woher wusste der etwas vom Kiesloch?

»Pünktlich um elf. Und zu niemanden ein Wort.«

Sie hatte sich etwas gefasst. Nur nicht zu leicht ins Bockshorn jagen lassen. »Was erlauben Sie sich!«, herrschte sie ihn an.

»Auch nicht zu Ihrem Freund Ederlein!«, fuhr die hässliche Stimme unbeirrt fort. »Das könnte unangenehm für Sie werden.«

Solche Scherze machen Sie nicht mit mir!, wollte sie energisch entgegnen, doch ein Knacken drang an ihr Ohr; der Mann hatte aufgelegt.

Wer um alles in der Welt erlaubte sich eine derartige Unverschämtheit mit ihr? Dass über sie und Carsten Ederlein geredet würde, war bei aller Vorsicht früher oder später zu erwarten gewesen. Die alte Rosner tat sowieso, als wüsste sie alles und maß die Frau Direktor mit noch kritischeren Blicken als sonst. Auch Hannelore Griebenow sparte nicht mit doppeldeutigen Bemerkungen über die Jugendlichkeit gewisser Enddreißiger. Selbst Ulberg hatte sie erst vor einigen Tagen mit einem kaum versteckten Schmunzeln über den Kopf seiner stänkrigen Tabakspfeife hinweg gemustert, wie er das noch nie zuvor getan hatte.

Dennoch kam wohl kaum einer der Kollegen als Anstifter eines solchen Anrufs in Frage. Das konnte einfach nicht sein.

Blieben die Schüler. Mehr als zweihundertfünfzig in der ganzen Schule. Etwas über hundert, wenn man nur die oberen Klassen in Erwägung zog, in denen sie nicht einmal unterrichtete. Und fünfzig davon waren Mädchen. Aber vielleicht hatte eine von denen ihren Bruder, Onkel oder erwachsenen Freund überredet, der hochnäsigen Schildhauer mal richtig eins auszuwischen. Sie wusste, wie man über sie sprach. Ein Erwachsener war das gewesen, das schien ihr sicher. Einer, dessen Stimme ihr vertraut war und der sie deshalb verstellen musste?

Sie versuchte, sich alle Stimmen der Männer zu vergegenwärtigen, die sie kannte. Eine ganze Menge in Kerchow und Umgebung. Es war niemand dabei, mit dem sich eine Ähnlichkeit auch nur vermuten ließ.

In englischen Kriminalromanen fand man irgendwie immer heraus, von welchem Telefon aus ein bestimmter Anruf erfolgt war. Auf welche Weise konnte man so etwas hier in Kerchow bewerkstelligen? Hinter dem Schalter auf dem Postamt saß Margot Stachowiak. Wer war eigentlich für das Telefonnetz zuständig, für die kaum achtzig Anschlüsse, die sich über sieben Landgemeinden und Ortsteile verteilten? Konnte man den Anrufer überhaupt noch feststellen, wenn ein Gespräch bereits beendet war? Ihre technischen Vorstellungen von einer Fernsprechvermittlung reichten nicht aus, um darüber Vermutungen anzustellen.

Und ebenso wenig fiel ihr jemand ein, der zu einem solchen Anruf fähig gewesen wäre. Für einen Augenblick dachte sie an Arne, aber das war eine ganz und gar absurde Idee, die sie sofort verwarf. Arne mit seiner Geradlinigkeit, sauber, korrekt in jeder Lebenslage, dem würde so etwas nicht im Traum einfallen, selbst wenn er etwas ahnte von ihr und

Ederlein … Auch den kannte der Anrufer. Nein, das war kein Scherz nach Arnes Geschmack. Dahinter musste jemand anderes stecken. Einer, der wusste, dass sie sich mit Carsten am Kiesloch getroffen hatte. Sie waren sich immer der Gefahr einer Entdeckung bewusst gewesen. Hatte das nicht sogar einen Teil des Reizes in diesem Spiel ausgemacht? Es war ihnen jedoch nie jemand aufgefallen bei ihren heimlichen Treffen, zu denen sie auf dem verwilderten Fahrweg der ehemaligen Kiesgrube gelangt war, während Carsten mit seinem Rad den schmalen Pfad durch die Felder benutzt hatte. Wer nur hatte sie dort belauscht?

Oder war es Carsten selbst, der sich ihrer auf diese Weise entledigen wollte, indem er ihr einfach einen Schreck einjagte? Das war beinahe ebenso unsinnig wie die Vermutung, dass Arne dahintersteckte. Immerhin war sie es gewesen, die mehrfach geäußert hatte: Es ist das letzte Mal. Und es lag erst zwei Tage zurück, als er ihr erklärt hatte: Ich komme nicht los von dir.

Irgendwann musste er loskommen. Es war eine Liebe auf Zeit. In Oelsnitz wartete seine Verlobte. Ein hübsches Mädchen, das Gesicht ein bisschen nichtssagend. Ob Carsten mit der glücklich werden konnte, nach seinen Erfahrungen mit ihr …

Sie wunderte sich selbst, woran sie jetzt dachte. Wer war dieser Mann? Nur das war wichtig! In seiner Stimme war keine Spur von Carstens vogtländischem Tonfall gewesen.

Ein Fall für Werner Jarosch. Die von der Kripo, die mussten so etwas herauskriegen. Die hatten wahrscheinlich öfter mit solchen Typen zu tun. Aber konnte sie Werner diese Geschichte erzählen? Wie viel davon? Der würde sich den Rest sofort zusammenreimen. Erpresser wussten etwas aus dem

Leben ihrer Opfer, das die gerne geheim gehalten hätten, und das wiederum wusste ein Kriminalist. Also würde er die ganze Wahrheit aus ihr herausfragen. Auf Wunsch vertraulich, das wurde immer den Bitten um Hinweise aus der Bevölkerung hinzugefügt. Waren Polizisten zum Schweigen verpflichtet wie Ärzte und Rechtsanwälte?
Außerdem war das Unfug. Der Mann am Telefon hatte sie nicht einmal bedroht. Ich werde Ihnen etwas zeigen, was Sie interessieren wird, hatte er gesagt. Nichts Kriminelles. Was würde sie am Kiesloch erwarten? Vor allem aber: wer?
Sie saß lange an Arnes Schreibplatte und starrte aus dem Fenster. Der Kerl wusste, dass sie alleine zu Hause war …
Unsinn, es war heller Nachmittag! In Stachowiaks Küche machte sich jemand am Gasherd zu schaffen. Das war Franz, Margots jüngste Eroberung. Ein hagerer Mann mit einem pfiffigen Gesicht, das Swetlana erst vor etwa drei Wochen aus der Dachluke des Hauses hatte auftauchen sehen, scharf abgehoben gegen den blauen Himmel an dem einen schönen Tag, als sie nackt hinter dem Glasschutz auf der Terrasse lag.
Sie hatte getan, als bemerkte sie ihn nicht, sich nach einer Minute seelenruhig auf den Bauch umgedreht. Mochte Fränzchen glotzen. Nun beobachtete sie ihn, wie er da in Margots Küche in einer Pfanne herumrührte. Kannte sie seine Stimme gut genug, um zu behaupten, dass er es nicht gewesen war? Ein Telefon gab es in Margots Haus, das wurde abends vom Postamt hierher umgeschaltet, wegen der Telegrammaufnahme. Konnte er es kurzzeitig benutzt haben?
Woher sollte er etwas von ihr und Carsten ahnen? Franz arbeitete in der Kreisstadt, fuhr morgens noch vor sechs mit seinem Moped los und war anscheinend eben erst nach

Hause gekommen. Er stammte nicht aus Kerchow. Ob er überhaupt wusste, wo das Kiesloch lag?

Er machte einen offenen, freundlichen Eindruck, dieser Franz, lockte selbst Arne mal zu einem Schwatz am Gartenzaun heraus. Doch wem konnte man ins Herz schauen?

Jetzt, wo sie es sich in Ruhe überlegte, überraschte es sie, dass ein Mann einen solchen Angriff gegen sie gestartet hatte. Unter den Frauen, die sie kannte, hätte sie eher Missgünstige, ja Eifersüchtige vermutet. Mit Männern kam sie im Allgemeinen viel besser aus, ob das nun im Kollegenkreis war, im Elternaktiv oder im Verkaufsstellenausschuss des Konsums, dem sie auf Arnes Rat angehörte, um sich nicht von jeder gesellschaftlichen Funktion fernzuhalten. Und nun so etwas …

Als sie die Treppe hinunterschritt, bedächtig, Stufe um Stufe, den Apparat mit der zusammengerollten Anschlussschnur in der Hand, fand sie allmählich auch ihr inneres Gleichgewicht wieder. Niemand konnte ihr etwas beweisen. Carsten und sie hatten vereinbart, alles abzustreiten. Gegenüber jedermann. Was auch geschehen sollte. Daran gedachte sie sich zu halten.

Auf der Flurgarderobe stand der Zerstäuber. Sie ging ins Bad, füllte ihn mit frischem Wasser und betrachtete ihr Gesicht dabei aufmerksam im Spiegel. Bis auf eine leichte Röte war ihr nichts anzusehen.

Am Donnerstag um elf. Also jemand, der sogar die Zeit wusste, zu der sie sich mit Carsten am Kiesloch getroffen hatte. Irgendwie hatte die Sache auch ihre Spannung. Bis Donnerstag war noch zwei Tage Zeit. Bis dahin konnte viel geschehen.

Von draußen drang das Quietschen des Torflügels zu ihr. Sie lauschte. Das Garagentor schnappte in die Halterung.

Dann heulte der Motor auf. Arne war früher nach Hause gekommen, als sie es erwartet hatte. Sie wusste nicht, ob sie sich erleichtert fühlen sollte.

8

Werner Jarosch verbrachte gerne einmal einen freien Wochentag alleine auf dem Grundstück. Es waren weniger seine Frau und die Kinder, die sein Befinden an den Wochenenden beeinträchtigten, als vielmehr die Nachbarn ringsum mit ihrem Lärm. Anscheinend hatten die meisten ihr Stück Land gepachtet, um zu hämmern und zu klopfen, zu sägen und zu bohren, zu mähen und zu schneiden, zu klappern und zu rattern. Und um lautstark über die Entfernung von drei Grundstücken hinweg ihre Unterhaltungen zu pflegen, in die sie ihn neuerdings besonders eifrig einbezogen.

Die Stimmung, die Regulski verbreitet hatte, war umgeschlagen. Zwar hatte die Bezirkspresse keinen Bericht über den Zusammenhang zwischen der Brückensperrung und den Unregelmäßigkeiten im Baukombinat veröffentlicht, doch wusste inzwischen auch der Letzte in der Gegend, dass da ein dicker Hund begraben lag. Und Regulski hatte mitgeschaufelt. Das stand fest.

Die Hauptverhandlung war für die erste Juliwoche anberaumt. Reine Schikane, hatte Regulski an der Theke im »Heidekrug« geäußert und sich – Zustimmung heischend – umgeguckt, den Kreis jedoch nicht weit genug gezogen, um Jarosch zu bemerken, der mit Marko in der Ecke gesessen hatte. Reine Schikane. Die wissen, dass ich zu der Zeit ’ne Reise nach Bulgarien gebucht habe.

So viel ist bei der Klauerei rausgesprungen?, fragte da einer in die entstandene Stille hinein, ein kleiner, drahtiger Mann in Maurerkluft mit einer knarrenden Stimme voller Spott.
Regulski war auf den Kleinen zugegangen, drohend, und der hatte ihn ausgesprochen hämisch angeschaut, über den kalkbekleckerten Brillenrand hinweg und über das Skatblatt in der Hand. Regulski war an die Theke zurückgetrottet, mit einem verächtlichen Schnauben. Mehr nicht. Daran mochte Jarosch schuld sein, den er nun endlich entdeckt hatte, viel mehr aber wohl das Schweigen, das sich ausbreitete, und das Regulski richtig zu deuten wusste.
Eine Karte wurde auf den Tisch geklatscht, und einer der Partner des Maurers, ein Kerl fast von Jaroschs Format, hatte den Stich mit seinen Wurstfingern zusammengeharkt und dabei gesagt, ohne den Zigarrenstummel aus dem Mund zu nehmen und doch so laut, dass jeder im Lokal es verstand: Wenn das mit der Brücke stimmt – solche Brüder hätten wir vor dreißig Jahren wegen Sabotage erschossen.
Statt auf dem Absatz kehrtzumachen und zu gehen, hatte Regulski angefangen, sich wortreich zu verteidigen. Von den Sauereien beim Brückenbau habe er nicht das Geringste geahnt, das ginge voll auf das Konto der Leute im Betonwerk. Und mit einem Mal hatte er sich Hilfe suchend an Jarosch gewandt: Sie müssen das doch bestätigen können, Genosse Oberleutnant. Sogar Jaroschs Dienstrang war ihm also bekannt.
Mit einem Wink an seinen Sohn hatte Jarosch sich erhoben, zwei Mark auf den Tisch gelegt, kaum wahrnehmbar auf die Platte geklopft und war gegangen. Die abschließenden Worte der Wirtin hatte er nicht mehr gehört: Besser, Egon, du lässt dich nicht hier sehen, bis die Sache mit dir geklärt

ist; ich liebe keinen Stunk im Lokal. Davon hatte ihm erst der Nachbar erzählt, der plötzlich wieder freundlich, ja herzlicher als je zuvor mit ihm plauderte.

Alle redeten wieder mit ihm. Nur Egon Regulski hielt sich in gebührendem Abstand vom Zaun, grüßte aus der Ferne mit einem zuvorkommenden Handheben, das Jarosch nickend beantwortete. An diesem trüben Mittwoch war niemand außer ihm hier draußen. Das war kein Wetter für die Erholung, feucht und viel zu kühl. Nichts für ein gemütliches Stündchen im Liegestuhl. Es sah nach Regen aus.

Am besten unternahm er einen Spaziergang. Zur Gartenarbeit verspürte er wenig Lust. Edith und Marie hatten sich am Wochenende an den Beeten ausgetobt, während er Dienst schob. Nicht einmal ungerne. Es blieb ein ruhiges Wochenende, und es gelang ihm, sich ein gehöriges Stück in den Aktenberg hineinzuarbeiten. Kontinuität der Ermittlungen! Er hatte die dozierende Stimme des Leiters der K im Ohr. Der Major liebte solche Bilderbuchbegriffe.

Die schwere Körperverletzung in Gorna. Jarosch erinnerte sich ungerne an jenen Dienstag Anfang Mai, als er in der Dämmerung herumgetappt war, ohne auch nur den Tatort exakt lokalisieren zu können. Inzwischen gab es da einen Lichtblick. Ediths Hinweis, dass es sich um Antiquitätendiebstahl handeln könnte, war vielleicht zutreffend. Vor einigen Tagen hatte eine Funkstreife zwei Jungerwachsene, wie Neunzehnjährige polizeideutsch heißen, bei einem nächtlichen Einbruch auf frischer Tat überrascht. Einer der Täter war flüchtig. Bei dem anderen, der hartnäckig schwieg, waren bei der Hausdurchsuchung auch Türbeschläge und Ofenkacheln gefunden worden, die gut aus den verlassenen Häusern von Gorna stammen konnten. Jarosch hatte eine

Gegenüberstellung mit dem Geschädigten aus Gorna beantragt.
Aber der Tag, an dem er in Gorna herumgeirrt war, blieb ihm aus ganz anderen Gründen im Gedächtnis, auch ohne Ediths mahnende Blicke und die Bemerkungen seines Vorgesetzten. Den Mann mit der Pudelmütze, wie der Fall jetzt hieß, vergaß er nicht. Er hatte den restlichen Sonntag wieder einmal mit der Akte Isa Matuscheks verbracht, dem Tatortuntersuchungsprotokoll mit der Spurensammlung, den Aktenvermerken und Expertisen, den Protokollen der Vernehmung von Zeugen, die allerdings keine Zeugen im Sinne irgendeines Beweises waren. Die meisten der Blätter waren von ihm selbst verfasst, und immer wieder suchte er darauf nach Anhaltspunkten, die er möglicherweise übersehen hatte.
Wegen der Sache in Gorna sollte er vielleicht doch Swetlana Schildhauer nach dem Anbieter des Türstocks fragen. Schaden konnte es nicht, und er war sicher, dass Swetlana ihn verstehen würde. Edith hatte kichernd berichtet, dass sie neuerdings erotische Literatur aus der Bibliothek bezog, woraufhin Jarosch sich naiv erkundigte: So was habt ihr? Edith brachte eine Kostprobe mit. Na ja. Dienstlich hatte er schon ganz andere Sachen zu sehen bekommen; doch wenn er sich vorstellte, dass ausgerechnet Swetlana sich daran ergötzte …
Er verriegelte das Gartentor hinter sich, noch unschlüssig, wohin er sich wenden wollte. Auf keinen Fall zum »Heidekrug«. Er war kein Kneipengänger. Wenn er von seinem Spaziergang zurückkehrte, würde er sich einen Tee zubereiten, das war das Gescheiteste bei diesem Wetter.
Außerdem hatte der »Heidekrug« am Mittwoch Ruhetag – wie die »Sonne« in Bartz. Noch zweimal war er dort gewe-

sen, hatte schließlich mit viel Geduld zusammen mit dem Wirt so etwas wie einen Zeitplan für den bewussten Samstagabend erarbeitet, und einen Sitzplan auch. Weitergebracht hatte ihn beides nicht. Mit den PKW-Spuren sah es nicht viel besser aus, obwohl der Techniker auf dem Parkplatz gegenüber der »Sonne« die Abdrücke der abgefahrenen Reifen und die der Winterstollen gefunden hatte. Fehlten nur die dazugehörigen Fahrzeuge vom Typ Wartburg, wenn man den Vermessungen trauen durfte, die mindestens im ersten Fall nicht ganz gesichert erschienen. Die Fahndung lief im ganzen Bezirk, aber wahrscheinlich rollte der eine Wartburg längst auf neuen Reifen, und dass jemand den anderen auch Ende Juni noch mit Winterreifen fuhr, war nicht anzunehmen. Weder der Sonnenwirt noch Isa oder Fredo und seine Kumpel hatten einen Hinweis auf den gesuchten Wagen liefern können. Ihn in Großpöhlow, Launitz oder Bartz zu finden, hätte ohnehin das Ende einer Fehlspur bedeutet. Isa Matuschek war nach wie vor davon überzeugt, von einem Fremden überfallen worden zu sein.

Ein Durchreisender? Zum hundertsten Mal überdachte Jarosch auch diese Möglichkeit. Wer reiste samstagnachts durch Bartz und kannte dabei diesen Landweg nach Großpöhlow so genau, dass er in der Kürze der Zeit sogar einen Abstellplatz für seinen PKW fand, um dann dem Mädchen an geeigneter Stelle aufzulauern? Nein, ein mit der Gegend nicht Vertrauter kam nach Jaroschs Version nicht in Frage, und davon hatte sich nach gründlicher Erörterung der Spurenlage und der Zeugenbefragungen auch der Major überzeugen lassen. Der Täter war zumindest Ohrenzeuge der Auseinandersetzung zwischen Isa und Fredo gewesen, hatte also den Flur und die Toilette der »Sonne« betreten, vorher wahrscheinlich auch die vordere Gaststube. Er kannte jedenfalls die Absicht des Mädchens und beobachtete, wie sie abfuhr und gleich darauf noch einmal zurückkehrte. Vermutlich ließ er die Luft aus dem Reifen, um später die Fahrerin an einer schnellen Flucht zu hindern.

Dann hatte er sich am Großpöhlower Weg auf die Lauer gelegt. Das alles sprach wiederum für einen Täter, der Isa Matuschek kannte. Die beiden einzigen Fremden, auf die der Wirt sich besann, waren im LKW vorgefahren. Das wusste Jarosch inzwischen. Er hatte sie mit Hilfe der gebackenen Forellen gefunden, noch bevor die Fahndung im weitverzweigten Fuhrpark des Braunkohlenkombinats erfolgreich gewesen war. Schon am Sonntag nach dem Tatwochenende war der eine mit Frau und Sohn zum Mittagessen in der »Sonne« aufgetaucht. Der Wirt hatte sich das Kennzeichen des Lada notiert und die Kripo verständigt.

Herausgekommen war auch dabei nichts, nachdem Jarosch sich für beinahe zwei Tage in der Hoffnung gewiegt hatte, auf der richtigen Fährte zu sein. Der Beifahrer des Familienvaters war vor zehn Jahren, als Siebzehnjähriger, wegen eines Sexualdelikts abgeurteilt worden, seither aber nicht wieder straffällig geworden. Jarosch hatte sich vorsichtig an den Mann herangetastet, sein Umfeld überprüft, bevor er ihn selbst befragte, und er hatte schnell einsehen müssen, dass keiner der beiden in Frage kam. Um 22 Uhr 39 hatten sie laut Fahrtenschreiber und Aussage des Betriebsschutzes ihr Fahrzeug im Kombinat abgestellt und waren gemeinsam mit dem Lada des Älteren nach Hause gefahren. Es war überflüssig, dieses Alibi erschüttern zu wollen. Der Familienvater trug einen Vollbart, an den sich Isa Matuschek mit Sicherheit erinnert hätte, und der Jüngere war ein zaundürrer Geselle mit vorstehenden Zähnen und Schuhgröße 32. Jarosch sah dessen verängstigtes Kaninchengesicht noch immer vor sich, während er gemächlichen Schritts durch die feuchte Heide trabte. Oder was er so gemächlich nannte. Edith hätte allemal geschimpft. Renn nicht so, du bist nicht im Dienst! Dabei ging Jarosch auch im Dienst nicht schneller. Oder war er wirklich immer im Dienst, wie Edith behauptete? Ein bisschen hatte sie wohl recht. Wie meistens. Eigentlich verspürte er keine Lust, bei dieser Nässe auch noch in den Wald zu gehen. Für Pilze war es zu früh im Jahr und zu kalt. Doch irgendein Ziel braucht der Mensch. Weshalb also nicht der Wald, der eher ein schütteres Gehölz aus mageren Bäumchen mit braunen Spitzen war, die Jarosch aus der Entfernung mit Sorge betrachtete. Markos Engagement für die Umwelt hatte auch seine Sinne geschärft. Als der Junge ein Buch über die Beschädigung der Vegetation durch Rauch anbrachte, hatte Jarosch überrascht festgestellt, dass es sich um den Nachdruck einer Untersuchung über die Oberharzer Hüttenrauchschäden aus dem Jahre 1883 handelte.

Hundert Jahre habt ihr Zeit gehabt – und was habt ihr getan? Nach Markos Ansicht unternahm die Polizei viel zu wenig gegen die wachsende Umweltkriminalität. Eigene diesbezügliche Aktivitäten hatten ihm bisher eher Ärger als Erfolge beschert. Eingaben über illegale Müllkippen blieben unbeantwortet, und einziges Ergebnis seines Aufklärungsvortrags im Schulklub blieb der Kommentar der Direktorin: Der Klassenfeind kommt jetzt in Grün.

Da musste ein Umdenken einsetzen, das fand auch Jarosch, besonders seit er wusste, dass fünfzig Prozent der Umweltprobleme nicht ökonomische, sondern ideologische Ursachen hatten. Dann bringe du mal einen Pädagogen zum Umdenken, hatte Edith spöttisch gesagt, und Jarosch war ihr mit Arne gekommen, der schon immer eine Art Ökologe gewesen sei. Jarosch musste allerdings zugeben, dass Arne mit seinen abendlichen Vorträgen über Steine und Fische bei ihm auf wenig Gegenliebe gestoßen war. Er aß Fisch gerne. Mehr nicht. Vor ein paar Tagen hatte er im Delikat Räucheraal ergattert. Und Forellen hatte er so lange genüsslich verspeist, bis er eine erwischte, die scheußlich nach Phenol schmeckte.

Womit er wieder bei den Forellen, der Spezialität der Sonnenwirtin war. Und damit bei Isa Matuschek, mit der ihn inzwischen so etwas wie eine freundschaftliche Verschwörung verband, seit er mehrmals in ihrem Büro in Launitz aufgetaucht war, ohne ihren Chef über den wahren Grund seines Kommens zu informieren. Sie vertraute ihm, dieses große und ansehnliche Mädchen, wenngleich sie ihm ihre Skepsis nicht verhehlte, was die mögliche Aufklärung des Verbrechens betraf. Wenn Sie ihn haben, erkenne ich ihn auch!, behauptete sie noch immer. Bei der Personenbeschreibung hatten sie sich inzwischen auf einen kräftigen, etwa ein Meter zweiundachtzig großen Mann mit schmalem Gesicht und hohem Haaransatz geeinigt. Jarosch kannte dessen Schuhgröße und Schrittweite und wusste, dass der den rechten Fuß etwas abgewinkelt aufsetzte. Den Mann zu identifizieren bereitete wahrscheinlich keine besonderen Schwierigkeiten. Er musste ihn nur finden. Unter den einschlägig straffällig Gewordenen war ihm das trotz aller Mühe nicht gelungen.

Das Gelände fiel zum See hinunter leicht ab, oder vielmehr zu dem sumpfigen Weiher, von dem es feucht heraufwehte. Der Baumbestand wurde hier dichter, die Feuchtigkeit hing wie Nebel zwischen den dünnen Stämmen. Jarosch beschloss, das Gewässer auf dem oberen Weg zu umkreisen und dann zum Garten zurückzukehren. Nach zweihundert Metern trat er auf das freie Feld hinaus, das sich bis zum Horizont erstreckte. Der Roggen stand nicht besonders in diesem Jahr.

Auf dem Feldweg, der am Rande des Gehölzes entlangführte, entdeckte Jaroschs geübter Blick frische Fahrzeugspuren. Bedächtig ließ er sich in die Hocke nieder. Die Profile, die er zwischen Bartz und Großpöhlow ausgegossen hatte, standen ihm so plastisch vor Augen, als hätte er sie nicht vor sieben Wochen, sondern erst vor Minuten angefertigt. Was sich hier mit aller Deutlichkeit in dem feuchten Lehm abzeichnete, sah dem abgefahrenen Reifen, den er suchte, verteufelt ähnlich.

Jarosch, in diesem Augenblick ganz Oberleutnant der K, richtete sich auf und blickte aufmerksam den Weg entlang, der sich in weitem Bogen um das Gehölz zog. Der Wagen musste in die Richtung gefahren sein, in die er ohnehin wollte. Der weggeschleuderte Sand bestätigte das. Es konnten allerdings Stunden vergangen sein, seit das Fahrzeug hier vorbeigekommen war.

Der Oberleutnant schritt kräftig aus, den Blick auf die beiden Spuren gerichtet, die sich in einer seltsamen Schlängelbewegung überlagerten. Ehe er sich darüber schlüssig wurde, woher das rührte, markierten sich die Abdrücke plötzlich tiefer im Boden als vorher. Der Wagen hatte gebremst, ein merkwürdiges Wendemanöver vollführt und war dann unvermittelt in Richtung Wasser abgebogen, auf einem Pfad, der kaum die Breite eines PKW aufwies.

Vorsichtig folgte Jarosch den Spuren im Gras, das seine Schuhe und seine Hosenbeine schnell durchnässte. Er achtete nicht darauf, witterte vielmehr den unverwechselbaren Zweitakter-Geruch und sah auch schon den Wagen vor sich. Ein heller Wartburg 353 W. Dahinter ein Hänger, auf dem zwei verschlossene Kunststoffkübel standen, und einer, dessen Deckel danebenlag. Jarosch, der eine Umweltsünde argwöhnte, drängte sich an dem Wagen vorbei und guckte in das offene Fass. Es war Wasser darin. Schmutziges Wasser. Er tauchte zwei Finger hinein und roch daran. Wozu in aller Welt transportierte jemand bei dieser feuchten Witterung abgestandenes und verunreinigtes Wasser über Land. Und wer war dieser Jemand?
Er schlängelte sich durch das dichte Buschwerk um das Fahrzeug herum und betrachtete es eingehend. Der Wagen mochte etwa fünf bis acht Jahre alt sein, in leidlich gutem Zustand – bis auf die Reifen. Die waren runtergefahren bis unter die zulässige Profiltiefe von einem Millimeter, und die auf den Rädern des Hängers sahen aus, als hätten sie nie ein Profil besessen.
In aller Ruhe schrieb Jarosch die Kennzeichen von Wartburg und Hänger auf, notierte sogar die Nummern der Reifenkarkassen. Im Stillen verfluchte er die Tatsache, den Einsatzkoffer zur Spurensicherung nicht bei sich zu haben, doch war er sich auch ohne direkte Vergleichsmöglichkeit ziemlich sicher, eins der beiden gesuchten Fahrzeuge gefunden zu haben. Durch Zufall. Der Chef würde ein sehr ungläubiges Gesicht ziehen und gedehnt fragen: Durch Zufall, Werner? Bist du sicher, dass du nicht mit Vorsatz um jeden Tümpel im Kreisgebiet deine Runde gedreht hast, in deiner Freizeit? Die Kennzeichen gehörten zum eigenen Kreis. Es war ein

Leichtes, den Fahrzeughalter zu ermitteln und vorzuladen. Aber der Mann – und Jarosch hatte keinen Zweifel, dass es sich um einen Mann handelte – musste hier ganz in der Nähe sein. Es blieb eigentlich nur der Weg den Hang hinunter zum Wasser. Darauf deutete ja auch der Inhalt des Kübels.

Behutsam, Schritt für Schritt, verfolgte Jarosch den Weg weiter, der sich nach zwanzig Metern zu einem Pfad, schmal wie ein Wildwechsel, verengte und schließlich zwischen den Bäumen hindurch schräg den Hang hinunterführte. Hinter einem Schilfgürtel glänzte das Wasser. Von dort unten kam jemand den Hang herauf: ein junger Mann in blauer Arbeitskleidung und beinlangen Gummistiefeln, die ihm den Anstieg anscheinend erheblich erschwerten. Jedenfalls war er viel zu beschäftigt damit, mit den beiden Plasteeimern und dem langen Köcher in Händen, sein Gleichgewicht zu halten, um auch noch nach oben zu gucken, wo Jarosch stand. Oder gestanden hatte. Hinter einem Haselnussstrauch fand er eine Deckung, aus der heraus er den Mann beobachten konnte. Der mochte um die dreißig sein, schlank und muskulös, und obwohl das Gewicht der Eimer ihn vornüberzog, wirkte er groß. In das semmelblonde Haar über dem geröteten Gesicht ragten tiefe Geheimratsecken.

Jarosch ließ keinen Blick von ihm, bis der Mann auf dem Pfad verschwunden war. Dann folgte er ihm bedächtig, aber ohne sich zu tarnen, und erreichte das abgestellte Fahrzeug, als der andere gerade dabei war, den zweiten Eimer in den Kübel zu entleeren. Er guckte befremdet, als er den Oberleutnant bemerkte, ließ aber nicht davon ab, das Gefäß sorgfältig zu verschließen.

Jarosch grüßte gemessen. »Guten Tag.«

»Tag«, antwortete der Mann gedehnt und nicht einmal unfreundlich, schien sich aber doch Gedanken darüber zu machen, woher der Fremde in dieser Abgeschiedenheit so plötzlich aufgetaucht war. Jedenfalls ließ er Jarosch nicht aus den Augen.

»Darf man fragen, was da drin ist?«, erkundigte der sich mit der Miene eines zufällig des Weges gekommenen Spaziergängers.

Der Mann lächelte. »Man darf.« Einen Augenblick spannte er den Oberleutnant dennoch auf die Folter. »Wasserflöhe«, sagte er dann und entblößte dabei seine oberen Schneidezähne.

Jarosch staunte. »So viel Wasserflöhe? Betreiben Sie eine Fischzucht?« Ihm war sofort Arne mit seinen Aquarien eingefallen.

»Nee, nee«, sagte der Blonde, und die Lachfältchen um seine Augen vertieften sich. »Die verkaufe ich. Jedenfalls die meisten.«

Das schien Jarosch immerhin eine ausreichende Erklärung für das seltsame Tun des Mannes zu sein. »Ist das ein guter Nebenverdienst?«

Der Mann verstaute Köcher und Eimer auf dem Hänger und warf die langen Gummistiefel dazu. »Das ist mein Beruf – ob Sie es glauben oder nicht«, sagte er, während er seine Turnschuhe zuschnürte.

»Wasserflohfänger?«, fragte Jarosch ungläubig. Das war entschieden die merkwürdigste Profession, von der er hörte, und er war einiges gewöhnt.

»Freischaffender«, ergänzte der Blonde und ergötzte sich an Jaroschs Gesicht. Er öffnete die Tür des Wartburg, die nicht einmal abgeschlossen war. »Kann ich Sie ’n Stück mitnehmen?«

»Gerne«, sagte Jarosch. »Die Sache mit den Wasserflöhen interessiert mich.«
Der Mann öffnete die andere Tür und sah Jarosch beim Einsteigen prüfend an. »Ich zahle Steuern und Versicherung wie jeder Gewerbetreibende«, sagte er. Jarosch schien es ein wenig spöttisch zu klingen.
»Daran zweifle ich nicht. Braucht man dazu auch einen Facharbeiterabschluss?«
Der Wasserflohfänger fuhr sacht an. »Ein Diplom.« Er griente schon wieder. Jarosch entgegnete nichts, und so erklärte der andere es ihm, als sie auf dem Feldweg am Gehölz entlangfuhren. »Ich bin Diplom-Kristallograph. Hier in der Gegend sollte mal elektronische Industrie angesiedelt werden. Nur ist die Luft dafür ein bisschen zu unsauber.«
»Und da sind Sie auf die Wasserflöhe gekommen?«
»Die halten es hier gerade noch aus. Jedenfalls die zähen Arten.« Er lachte schon wieder.
»Holen Sie die nur hier oder auch woanders?«
»Von überall. Mit der Zeit findet man heraus, in welchen Seen und Tümpeln es noch welche gibt.«
»Da kennen Sie also alle Gewässer im Kreisgebiet?«
Der Mann sah ihn von der Seite an. »Ich kann mich an keine Kreisgrenze halten. Ich hole meine Daphnien, wo ich sie finde. Manchmal muss ich bis nach Mecklenburg hoch.«
Und südlich, in die Gegend von Bartz und Großpöhlow, war Jarosch versucht zu fragen. Doch dafür war es noch zu früh.
Sie erreichten eine Weggabelung. Der junge Mann verlangsamte die Fahrt. »Wo soll ich Sie absetzen?«, fragte er.
»Tja …«, meinte Jarosch gedehnt. »Wohin fahren Sie denn? Ich meine – müssen Sie vielleicht zufällig in die Kreisstadt?«

»Im Prinzip ja ...« Der Blonde zögerte. »Wohin wollen Sie denn da?«
»Würde es Ihnen etwas ausmachen, beim Volkspolizei-Kreisamt vorbeizufahren?«
Der Mann maß ihn kurz mit einem eigenartigen Blick und konzentrierte sich dann wieder auf das Fahren.
Jarosch zückte seinen Ausweis. »Ich hätte mich gleich vorstellen sollen. Kriminalpolizei. Oberleutnant Jarosch.«
Wenn der Wasserflohfänger erschrocken war, dann ließ er es sich nicht anmerken. Auch sein ausgeglichener Fahrstil veränderte sich nicht. »Liegt etwas gegen mich vor?«, erkundigte er sich ruhig.
»Es handelt sich lediglich um einige Routinefragen«, antwortete Jarosch unbestimmt.
»Verstehe. Die berühmte Klärung eines Sachverhalts.« Seine Stimme klang wieder spöttisch. »Dauert es lange?«
Jarosch hob die breiten Schultern. »Ich hoffe nicht ...«, sagte er, obwohl er insgeheim eine andere Hoffnung nährte.
»Ich will die Daphnien so schnell wie möglich liefern, verstehen Sie? Der eine Kübel muss nach Kerchow.«
»Wir werden sehen«, sagte Jarosch philosophisch. Er verzichtete darauf, den Namen des Kunden in Kerchow zu erfragen. Es konnte kein anderer als Arne Schildhauer sein.

9

Die Vernehmung Rainer Pritzlaffs – so hieß der freiberufliche Wasserflohfänger, vierunddreißig Jahre alt und Vater dreier Kinder zwischen zwei und neun Jahren – ergab keine bemerkenswerten Anhaltspunkte, die seine Schuld bewiesen

hätten. Vorerst fehlte es allerdings auch an entlastenden Momenten.
Pritzlaff erwies sich als ein besonnener und kooperativer Mensch, der seine Geduld nicht einmal verlor, als ihm längst klar sein musste, dass dieses Frage-Antwort-Spiel auf mehr als die Klärung eines harmlosen Sachverhalts hinauslief.
Inzwischen hatten die Techniker anhand der Reifenmerkmale die Übereinstimmmung der Abdrücke am Bartzer Tümpel mit denen von Pritzlaffs Hänger nachgewiesen. Das erfüllte Jarosch mit einer gewissen Befriedigung. Nur bestritt Pritzlaff gar nicht, dass dieses Gewässer zu seinen gelegentlichen Fangrevieren gehörte, aus dem er vermutlich Ende April, spätestens aber Anfang Mai zum letzten Mal eine magere Beute gekechert hatte. Die Überdüngung der umliegenden Felder sei von verheerender Wirkung auf das biologische Gleichgewicht, falls Jarosch verstand, und das übermäßige Aufbringen von Gülle …
Jarosch verstand sehr gut. Ihm kam es auf das genaue Datum an, und ebendas wollte oder konnte Pritzlaff ihm nicht nennen. Sein Taschenkalender sagte darüber nichts aus. Er enthielt nur hin und wieder Kürzel, die Pritzlaff mit festgestellten Umweltschäden oder einfach mit privaten Angelegenheiten erklärte. Über die Bedrohung des Bartzer Tümpels fand sich keine Notiz. Er wisse seit langem davon, behauptete Pritzlaff.
Eine Buchführung über seine Fangergebnisse und -orte existierte nicht; nur eine über die erzielten Einnahmen, wie es die Abteilung Finanzen vorschrieb, und die lag zu Hause. Er glaube nicht, dass daraus hervorging, wann er in Bartz gewesen sei. Auf jeden Fall an einem Wochentag und früh am Morgen, nicht sonnabends und nicht mitten in der

Nacht. Wasserflöhe fing man am Tage, ob er sich das nicht vorstellen könne.
Jarosch geriet allmählich in Zweifel, was er mit diesem Mann anfangen sollte, der immer noch einigermaßen bereitwillig auf alle Fragen einging. Eine vorläufige Festnahme? Womit hätte er die begründen sollen? Nicht einmal die Schuhgröße 28 stimmte mit der des Täters überein. Das schloss natürlich nicht aus, dass Pritzlaff bei der Tat Stiefel getragen hatte, die ihm zu groß waren. Doch die vorliegenden Fakten reichten nicht annähernd für einen Durchsuchungsbefehl in Pritzlaffs Haus. Unzufrieden stieg Jarosch hinunter ins Archiv, und für einen Augenblick hielt er gespannt die Luft an, als Pätzold, der Diensthabende, nachdenklich sagte: »Pritzlaff, Rainer? Da war mal was, soweit ich mich erinnere …«
Es war aber nichts; nur eine Überprüfung wegen gewisser Umweltaktivitäten, und die hatten sich als legal erwiesen. Der Bürger Pritzlaff aus Kuschwitz, Amateur-Ornithologe und Tierfotograf, galt als unbescholten und gut beleumdet, wenn auch nicht gerade beim Rat des Kreises. Das ergab der Anruf beim Abschnittsbevollmächtigten. Eine ordentliche Familie mit drei Kindern, die Frau im Augenblick nicht berufstätig. »Ihr erratet nicht, was der Mann für einen Beruf ausübt!«, meinte der ABV und lachte.
Jarosch nahm ihm den Wind aus den Segeln. »Daphnienjäger«, antwortete er trocken und legte den Hörer auf.
Für eine Gegenüberstellung mit Isa Matuschek war es zu spät an diesem Abend. Jarosch befand sich in einer Zwickmühle. Er besaß keine Handhabe, Pritzlaff noch länger in der Stadt aufzuhalten. Ohne weiteres nach Hause aber wollte er ihn nicht fahren lassen. Falls es dort wirklich Beweismittel gab, durfte Pritzlaff keine Gelegenheit haben, sie zu beseitigen.

»Wollen Sie mir nicht einfach sagen, wessen Sie mich verdächtigen?«, fragte Rainer Pritzlaff. »Muss doch ein ganz schönes Ding sein, so geheimnisvoll, wie Sie tun …«
Jarosch wiegte seinen großen Kopf. »Wir verdächtigen Sie nicht«, sagte er nicht ganz wahrheitsgemäß. »Wir möchten uns nur vergewissern, dass Sie für einen bestimmten Tatbestand nicht in Frage kommen. Das liegt auch in Ihrem Interesse. Es wäre günstig, wenn Sie uns morgen Vormittag noch einmal zur Verfügung stünden.«
Pritzlaff stimmte so friedfertig zu, wie er sich die ganze Zeit verhalten hatte. »Wann soll ich hier sein?«
Sie einigten sich auf zehn Uhr. Als sie die Treppe hinuntergingen, fragte Jarosch: »Haben Sie für Ihren Wartburg eigentlich Winterreifen?«
Pritzlaff hatte sein Grienen nicht eingebüßt. »Ich wäre froh, wenn ich neue für den Sommer hätte. Gibt es da bei Ihnen nicht irgendwelche Beziehungen?«
Sie standen im Hof neben Pritzlaffs Wasserflohtransport. »Würde es Ihnen etwas ausmachen, wenn ich mir mal Ihre Garage angucke?«
Zum ersten Mal reagierte Pritzlaff unwirsch. »Was denn noch alles?«
Und Ihre Schuhe, hätte der Oberleutnant jetzt sagen müssen, doch er wollte den Wasserflohfänger nicht verschrecken. Der guckte auf die Uhr. »Für die Zoohandlung ist es zu spät. Aber nach Kerchow muss ich unbedingt noch.«
Wiederum unterließ es Jarosch, sich nach dem Kerchower Abnehmer zu erkundigen. »Wann werden Sie zu Hause in Kuschwitz sein?«, fragte er.
»Gegen halb acht, denke ich.«
»Dann treffen wir uns dort. Einverstanden?«

Rainer Pritzlaff hob ergeben die Schultern und stieg in seinen Wartburg. »Das letzte Haus hinter dem Konsum.«
Jarosch ließ ihm eine Viertelstunde Vorsprung. Mit dem Hänger konnte Pritzlaff ohnehin nicht schnell fahren. Kuschwitz lag vier Kilometer von Kerchow entfernt und war der letzte Ort im nordöstlichen Kreisgebiet. Eine abgelegene Ecke, in die Jarosch nicht eben häufig kam.
Die feste Fahrbahndecke der Dorfstraße endete vor dem Konsum in einer Wendeschleife um die Feuerwehrremise herum. Er fuhr weitere zweihundert Meter im Schritttempo, bis er das blau-weiß getünchte Bauernhaus entdeckte. Das musste es sein. Es sah aus, als habe man es gerade renoviert. Oder eher restauriert. Auf den alten Fensterrahmen glänzte der Lack, die Läden und die ehrwürdige Haustür waren sorgsam in zwei Farben gestrichen und mit einem Blumenmuster bemalt. Als sichtbaren Tribut an seinen Beruf hatte der Besitzer das Haus mit einem schmiedeeisernen Zunftzeichen versehen: ein buckliges Untier mit Schnurrbart, das Jarosch unschwer als einen übergroßen Wasserfloh identifizierte.
Frau Pritzlaff war eine dunkelhaarige, fast südländisch wirkende Frau, die seine Erklärung, er sei mit ihrem Mann verabredet, gelassen hinnahm. »Kommen Sie rein …«
Auch drinnen, im weißgetünchten Flur, sah alles so aus, wie man es schon vor achtzig oder hundert Jahren schön gefunden hatte. Die buckligen Bodenfliesen waren gewiss so alt. Jarosch musste sich bücken, um durch die niedrige Tür ins Zimmer zu treten. Der Frau merkte man die Gewohnheit an, den Kopf auf graziöse Weise zu senken. »Geh nach oben, Lars«, sagte sie zu einem rothaarigen Jungen, der am Tisch mit Bausteinen spielte. Wortlos räumte er die Steine in den Kasten und verschwand.

Der Oberleutnant sah sich um. Kein einziges der Möbelstücke war neu. Eine Bauernstube wie in einem Museum, das ländliches Leben vergangener Zeiten vorführen wollte. Nur roch es hier nicht staubig und nach Konservierungsmitteln, sondern nach Blumen und frischen Kräutern, die an der niedrigen Balkendecke hingen. Der Raum mit den kleinen Fenstern an beiden Stirnseiten wirkte freundlich und so geräumig, wie er früher nicht gewesen sein konnte. Der Wasserflohfänger hatte die Trennwände zwischen den einstigen Stuben entfernt und nur das stützende Fachwerk stehenlassen. Am Fenster stand ein Spinnrad. Es schien benutzt zu werden.
Frau Pritzlaff nahm seine stumme Bewunderung wohlwollend auf. »Möchten Sie eine Tasse Tee?«, fragte sie.
Jarosch lehnte dankend ab. Er tat es mit Bedauern. In dieser altväterlich-behaglichen Umgebung Tee zu trinken hätte ihm gefallen. Der weinrote Plüschsessel, in dem er sich erst auf ihr ermunterndes Zureden hin vorsichtig niederließ, hatte sicher zur Originalausstattung des Hauses gehört.
»Wir trinken nämlich keinen Kaffee.«
Jarosch hob abwehrend die Hand. »Ich möchte Sie nicht lange aufhalten«, sagte er und sah sich noch einmal um. »Ich finde es phantastisch, was Sie hier alles gesammelt haben.«
Sie lächelte. »Gesammelt?«, fragte sie. »Wir leben hier! In so einem Haus möchte man nicht zwischen Möbeln aus Sägespänen und Formaldehyd wohnen.«
»Wer möchte das schon. Nur ist es schwierig, diese alten Dinge aufzutreiben, wenn man es nicht gerade erbt.«
Sie verzog keine Miene. »Wir haben das Haus als Ruine übernommen. Ich komme aus der Stadt. Und der Vater meines Mannes ist passenderweise Absatzleiter im Möbelkombinat.«

»Also haben Sie es doch zusammentragen müssen.«

Allmählich erwachte ihr Misstrauen. »Daran ist nichts Unrechtes«, sagte sie abweisend, ohne indessen ihre Gelassenheit aufzugeben. »Mein Mann kommt viel herum, und mir bringen die Leute auch das eine oder andere ins Haus, seit sie wissen, dass es bei uns in guten Händen ist.«

Mit scharfem Schnappen sprang der altmodische Türriegel auf, und ein Mädchen kam herein, ungefähr fünf oder sechs Jahre alt. »Ist Pappi immer noch nicht da?«, fragte es und musterte Jarosch neugierig.

»Geht ins Bett. Wenn er kommt, guckt er nach euch.«

Jarosch tat immer noch, als interessiere er sich ganz privat für den Erwerb und das Sammeln alter Gegenstände. »Man sieht selten so viele schöne Dinge beisammen. Heutzutage, wo jeder etwas für seine Anbauwand ergattern möchte und der Antikhandel Phantasiepreise zahlt …«

Wie vor beinahe jeder ihrer Antworten verging einige Zeit, bis sie sagte: »Vielleicht hat sogar die Polizei davon gehört, dass ganze Dörfer der Braunkohle weichen müssen. Was glauben Sie, was die Leute dort noch in ihren Häusern haben. Mitunter sind sie froh, wenn sich jemand dafür interessiert.«

»In Gorna beispielsweise«, sagte Jarosch.

»Auch in Gorna.« Sie war nicht aus der Ruhe zu bringen. »Da hat Rainer ein wunderschönes Geländer für unsere Bodentreppe bekommen.«

»Wann war Ihr Mann dort?«

Frau Pritzlaff sah ihn lange wortlos an. Sehr lange, wie Jarosch fand, doch das gehörte wohl zu ihrer Art, ein Gespräch zu führen.

»Als der Ort noch bewohnt war«, sagte sie schließlich. »Wann sonst?«

»Es gibt auch andere Leute …«
Pause. »Ich weiß.« Sie wandte sich ab.
Er kam nicht mehr dazu, sie zu fragen, was sie wusste. Pritzlaffs Hänger klapperte vor dem Fenster. Sie ging hinaus. Jarosch folgte ihr.
»Sie haben uns also gefunden«, sagte Pritzlaff nüchtern. Das Garagentor im Hof, die Einfahrt zum ehemaligen Stall, stand weit offen. Von Winterreifen keine Spur. Dafür gleich in der Ecke ein großes Regal mit Schuhen. Jarosch, als tue er das ganz unbewusst, bückte sich und nahm ein Paar Halbstiefel heraus, das ihm am größten erschien. Das Sohlenprofil ähnelte dem von Bartz in gewisser Weise, das sah er auf den ersten Blick. Und er sah auch die deutlich eingeprägte Größe: 28.
Pritzlaff stand neben ihm. »Was wollen Sie sonst noch sehen?«, fragte er mürrisch.
»Nichts weiter. Entschuldigen Sie meine Neugier. Wenigstens habe ich mir mal ein Haus angucken können, das mir gefällt.« Er meinte das ehrlich, nur war der Hintergedanke an Gorna noch nicht aus seinem Kopf.
»Wenn man solche Dinge sammelt, gibt es da nicht viel Konkurrenz in der Gegend?«
Dem Wasserflohfänger schien das Grienen vergangen zu sein. »Weshalb fragen Sie mich das? Wollen Sie mir unbedingt etwas anhängen?«
Jarosch hatte in seinem Beruf lernen müssen, die Peinlichkeit einer solchen Situation zu überspielen. »Nein«, sagte er geradezu. »Ich muss mich nur leider auch darum kümmern, woher die Leute so etwas beziehen.«
»Von mir jedenfalls nicht.« Pritzlaffs Stimme war abweisend. Jarosch nahm es ihm nicht übel. Er unterließ es, ihn noch länger zu reizen. »Bis morgen früh«, sagte er versöhnlich.

»Es handelt sich nur noch um eine Formalität.«
Er streckte Pritzlaff die Hand hin, doch der war schon dabei, seinen Hänger abzukoppeln.
»Vielleicht fahren Sie mal rüber nach Hahnshof«, sagte er von unten herauf.

10

Als Jarosch am nächsten Morgen gegen halb zehn die geschwungene Treppe im Kreisamt in ungewöhnlicher Hast hinunterhetzte, lief er Oberleutnant Kirsch direkt in die Arme.
»Du kommst mir gerade recht. Wir haben den zweiten Einbruchstäter. Wegen Gorna habe ich ihn bewusst noch nicht angesprochen. Du wolltest doch eine Gegenüberstellung …«
»Unbedingt. Hast du ihn noch in der Vernehmung?«
»Du kannst ihn haben. Prinzessin Edelgard tippt gerade das Protokoll.«
Im Vernehmungsraum saß René Rogel, ein zweiundzwanzigjähriger Bursche in schwarzer Kleidung, der bei Jaroschs Eintritt nicht sonderlich erwartungsvoll den kurzgeschorenen Kopf wandte und ihm einen Blick zuwarf, den ein weniger guter Beobachter einfach als dreist eingestuft hätte. Für Jarosch waren die Zeichen der Unsicherheit unverkennbar. Außerdem kannte er den Jungen. Sein Personengedächtnis ließ ihn selten im Stich.
Während er sich auf seine behäbige Art setzte, stand auch schon die Szene vor seinen Augen: eine Garage, in deren Mitte ein hell gespritzter Trabant 600, drei junge Männer darum herum, ein vierter im Hintergrund, der bald verschwunden war.

»Wir kennen uns ja aus Fredos Garage«, sagte Jarosch gemütlich, obwohl die Atmosphäre wahrhaftig nicht gemütlich war. Der Junge zuckte zusammen, schaute dann aber ungerührt vor sich hin und schwieg. Kein Zweifel, dass auch er sich erinnerte.
»Besitzen Sie einen Taschenkalender?«
»Wozu?«
Kirsch, der sich schräg hinter Rogel gesetzt hatte, schüttelte leicht den Kopf. Also kein Kalender.
»Um sich zu erinnern, wo Sie am Sonnabend, dem siebenten Mai, gewesen sind.«
Rogel versuchte so etwas wie ein schadenfrohes Grinsen. »Wo sind Sie denn an dem Tag gewesen?«, fragte er schleppend. »Ich kann Ihnen höchstens sagen, was ich Silvester gemacht habe.«
Jarosch, an derlei gewöhnt, sagte ruhig: »Sie waren an dem betreffenden Abend zur Disko. In Bartz. In der ›Sonne‹. Erinnern Sie sich?«
»Sonnabends bin ich meistens zur Disko. Ist das neuerdings auch schon verboten?«
»Am Vormittag waren Sie mit Ihren Kumpels in Gorna.«
»In Gorna?« Rogels Gesichtsausdruck veränderte sich nur für einen Moment. Jarosch genügte es. Er war auf der richtigen Fährte.
»Das gibt's doch gar nicht mehr …«
»Am siebenten Mai gab es Gorna noch. Der Mann, der Sie dort in seinem ehemaligen Haus überraschte, erinnerte sich an Sie.«
René Rogel, unter seinen Altersgenossen sicherlich so etwas wie ein starker Mann, schluckte.
»Da kommt allerlei zusammen«, fuhr der Oberleutnant fort.

»Einbruch, Bandenbildung, schwere Körperverletzung in Tateinheit mit unterlassener Hilfeleistung – vielleicht als versuchter Totschlag anzusehen …«

»Ich habe den nicht angerührt!« Rogel begann zu schwitzen. »Daran muss der sich erinnern!«

»Ihr habt ihn bewusstlos geschlagen«, gab Jarosch zu bedenken.

Rogel begehrte auf. »Ich nicht!«, sagte er laut und wenig überzeugend.

»Haben Sie öfter derartige Raubzüge unternommen?« Jarosch musste seine Frage wiederholen, bis Rogel sich zögernd zu einer Antwort bequemte.

»Wir sind manchmal 'n bisschen rumgezogen in den alten Dörfern. Haben auch mal was gefunden. Kommt ja sowieso alles unter die Raupe.«

»Was haben Sie mit diesen gefundenen Gegenständen gemacht?«

Der Junge überlegte, was jetzt wohl besser für ihn sei. Er entschied sich für: »Behalten.«

»Nicht verkauft?« Jarosch ging das Gespräch mit den Pritzlaffs nicht aus dem Sinn. Der Wasserflohfänger musste längst da sein und auf ihn warten.

»An wen denn?«, fragte Rogel scheinheilig zurück. Jarosch antwortete prompt: »An den Mann in Hahnshof beispielsweise.«

»Der Arsch!«, entfuhr es Rogel mit tiefster Verachtung. »Was fragen Sie mich denn, wenn Sie alles wissen!«

Zufrieden lehnte Jarosch sich zurück. Mochte Pritzlaff ruhig noch ein wenig warten.

»Dieser Mann war also Ihr Hehler.«

Rogel hob die eckigen Schultern. »Der Hehler«, sagte er

abfällig. »Der suchte nur besondere Sachen, und dann nur in Kommission, wie er das nennt. Knete irgendwann oder nie … Der soll bloß sein Maul halten, der alte Knicker!«
»Hat er nur Antiquitäten genommen oder auch anderes Diebesgut?«
»Von mir gar nichts. Ich war nur einmal mit da draußen. Hat uns gleich angefatzt, er will uns nicht sehen und so. War ihm anscheinend peinlich.«
»Wie heißt der Mann?«
Der Junge riss erstaunt seine Schweinsäuglein auf. »Ich denke, Sie kennen ihn! Mai … Oder Ney. Jedenfalls so ’n kurzer Name.«
»Wir werden das überprüfen.« Jarosch erhob sich. Er war zufrieden. Hinter Rogel hob Oberleutnant Kirsch anerkennend seinen Daumen.
Pritzlaff wartete tatsächlich schon fast eine Stunde, als Jarosch endlich mit dem Protokoll der Aussagen vom Vortag auftauchte.
»Hahnshof war ein guter Tipp«, sagte der Oberleutnant aufgeräumt.
Der Daphnienfänger schien weniger gut aufgelegt. »Was für ein Tipp?«, fragte er verdrießlich.
»Wir werden uns diesen Mann mal angucken, den Herrn Mai oder Ney …«
Pritzlaff sah müde aus und zeigte keine Reaktion.
»Wie heißt er denn nun – Mai oder Ney?«, erkundigte Jarosch sich freundlich.
»Gucken Sie in Ihrem Melderegister nach.«
Jarosch sah ihn aufmerksam an. »Was ist los, Herr Pritzlaff? Wir haben uns doch gestern ganz gut verstanden.«
In Pritzlaffs Gesicht verriet nichts, dass er auch spöttisch

grienen konnte. »Da habe ich noch nicht geahnt, was Sie mir anzuhängen versuchen.«

»Wir hängen Ihnen nichts an, Herr Pritzlaff.«

Pritzlaff schwieg. Als sie in Jaroschs Dienstwagen saßen, fragte er: »Zum Bartzer Tümpel?«

»In diese Richtung«, bestätigte der Oberleutnant. Er hatte sich in der »Sonne« angekündigt, und er hatte Isa Matuschek angerufen und sie gebeten, in ihrem Büro auf ihn zu warten.

Der Wirt begrüßte sie vom Fenster im Obergeschoss aus, die altersschwache Hündin neben sich. »Hallo, ich komme runter.«

Jarosch ließ Pritzlaff aussteigen und bat ihn um einen Augenblick Geduld, er wolle nur ein paar Worte mit dem Wirt reden. Der Wasserflohfänger sah ihm wortlos nach.

»Wen bringste denn da?«, fragte der Wirt, der sich angewöhnt hatte, Jarosch zu duzen. »Den Wasserflohfritzen? Der war noch nie zur Disko.« Er beobachtete Pritzlaff kritisch aus der Entfernung. »'ne Lodenjoppe trägt er ja manchmal, kommt aber meistens am Tage. Und raucht nicht. Trinkt immer nur Tee ohne Zucker …«

Es war späte Mittagszeit, als Jarosch mit Pritzlaff auf dem ehemaligen Gutshof in Launitz anlangte, wo die Landwirtschaftliche Instandsetzung residierte. Isa sagte anstelle einer Begrüßung: »Sie bringen mich um die wertvollste Mittagsmahlzeit in dieser Woche!«

Das irritierte Jarosch, bis er merkte, dass es scherzhaft gemeint war: »Es gibt Milchreis, und Fredo meint, ich sollte abnehmen.«

Fredo stand ein bisschen linkisch neben ihr und starrte den Oberleutnant erwartungsvoll an. »Haben Sie was rausgekriegt?«

Isa Matuschek erklärte die Anwesenheit ihres Freundes. »Er besucht mich manchmal in der Mittagspause. Darf er hören, worüber Sie mit mir reden wollen?«
Das verstieß gegen Jaroschs Plan, doch lohnte es nicht, einen besonders geheimnisvollen Aufwand zu entfalten.
»Gucken Sie bitte mal aus dem Fenster«, forderte er Isa auf. Fredo war noch vor ihr an der Scheibe und starrte gebannt in den Hof, wo Rainer Pritzlaff interessiert den Giebel einer alten Scheune betrachtete.
»Der?«, stieß Fredo hervor. »Das ist er?«
Jarosch hob besänftigend die Hand. Ihn interessierte Isa Matuscheks Reaktion. »Den habe ich schon mal irgendwo gesehen ...«, sagte sie nachdenklich und ohne Aufregung.
Fredo war weiß im Gesicht. »Den Hund mach ich nieder.«
War er wirklich so aufgebracht? Jarosch beobachtete ihn, verlor jedoch Isa nicht aus den Augen.
Die sagte nüchtern: »Du spinnst ja!« Und zu Jarosch gewandt: »Der sieht ja richtig nett aus ...«
»Nett!«, fuhr Fredo sie an. »Fällt dir jetzt plötzlich ein, dass er dir gefallen hat?«
»Herr Bartus!«, mahnte Jarosch. Mehr war gar nicht notwendig. Isa wusste sich selber zu verteidigen.
»Du hast es nötig!«, sagte sie kühl. »Deinetwegen ist mir das schließlich passiert. Wenn du nicht so blau gewesen wärst ...« Sie sandte einen langen Blick aus dem Fenster. »Ich glaube, der war es nicht ...«
»Danke«, sagte Jarosch. »Sie sollten Ihre Gefühle etwas besser im Zaum halten, Herr Bartus.«
Fredo starrte ihn finster an. »Ich weiß ja nicht, was Sie sagen würden, wenn das Ihrer Frau passiert wäre. Oder Ihrer Tochter ...«

Isa stand noch am Fenster. »Vielleicht müsste ich seine Stimme hören …«, sagte sie nachdenklich.
»Gehen Sie hinaus und reden Sie mit ihm.«
Eine halbe Minute später schallte ihre Stimme über den Hof. »Suchen Sie etwas Bestimmtes? Hier ist gerade Mittagspause.«
Pritzlaff drehte sich um. Was er sagte, war nicht zu verstehen. Jarosch hätte den Fensterflügel gerne geöffnet, doch die Blumentöpfe störten.
Isa war quer über den Hof auf Pritzlaff zugegangen. Der hob die Hand und wies hinauf zum Scheunengiebel. Isa hörte aufmerksam auf seine Erklärung. Es machte den Eindruck, als verstünden sich die beiden gut.
Hinter Jarosch schnaufte Fredo. Der Oberleutnant legte ihm beruhigend die Hand auf den Unterarm. »Bleiben Sie hier, bis wir weg sind.«
Es schien die falsche Spur zu sein. Seltsamerweise kam in Werner Jarosch kein Ärger auf. Der Wasserflohmensch war ihm von Anfang an nicht unsympathisch gewesen. Das war ihm auch schon mit zu Recht Beschuldigten so ergangen. So etwas beeinträchtigte seine Objektivität nicht, glaubte er.
Isa kam ihm im Flur entgegen. »Ich weiß, wo ich dem schon einmal begegnet bin«, sagte sie mit gedämpfter Stimme und blickte zur geschlossenen Bürotür, hinter der Fredo wartete.
»In der ›Sonne‹?«, vermutete Jarosch.
Sie schüttelte den Kopf. »Früher sind Nina und ich morgens öfter zu den Launitzer Teichen gefahren. Ich weiß, da ist Baden verboten, und noch dazu ohne Badezeug … Jedenfalls hat der uns dabei beobachtet.«

11

Es war spät an diesem Freitagmorgen. Mindestens zehn Minuten später als sonst. Swetlana Schildhauer hörte ihren Mann im Bad fluchen. Das verstieß gegen seine Gewohnheiten. Sie war ebenfalls gereizt, doch ließ sie sich ihren Unmut nicht anmerken, lächelte ihm sogar voller Mitgefühl zu, als er mit schmerzverzerrtem Gesicht durch den Flur hastete. Er hatte sich beim Rasieren geschnitten.

»Der letzte Tag«, sagte sie, bemüht, ihrer Stimme einen fröhlichen Klang zu geben, was nicht recht gelang.

»Na eben!«, entgegnete Arne aufgebracht, als gelte es noch in aller Eile die zweihundertfünfzig Zeugnisse zu unterschreiben. Das hatte er natürlich schon vor Tagen getan.

»Trink deinen Tee in Ruhe.« Ihr Kaffee lief noch durch die Maschine.

»Wir kommen zu spät!« Er war regelrecht in Panik, und das wollte etwas heißen bei ihm. Von ihnen beiden war er der Ausgeglichenere, der, den nichts zu erschüttern vermochte. Nur Unpünktlichkeit hasste er.

»Wir fahren mit dem Auto«, schlug sie vor. Für die zwei Kilometer bis zur Schule lohnte sich das kaum. Wenn das Wetter so gut aussah wie an diesem Morgen, war der Weg ein schöner Spaziergang. Manchmal fuhren sie auch mit dem Rad.

»Die Wasserflöhe müssen noch umgefüllt werden.« Arne stürzte davon. An seine Fische dachte er allemal. Für die stummen, glotzäugigen Scheusäler war immer Zeit und Muße vorhanden.

Wie seine Frau die Nacht verbracht hatte, das interessierte ihn nicht. Noch um drei hatte sie wach gelegen, alleine in ihrem Ehebett, denn er hatte es wieder einmal vorgezogen, bei seinen Fischen und Mineralien zu nächtigen, ohne sich den Wecker zu stellen. Auch da verließ er sich auf sie, weil sie ja jeden Morgen eine Viertelstunde vor ihm aufstand.

Hatte sie überhaupt geschlafen? Gegen Morgen sicherlich, sonst hätte sie den Wecker nicht überhört. Vorher aber hatte sie immer wieder das Licht eingeschaltet, ein paar Seiten in ihrem Roman umgeblättert, ohne zu erfassen, was sie las, und die Lampe wieder gelöscht. Dabei handelte es sich um ein dickleibiges Buch, wie sie es liebte, und ein fesselndes dazu, ganz neu im Bestand von Ediths Bücherei, und von aufregender Unanständigkeit. Nur ausgerechnet für diese Nacht war das nichts gewesen. Quälend und abscheulich minuziös wurde die brutale Vergewaltigung einer Frau geschildert. Sie hatte versucht, das Kapitel zu überschlagen und war an dem ebenso haarklein beschriebenen Mord der Frau an ihrem Peiniger hängen geblieben. Es ging etwas Beklemmendes von dieser Szene aus, die ihr noch jetzt im Kopf herumspukte.

Dennoch war nicht zu leugnen, dass sie sich in dieser Minute, an diesem Morgen, der endlich ein bisschen Sommerwetter versprach, erleichtert fühlte. Es war Freitag. Der Donnerstag war vergangen, ohne dass sich der unbekannte Anrufer gemeldet hatte. Allerdings war sie kurz entschlossen sofort nach dem Unterricht in den Bus gestiegen und in die Stadt gefahren. Arne war nicht vor neunzehn Uhr zu Hause zu erwarten gewesen.

Sie hatte Einkäufe erledigt, oder es versucht, hatte sich überall in den Läden und in dem einzigen Kaufhaus lange aufgehalten und sich schließlich mit Edith verabredet. Im Café am Stadtpark, das nach der Renovierung nicht mehr

»Vorwärts« hieß, hatten sie Eis gegessen, und Swetlana hatte einen Weinbrand getrunken, gegen das flaue Gefühl in ihrem Magen. Danach fühlte sie sich immerhin so gut, dass sie mehrfach ansetzte, um Edith von ihren Sorgen zu erzählen. Edith jedoch drängte darauf, die in der Bibliothek bereitliegenden Bücher abzuholen und zum Grundstück hinauszufahren, das Swetlana noch immer nicht kannte.
Draußen war Werner Jarosch gerade dabei, die letzten Erdbeeren zu pflücken. Für Swetlana war die Gelegenheit vertan, ihr Herz auszuschütten. Werner läuft herum wie sein eigener Schatten, hatte Edith ihr anvertraut. Er bearbeitet einen schwerwiegenden Fall. Auf sie hingegen hatte Werner einen ganz munteren Eindruck gemacht, soweit man bei ihm überhaupt von Munterkeit reden konnte.
Gegen achtzehn Uhr war Werner mit ihr zum Busbahnhof in der Stadt gefahren. Unterwegs plauderten sie angeregt miteinander, wie in alten Zeiten. Das weckte in ihr den beinahe unwiderstehlichen Drang, ihm alles zu beichten. Er jedoch zerstörte die gerade in ihr aufkeimende Stimmung, indem er ihr unversehens zwei merkwürdige Fragen stellte. Nein, sie dachte gar nicht daran, ihm mitzuteilen, wer ihr den Türstock angeboten hatte und zu welchem Preis! Und ebenso wenig war sie bereit, sein Informationsbedürfnis bezüglich des Wasserflohlieferanten zu befriedigen. Frag Arne, sagte sie, und eine steile Falte stand auf ihrer Stirn. Mochte Werner es ruhig bemerken. Sie schätzte es nicht, dass er ihre freundschaftlichen Beziehungen so wenig von seinen dienstlichen Belangen zu trennen wusste. Weshalb interessierte er sich für Ney? Und was sollte Pritzlaff mit seinen Wasserflöhen ausgefressen haben?
Er war ihr eine schlüssige Antwort schuldig geblieben. Dass

es nur um Zeugenaussagen gehen sollte, glaubte sie ihm jedenfalls nicht.
Mechanisch kaute sie ihr Toastbrot und überhörte die nichtssagenden Meldungen im Kofferradio, auf die Arne gespannt lauschte.
Jarosch war wegen der Antiquitäten hinter Ney her. Und Pritzlaff? Der sammelte allerhand folkloristisches Zeug, mitunter sogar von den Müllkippen in der Umgebung. Das hatte er ihr selbst erzählt. Zum Kauf hatte er ihr nie etwas angeboten.
Ob es angebracht war, den beiden eine freundschaftliche Warnung zukommen zu lassen? Arne würde sie für verrückt erklären, sich in laufende Ermittlungen einzumischen; sie aber neigte schon aus Trotz dazu. Sollte der brave Oberleutnant sich gefälligst um den Unhold von Großpöhlow kümmern, von dem so viel gemunkelt wurde. Edith wollte nur nicht bestätigen, dass Werner mit dem Fall zu tun hatte. Was sollten da die Erkundigungen über Ney oder Pritzlaff. Seit Jahren bezog Arne sein Fischfutter von dem. In letzter Zeit schien er sich in ihrer Gegenwart gehemmt zu fühlen, als sei er persönlich für die Lese-Rechtschreib-Schwäche seines Stiefsohns verantwortlich. Jedenfalls hatte er es neuerdings besonders eilig, wenn er mit seinem Fass anrückte und Arne nicht da war. Vorgestern Abend hatte er den Kübel einfach am Gartentor abgestellt, weil er niemand angetroffen hatte. Heute hätte ihm Swetlana mit besonderem Interesse ins Gesicht geblickt, um zweierlei herauszufinden: woher Jaroschs plötzliche Aufmerksamkeit für ihn rührte – und ob er etwa als der Anrufer in Frage kam. Auf diese Idee war sie erst durch Werners Neugier verfallen. Denn bei Licht betrachtet, erschien er ihr als Anrufer ebenso unwahrscheinlich wie

Franz, der neue Nachbar. Der hatte gestern Abend vorn an der Hecke zwischen den Rosen gestanden und nach ihr geguckt. Bewundernd, das schien ihr eindeutig – oder vielleicht verlangend?
Sie kam nicht los von diesem Anruf. Pritzlaff war einer der Wenigen, die die Telefonnummer kannten. Konnte es nicht leicht möglich sein, dass gerade er sie mit Carsten am Kiesloch beobachtet hatte?
Gestern Abend war sie nach Kerchow zurückgekehrt, den Kopf voll solcher Gedanken, als warteten auf sie kein Haus, kein Garten voller Unkraut, keine Fische, die gefüttert werden mussten und kein Mann in verantwortungsvoller Position. Arne war zehn Minuten nach ihr erschienen und sogleich nach oben verschwunden. Ohne sie vergaß er das Abendessen. Unter einem Vorwand hatte sie das Telefon heruntergeholt, unsicher, ob das richtig war. Möglicherweise ließ sich der unverschämte Anrufer durch Arnes Stimme abschrecken.
Den ganzen Abend hatte sie ängstlich auf das Läuten gewartet, während sie in der Küche und in den Zimmern rumorte. Schließlich hatte sie sich getraut, ausgiebig zu baden. Und genau dabei hatte sie das Klingeln wie ein tödlicher Schock getroffen. So musste ein elektrischer Schlag in der Badewanne wirken. Dabei galt der Anruf Arne. Elfriede Rosner, die angeblich noch etwas wegen einer Zensurenänderung in letzter Minute zu bereden hatte.
»Ja, kommst du nun endlich?« Arnes Stimme, ungewohnt ärgerlich, riss sie aus ihren Gedanken. Der Gute. Er ahnte nichts davon, dass sie heute Abend noch einmal Carsten sehen würde, während er mit den Aquarianern im Nachbarkreis fachsimpelte bis in die Nacht. Es war nur so schreck-

lich lange hell. Schon jetzt spürte sie die Ungeduld der Erwartung.
Ab morgen waren sie beide nicht mehr hier, Carsten und Arne. Beide gemeinsam unterwegs. Was für eine seltsame Vorstellung. Dabei fühlte sie auch so etwas wie Erleichterung. Und plötzlich, gerade während sie die Haustür verschloss, überfiel sie jäh die Furcht. Was passierte, wenn der Unbekannte wieder anrief? Jeder im Ort, ja in der ganzen Umgebung wusste, dass Arne verreiste. Und Ederlein mit ihm. Zurück blieb nur sie: alleine, schutzlos …
Die Vorstellung lähmte sie für einen Moment, bis Arnes ungeduldige Stimme ihr half, den Schock zu überwinden. Sie rannte eilig zur Einfahrt, während er das Garagentor öffnete. Allmählich wurde es selbst für die Dreiminutenfahrt mit dem Wagen spät.
Und dann fiel ihr zu allem Schreck auch noch ein, dass sie das Buch vergessen hatte. Das Buch zum Vorlesen. Darauf warteten die Kinder. Sie wollte ihnen nicht irgendetwas vorlesen. Sie hatte ihre eigene Lieblingsgeschichte ausgewählt, die sie seit dem Kindergarten kannte: den »Nuschelpeter« von Hans Fallada.
Hastig schloss sie die Haustür auf, fand das Buch mit dem gelben Glanzeinband auch sofort und machte kehrt. Arne hatte inzwischen den Wagen auf den Weg hinausgefahren und war dabei, die Toreinfahrt zu schließen. Also wählte sie den Plattenweg zum Gartentor, warf aus Gewohnheit noch einen Blick auf das winzige Fenster im Briefkasten. Da steckte etwas drin. Gestern Abend hatte sie Post und Zeitungen herausgenommen, mit zitternden Fingern, wie sie sich erinnerte, und dieses Zittern überkam sie jetzt unwillkürlich wieder, als sie auf das gelbliche Kuvert starrte. Frau

Schildhauer, stand da deutlich in ungelenker Blockschrift, von einem Erwachsenen geschrieben, das schien ihr sicher.
»Swetlana!«, scholl es mahnend aus dem Auto. Ihr blieb keine Zeit, den Umschlag zu öffnen, der eine steife Karte enthielt oder etwas Ähnliches, das fühlte sie, als sie ihn zwischen die Seiten des Buches schob.
»War da noch Post?«, erkundigte sich Arne. Er sah sie glücklicherweise nicht an dabei, konzentrierte sich ganz auf den holprigen Weg, den er in ungewöhnlich scharfem Tempo befuhr.
»Nur eine Karte vom Dienstleistungskombinat«, sagte sie und atmete tief, als hätten die wenigen Meter bis zur Autotür sie angestrengt. Hoffentlich fragte er jetzt nicht, wie diese Karte früh am Morgen in den Briefkasten kam, wo die Post in Kerchow nicht vor halb zwölf ausgetragen wurde, und manchmal noch viel später. Doch Arne schien gar nicht auf ihre Antwort zu achten.
Sie erreichte das Lehrerzimmer drei Minuten vor dem Klingeln. Die Schuluhr ging nicht so genau wie die Digitaluhren der meisten Schüler. Elfriede Rosner wartete schon mit hochrotem Gesicht auf Arne, und Swetlana stand im Kreis der Kollegen, unfähig, einen klaren Gedanken zu fassen oder unauffällig das Kuvert zu öffnen. Im Hinausgehen zwinkerte ihr Carsten bedeutungsvoll zu. Sie hatte ihm keinen Blick gegönnt, um nichts von ihrer Stimmung zu verraten. Wenn du wüsstest, dachte sie und lächelte gezwungen.
An diesem Vormittag war sie eine schlechte Vorleserin. Die Kinder, in Erwartung der Zeugnisse und in der Vorfreude auf die Ferien, schienen es nicht zu bemerken. Eine allgemeine Unruhe lag über der Klasse, ein Flüstern und Wispern ging durch den Raum. Selbst dem stillen Lars stand

ein breites Grienen auf dem sommersprossigen Gesicht, als sie zwischendurch von dem Buch aufschaute, in dem noch immer der verschlossene gelbe Umschlag steckte. Während sie las, fühlten ihre Finger danach. Lars hatte allen Grund zur Freude. Er wusste längst, dass er wie auch die beiden anderen es noch einmal geschafft hatte. Sie hatte nicht die Nerven, gegen Arnes und Elfriede Rosners energischen Widerstand drei Sitzenbleiber durchzuboxen, zumal sie die Klasse nur vertretungsweise leitete.

Kaum läutete es zur ersten Pause, stürzte sie zur Lehrertoilette und schloss eine der Kabinen auf. Das war der einzige Platz in diesem Haus, um alleine zu sein. Sie setzte sich und fischte den Brief zwischen den Buchseiten hervor. Er war fest zugeklebt und trug, wie sie erwartet hatte, keinen Absender. Ungeduldig versuchte sie ihn zu öffnen. Erst mit der Nagelfeile gelang es, ihn aufzuschlitzen.

Eine glattweiße Fläche leuchtete ihr entgegen. Es dauerte einen Augenblick, bis sie erkannte, dass es sich um die Rückseite eines Fotos handelte. Weiter war nichts in dem Umschlag. Nur diese undeutliche Fotografie, auf der eine Frau zu erkennen war. Eine unbekleidete Frau, irgendwo zwischen Büschen, die den Blick auf sie behinderten.

Also doch nur eine obszöne Belästigung, dachte sie erleichtert und bemerkte dann erst den Arm, der nach der Frau griff. Eine Männerhand, ganz sicher, und sie wusste mit plötzlicher Gewissheit, wem die gehörte. Unwillkürlich fuhr ihre eigene Hand zum Mund. Sie biss sich heftig in den Handballen, um nicht aufzuschreien, während ihr an immer neuen Details bewusst wurde, wen und was dieses Foto darstellte. Das Gesicht der Frau war nicht zu erkennen, die Konturen ihres weißen Körpers verschwammen in der

Unschärfe. Swetlana brauchte kein deutlicheres Foto dieser Frau. Sie wusste, wie sie selbst aussah.

12

Der Sonnabend hatte nicht gehalten, was der Freitag wenigstens andeutungsweise versprochen hatte. Es regnete seit Stunden. Swetlana wurde um vier Uhr fünfzig vom Schrillen des Weckers aus ihren Albträumen gerissen, hatte Arne nach einem wortkargen Frühstück zum Treffpunkt am Schulgebäude gefahren, dort in letzter Minute noch einen fast flehentlichen Blick mit Carsten Ederlein gewechselt, den der nicht recht zu deuten wusste, und war zu Hause auf der Liege noch einmal in einen tiefen und traumlosen Schlaf gefallen. Sie starrte lange auf die Uhr, ehe sie begriff, dass es wirklich schon halb elf war.
Am liebsten hätte sie ihre Sachen zusammengepackt und wäre ins Auto gestiegen, um wegzufahren, weit weg. Zu Nicki nach Berlin oder zu sonst irgendjemandem. Nicht zu ihrer Mutter. Mit der hatte sie sich nie besonders verstanden. Seit dem Tod des Vaters war das Verhältnis noch schlechter geworden. Und Nicki war im Urlaub. Flucht, und um nichts anderes handelte es sich, kam nicht in Frage. Sie hatte brav hierzubleiben und die Fische zu füttern, das sprießende Unkraut zu jäten und das Haus zu hüten. Während sie ihre schmerzenden Schläfen massierte und nach einer Kopfschmerztablette suchte, erwog sie, Margot Stachowiak für ein paar Tage um die Pflege der Fische zu bitten, oder vielleicht besser Franz, der schien irgendwie zuverlässig zu sein, wenn er nicht … Da stand wieder dieses Foto vor ih-

ren Augen, das sie in einem Anfall von Raserei in winzige Fetzen gerissen und in der Toilette hinuntergespült hatte.
So weit kam es noch, dass Margot Stachowiak und ihr dubioser Anhang hier im Haus herumstöberten, vielleicht den Briefkasten leerten, den Telefonhörer abnahmen …
Verzweifelt stürzte sie sich in die Arbeit. Ein Haus war schlimmer als alles, was sich denken ließ. Es erniedrigte sie zur Sklavin, machte sie abhängig auf Lebenszeit. Erbittert schleppte sie den Staubsauger hinauf in den ersten Stock. Arne, dieser Verräter, war einfach geflohen, hatte sie ohne jeden Schutz hier zurückgelassen – versehen mit einem Kübel frischer Wasserflöhe.
Sie begann Staub zu saugen, nahm Stein um Stein aus den Regalen, die die Wände bedeckten, so weit die Aquarien Platz dafür ließen. Die Fische, aufgestört von dem auf- und abschwellenden Heulen des Motors, ruckten unruhig hin und her und schienen sie zu beobachten.
In dem biegsamen Rohr klapperte ein Gesteinsbrocken. Wütend schaltete sie das Gerät aus. Das fehlte ihr noch, in dem Staubbeutel nach aufgesaugten Halbedelsteinen herumsuchen zu müssen! Ihr Blick fiel auf den schäbigen Teppich, der den Boden bedeckte. Der stammte noch aus Arnes Junggesellenbude. In einem plötzlichen Entschluss zerrte sie ihn unter den Möbeln hervor, rollte ihn zusammen und schob das schlaffe Bündel kurzerhand aus dem geöffneten Fenster. Draußen regnete es noch immer. Das Paket fiel mit einem dumpfen Laut auf den Rasen.
Die Mittagszeit war längst vorüber. Nur für einen flüchtigen Moment meldete sich ihr Magen. Ach was, ein Hungertag, und noch dazu einer, den sie bis zum späten Abend mit harter körperlicher Arbeit auszufüllen gedachte, konnte ihrer

Figur nur guttun. Carsten fand sie schön, wie sie war. Jedenfalls sagte er es so überzeugend, dass sie bereit war, ihm zu glauben. Von Arne hatte sie eine freiwillige Äußerung dieser Art in den Jahren ihrer Ehe nie zu hören bekommen. Und vorher eigentlich auch nicht. Fragte sie ihn, ob sie ihm gefalle, musterte er sie mit seinem verständnislosen Blick: Aber das weißt du doch …

Carsten dagegen wusste, was eine Frau hören wollte, und verstand es, das in der passenden Situation in ihr Ohr zu flüstern. Er war dankbar, so ausgehungert nach Liebe, so zärtlich – und ein bisschen täppisch. Liebte sie ihn? Ja, sie sehnte sich nach ihm, nach seinen Händen, dem Streicheln seiner weichen Schnurrbarthaare auf ihrer Haut, seinen Lippen in ihrem Nacken.

Nein, sie liebte ihn nicht. Sie war ein bisschen verliebt in ihn, mehr nicht. Ein Strohfeuer. Sie wusste, dass sie Arne niemals verlassen würde, trotz mancher gestohlenen Stunde wie der von gestern Abend, als Carsten mit ihr alleine hier im Haus gewesen war, voller Hemmungen in dieser Umgebung, die ihn wohl allzu sehr an Arne erinnerte. Er fürchtete dessen vorzeitige Rückkehr. Es war ihr nicht gelungen, ihn wirklich zu beruhigen. Selbst wenn Arne gekommen wäre, hätte er zuerst sorgsam das Auto in die Garage gefahren; Zeit genug für Carsten, in der Dunkelheit über die Terrasse und durch die offene Hinterpforte zu verschwinden.

So war es nur ein sehr flüchtiger Liebesgenuss geworden, für sie zusätzlich vergällt durch das Foto, das sie deutlicher, als es gewesen war, vor Augen sah. Hatte sie die Fetzen gründlich genug beseitigt? Carsten war bestürzt, als sie unvorsichtig sagte: Jemand muss uns beobachtet haben …

Sie nahm das Schlafzimmer in Angriff und hatte sich gerade

entschlossen, auch die Betten neu zu beziehen, als der Summer über der Haustür ertönte. Für einen Augenblick glaubte sie, ihr Herzschlag setze aus, so sehr erschrak sie. Kraftlos ließ sie das Bettzeug sinken und schlich in die Küche.
Vor dem Gartentor stand ein Mann, der etwas in der linken Hand trug. Einen Korb. Wer es war, konnte sie nicht erkennen. Der Rosenstock verdeckte die Sicht.
Wieder schnarrte der Summer, aufdringlich wie eine Hornisse. Sie lief in den Flur, blieb einen Augenblick vor dem Spiegel stehen und betrachtete sich in ihren ausgefransten Jeans und der verschossenen Bluse. Ein Griff nach der Frisur erübrigte sich. Sie sah aus wie eine Vogelscheuche.
Sie schloss die Haustür auf und erschrak ein zweites Mal zu Tode. Der Mann stand unmittelbar vor ihr, einen abgedeckten Spankorb in der Linken, rechts einen Blumenstrauß, den er umständlich aus der Zeitung zu wickeln begann.
»Entschuldigen Sie«, sagte er, ohne sie anzublicken. »Das Tor war offen …«
Die Stimme! Swetlana fühlte sich nicht imstande zu sprechen. Sie starrte ihn an, die flache Hand unwillkürlich an ihre Schlüsselbeine gepresst, als könnte sie dadurch ihren jagenden Pulsschlag beruhigen.

13

Werner Jarosch lag im Campingstuhl, den seine Figur reichlich ausfüllte, und ärgerte sich. Nicht einmal die Sonne, die endlich ein Einsehen zeigte, konnte ihn aufheitern. Immerhin ging es auf Mitte Juli. Der Urlaub stand bevor.
Seit dem Fehlschlag mit dem freiberuflichen Wasserflohfän-

ger war mehr als eine Woche vergangen. Jarosch hatte begonnen, alle nicht abgeschlossenen Vorgänge an Kirsch zu übergeben, der selber genug zu tun hatte, und den Rest an den Praktikanten Oemlich, der seit Ferienbeginn im Kreisamt herumgeisterte.

Mit Oemlich zusammen war er nach Hahnshof gefahren, zu Reinhold Ney. Wahrscheinlich rührte sein Ärger daher, denn auch das war ein Misserfolg geworden. Oemlich hatte förmlich gefiebert, einem Hehler und illegalen Händler das Handwerk zu legen. Auch Jarosch hätte so einem gerne eine Straftat nachgewiesen. Er hatte es jedoch längst gelernt, seine Emotionen zu unterdrücken. Um einen Täter zu überführen, kam es auf objektive Beweismittel an, nicht auf persönliche Gefühle.

Sie hatten Ney in seiner Garage angetroffen. Oder in einem Raum, der so genannt wurde, weil mittendrin ein weinroter VW Golf gerade noch Platz fand. Das war keine Garage – das war das Warenlager eines manischen Sammlers! Jarosch schätzte, dass sie zu zweit vierzehn Tag brauchen würden, um zu sortieren, zu erfassen, zu katalogisieren, was sich hier auftürmte, in Regalen und Stellagen lagerte, den Platz über einer Balkenreihe einnahm, die in Mannshöhe zusätzlich eingezogen war, sodass der Oberleutnant sich gebückt bewegen musste. Bäuerliche Haushalts- und Handwerksgegenstände, Ackergerätschaften und zerbrochene Möbel, Bretter, Leisten und Metallstäbe – was von all dem hier aufgehäuften Trödel mochte gestohlen sein? Er konnte sich an keine Anzeige erinnern, wo ein Pferdekumt oder ein hölzerner Dreschflegel abhanden gekommen war. Hier schien eher ein Fall für die Feuerwehr vorzuliegen, die sich für diese Art von Kraftfahrzeugunterbringung interessieren sollte.

Ney, ein schmallippiger Mann mit beginnender Stirnglatze und durchdringenden grauen Augen, leugnete nach einigem Hin und Her nicht einmal, gelegentlich irgendwelchen jungen Burschen irgendwelchen Kram abgenommen zu haben. Die Leute bringen mir das ins Haus – was soll ich dagegen tun? Diebesgut? Da könne er nur lachen! Aus Gorna? Da sei er nie in seinem Leben gewesen. Was denn dort fehle? Der Herr Oberleutnant könne sich ungeniert umschauen, er habe nichts zu verbergen. Absolut nichts.
Jarosch sah unter all dem Hausrat und Gerümpel nichts, was dem zu widersprechen schien. Und Ney bestritt energisch, jemals einen Farbfernseher oder einen Kassettenrecorder von jemandem »übernommen« zu haben. Derlei Firlefanz käme ihm nicht ins Haus. Seine grauen Augen waren dabei wachsam geblieben, vor allem als Jarosch von Preisen gesprochen hatte. Davon könne gar keine Rede sein, halb weggeschenkt habe er ab und an mal was, an gute Bekannte, weshalb denn nicht? Jarosch könne sich gerne erkundigen. Beim Tierarzt beispielsweise oder … Er schwieg.
Jarosch unterdrückte die Bemerkung, wie man vom Wegschenken wohl zu einem guterhaltenen Importauto kam. Ney hatte sicherlich einen gültigen Kaufvertrag parat, in dem vielleicht ein Drittel oder die Hälfte der wirklichen Kaufsumme eingetragen war.
Auf die nebenbei gestellte Frage, ob er denn auch an den Herrn Pritzlaff mal etwas weggeschenkt habe, reagierte Ney hochfahrend. Daher also wehe der Wind. Die Polizei als Freund und Helfer eines Müllkramers und neidischen Ohrenbläsers. Wenn sie auf alles hereinfielen, was der so erzählte. Sei denn die Haussuchung bei dem neulich wenigstens erfolgreich verlaufen?

Das war offene Schadenfreude. Jarosch hatte endgültig zum Rückzug geblasen. Ein unangenehmer Mensch, dieser Ney, mit seiner vorgetäuschten Korrektheit. Sogar über die notwendige staatsanwaltliche Anordnung einer Durchsuchung wusste er gut Bescheid, was zumindest Oemlich merkwürdig fand.
Gesetzeskenntnis ist nicht strafbar, hatte Jarosch gebrummt. Nein, auch Hahnshof hatte sich, wie sein Sohn sagen würde, als Flop erwiesen, da machte er sich nichts vor. Mochte Oemlich während seiner Abwesenheit noch einmal alle Schadensanzeigen der letzten Jahre auf sogenannte Antiquitäten hin durchgehen. Viel würde dabei nicht herausspringen.
Um sich abzulenken, hatte Werner Jarosch auf seine Frau gehört und sich an diesem Sonntag einen der Kriminalromane mitgenommen, die sie fürsorglich für ihn sammelte. Niemand außer den Insekten störte ihn beim Lesen. Selbst die geräuschvollen Nachbarn hielten so etwas wie Siesta. Edith wirtschaftete in der Laube herum, in der sie immer etwas aufzuräumen fand. Die Kinder waren im Ferienlager. Marko zum letzten Mal.
Den Vormittag hatte Jarosch mit gesundheitsfördernder Gartenarbeit verbracht und dann das Mittagessen zubereitet. Hier draußen war das seine Arbeit. Für die Frau blieb der Abwasch.
Nun war er also mit Kommissar Maigret unterwegs ans Meer, und jeder Satz, über den er auch nur einen Moment nachdachte, wurmte ihn. Da trank dieser Mensch Calvados, ein Getränk, das Jarosch nur aus einem Roman von Remarque kannte, und aß Kalbsbraten mit Sauerampfer. Kalbfleisch hatte Jarosch seit Jahren nicht auf dem Teller gehabt.

Und des Geschmacks von Sauerampfer entsann er sich aus seiner Kindheit vage.
Die absonderlichen lukullischen Genüsse passten zu einem glücklichen Kommissar, der in einem Seebad herumtrödelte und nur einen einzigen Fall zu bearbeiten hatte. Niemand forderte irgendeine schriftliche Meldung von ihm, keiner verlangte ein Tatortprotokoll oder eine Spurenanalyse. Vermutlich nicht einmal einen Abschlussbericht.
Wer schickte ihn, den Oberleutnant Werner Jarosch, für so einen Bilderbuchfall in ein idyllisches Fischerdorf? Gab es so etwas überhaupt noch? Auf Rügen waren sie mal auf eins gestoßen, in das gerade die Besatzungen dreier Touristenbusse einfielen. Jaroschs Gedanken schweiften ab. Sein Missmut fand neue Nahrung, als er auf den Gegenstand stieß, dem in der Kriminalität der westlichen Hemisphäre allemal die wichtigste Rolle zukam: die Handfeuerwaffe. Pistole oder Revolver, das blieb sich gleich. Jarosch hatte in seiner Laufbahn selten mit dem unbefugten Gebrauch einer Schusswaffe zu tun gehabt.
Mit reichlich angestautem Unmut las er weiter. Das war wirklich nicht seine Welt. Deshalb blieb ihm auch gleichgültig, dass die alte Dame, die bei der Geburt der inzwischen achtunddreißigjährigen Tochter zwanzig gewesen war, plötzlich fünfundvierzig oder einundsechzig Jahre alt sein sollte. Das kommt davon, wenn man nicht wenigstens die kleinen Personalien ordentlich aufnimmt, dachte er schadenfroh. Und als der tapfere Kollege in der nächsten Geschichte zuerst aus dem zweiten und dann aus dem fünften Stockwerk in die gegenüberliegende sechste Etage blickte und Erstaunliches sah, gab Jarosch endgültig auf und versuchte es mit einem Mittagsschläfchen.

Diese verfluchten Fliegen, dachte er und schniefte heftig. Das Biest verschwand nicht. Er schlug danach und erwischte etwas. Einen Grashalm, stellte er überrascht fest, als er endlich die Augen öffnete. Vor ihm stand Swetlana Schildhauer. Woher kam denn die auf einmal?
»Du hast geschnarcht«, sagte sie. Von der Laube her rief Edith: »Das macht er doch immer.«
Jarosch kam sich ertappt vor: ein schlafender Kriminalist, der die Annäherung einer fremden Person nicht bemerkt hatte. Mühsam erhob er sich aus dem Liegestuhl.
»Entschuldigt, wenn ich euch so überfalle«, sagte Swetlana. »Ich konnte die Fischaugen um mich herum nicht mehr ertragen.«
»Und Arne?«, fragte Jarosch. »Ist er unterwegs nach Wasserflöhen?«
Sie nahm die Spitze nicht auf. »Er kommt übermorgen aus Dresden zurück.«
Jarosch sah sie forschend an. Schien es ihm nur so, oder klang ihre Stimme anders als gewohnt? Etwas bedrückte sie. Sie wirkte verkrampft. Wie jemand, der etwas zu verbergen hatte. Außerdem hatte sie weit weniger Sorgfalt auf ihr Äußeres verwandt als sonst. Das honiggelbe Haar fiel ihr strähnig in die Stirn. Ihr Gesicht, nur sparsam geschminkt, war unter der Sonnenbräune fahl. War sie krank?
»Ich setze Kaffeewasser auf«, sagte Edith. Auch sie betrachtete die Freundin aufmerksam. »Du hast dich angezogen, als wolltest du mir im Garten helfen.«
So sah Swetlana in ihren verblichenen Jeans und dem grauen Pullover, der viel zu warm für diesen Tag war, tatsächlich aus. Den hatte sie schon im November getragen. War sie gekommen, um mit Edith über ihren Gesundheitszustand

zu sprechen oder ihr irgendeine Frauengeschichte zu erzählen? Er würde die beiden nicht stören. Es war offensichtlich, dass Swetlana Probleme hatte. Mit Arne? Das erschien Jarosch unwahrscheinlich. Aber möglich war alles.

Swetlana klappte ohne alle Umstände den zweiten Campingsessel auf und schob ihn dicht neben den seinen. »Es tut mir leid«, sagte sie leise. »Wegen neulich. Ich hätte dir sagen können, dass mir über den jungen Mann mit den Wasserflöhen nichts Negatives bekannt ist. Und wir kennen ihn schon seit längerer Zeit. Eins seiner Kinder ist in meiner Klasse.«

Jarosch war überrascht. Wenn es das war, was sie bedrückte – und sie sprach eindringlich, als müsste sie es sich von der Seele reden –, da konnte er sie beruhigen.

Besänftigend legte er seine Pranke auf ihre Hand. »Das hat sich erledigt. Es ging nur um eine Zeugenaussage.«

Sie setzte an, als wollte sie etwas erwidern, und dabei entzog sie ihm wie unabsichtlich ihre Hand. Ihr Gesicht verschloss sich. Schade, dachte er, nun ist die Gelegenheit verpasst, sie noch einmal nach dem Anbieter des Türstocks zu fragen.

»Stand diese Zeugenaussage im Zusammenhang mit dem Sittlichkeitsverbrechen in Bartz?«

»Woher weißt du davon?«, fragte Jarosch überrascht. Es ging nun wirklich nicht an, dass Edith mit jeder ihrer Bekannten über diese Dinge sprach.

»Das hat Arne von einer Beratung beim Kreis mitgebracht«, antwortete Swetlana zu seiner Beruhigung.

Es hatte eine interne Information an die örtlichen Organe gegeben, und die mochte natürlich bis zur Volksbildung gedrungen sein.

»Habt ihr eine Spur?«

Jarosch stieß die Luft aus seiner Lunge, als wolle er einen Tauchversuch unternehmen. »Ich könnte dir den Täter beschreiben«, sagte er grimmig. »Ich kenne mit hoher Wahrscheinlichkeit den Typ des Wagens, den er fährt, das Profil der Reifen dieses Fahrzeugs und das seiner Stiefel. Ich brauche nur noch den Mann.«

Das war mehr, als er jemals einem Außenstehenden über den Stand der Ermittlungen erzählt hatte. Swetlana hörte ihm zu, ernst und ungewöhnlich aufmerksam. Verstand sie, wie sehr ihn der bisherige Misserfolg beschäftigte? In einer Woche begann sein Urlaub. Eine Verschiebung hatte der Major rundweg abgelehnt und ihm zugesichert, sich während seiner Abwesenheit selbst um den Fortgang der Ermittlungen zu kümmern. Aber wenn ein anderer, dringender Fall dazwischenkommen würde, dann blieb alles an diesem Praktikanten hängen. Oemlich war ein aufgeweckter Bursche mit kühnen Ideen. Und jung. Viel zu jung und unerfahren.

»Habt ihr häufig mit solchen Kerlen zu tun?«

Das interessierte Swetlana, so wie es jede Frau interessieren musste. Er hob die massigen Schultern. »Auch einmal ist schon zu viel …«

»Gibt es nicht besonders bei Vergewaltigungen eine erhebliche Dunkelziffer?«

Das musste Jarosch zugeben. »Manchen Frauen fehlt das notwendige Vertrauen, sich uns zu offenbaren.«

»Vielleicht behandelt ihr sie falsch.«

Das war das alte Thema zwischen ihm und Edith. Wie sollte man denn einen Menschen behandeln, der gar nicht zu einem kam, weil er irgendwelchen Vorurteilen mehr vertraute als der Polizei. Und eine andere Tatsache war es nun einmal, dass nicht alle angezeigten Vergewaltigungen tatsächlich Verbrechen im Sinne des Strafgesetzbuches darstellten. Dann muss eben das Gesetz geändert werden, verlangte Edith, im Westen diskutieren sie sogar über die Bestrafung der Vergewaltigung in der Ehe!

Er bot ihr wahrhaftig keinen Anlass zu solchen Gedanken. Das Thema beschäftigte Frauen nun einmal in anderer Weise als einen Mann seines Berufs, der die Schwierigkeiten der Beweisführung vorausahnte, die unausweichlich auftreten mussten. Mit Schauder stellte Jarosch sich eine Flut von Anzeigen und Ermittlungen zwischen Eheleuten vor. In solchen Momenten kam es ihm in den Sinn, dass es vielleicht falsch gewesen war, sich nicht als Schriftsachverständiger ausbilden zu lassen. Obwohl er es nie aussprach: Es widerstrebte ihm, sich ausgerechnet mit Sexualstraftätern beschäftigen zu müssen. Gewalt gegen Frauen, das war so ziemlich das Primitivste, was sich vorstellen ließ, übertroffen nur noch von der gegen Kinder, und allein der Gedanke daran verursachte Jarosch tiefes Unbehagen.

Zu rechtfertigen war kein Verbrechen. Nicht einmal ein Vergehen. Dennoch versuchte er stets, so etwas wie Verständnis auch für die Situation des Täters zu entwickeln, und oft genug gelang ihm das erstaunlich gut, ja, es bildete sich mitunter eine besondere Art von Vertrauensverhältnis zwischen ihm und dem Beschuldigten heraus, das ihn am Anfang selbst überrascht hatte. Aber Sexualstraftäter – für die fehlte ihm jedes Verständnis.

Swetlana musste glauben, dass ihn die Bemerkung über die falsche Behandlung der Opfer getroffen hatte. Sie lächelte ihm versöhnlich zu und sagte: »Ich hab's nicht so gemeint. Aber was passiert eigentlich, wenn eine Frau sich eines solchen Kerls erwehrt und ihn verletzt – oder sogar umbringt?«

»Der Irving hat dich mitgenommen, stimmt's?« Das war Edith mit dem Kaffeetablett in Händen. Und natürlich kannte sie die Literaturstelle, auf die sich Swetlanas Frage bezog. »Dass die so was bei uns verlegen!« Sie sah mitleidig zu ihrem Mann hinüber, während sie den Tisch deckte. »Du brauchst das gar nicht erst zu lesen, Werner. Die Polizeimethoden regen dich nur unnötig auf.«
Jarosch beließ es dabei und sparte sich einen Exkurs über die Notwehr und das Absehen von strafrechtlicher Verantwortlichkeit in Fällen begründeter hochgradiger Erregung des Handelnden. Das war kein Thema für den sonntäglichen Kaffeetisch. Er griff nach einem Stück Kuchen und sah Swetlana aufmunternd an. »Jetzt erzählst du uns mal was richtig Nettes aus dem idyllischen Kerchow!«, bat er und verstand nicht, woher plötzlich die stille Verzweiflung in ihren Augen rührte, dieser leichte Anflug von Panik. An ihrer Nase liefen langsam zwei Tränen hinab. Jarosch war es peinlich, sie anzugucken.
Swetlana versuchte zu lächeln. »Entschuldige bitte. Ich glaube, ich bin wirklich ziemlich fertig mit den Nerven …«

14

Der Sommer schien vergangen zu sein, ohne dass Werner Jarosch ihn richtig bemerkt hatte. Jedenfalls erinnerte er sich nur an wolkenverhangenen Himmel, heftige Gewitter und plötzliche Regengüsse. Scheußlich. Die zweite Augusthälfte war angebrochen. Alles deutete darauf hin, dass die ausgefallene Jahreszeit in eine frühherbstliche Schlechtwetterperiode übergehen würde.

Ein trüber Sommer, in jeder Beziehung. Der Aktenstapel auf der staubigen Schreibtischplatte war nicht kleiner geworden. Dabei hatte sich Dirk Oemlich durchaus als fleißig und ideenreich bei der Abarbeitung der täglichen Routine erwiesen.
Nur auf die Frage: Was Neues vom Mann mit der Pudelmütze?, die Jarosch stellte, noch bevor er sich beim Major aus dem Urlaub zurückmeldete, hatte der Praktikant mit einem melancholischen Kopfschütteln geantwortet. Jarosch hatte nichts anderes erwartet. Der Kerl blieb ihm. Vier Wochen lang hatte er Zeit gehabt, über ihn nachzudenken, jede Spur, jede Aussage noch einmal zu bedenken. Die Akte, die er so oft studiert hatte, fehlte ihm dabei kaum. Sie lag auch jetzt nicht auf dem Tisch. Der Major hatte sie benötigt für die Beratung mit dem Staatsanwalt. Und zur Vorlage bei der Bezirksbehörde.
Jarosch kannte seinen Chef gut genug, um zu wissen, dass der sich nicht mit dem Urlaub des untersuchungsführenden Kriminalisten herausgeredet hatte. Die Situation war ernst. Die Straftat lag mehr als drei Monate zurück, und sie waren im Prinzip kaum einen Schritt weiter als in der Woche danach.
Blieb wirklich nur die Tippeltappeltour, das hieß, jeden Wartburg-Besitzer einzeln unter die Lupe zu nehmen, ein halbes Dutzend in jeder Landgemeinde, Hunderte allein in den umliegenden Städten, Tausende im ganzen Bezirk. Wohin sollte das führen, wenn man nicht einmal wusste, ob der Täter sein eigenes Fahrzeug benutzt hatte, ja, nicht einmal mit endgültiger Sicherheit feststand, ob die Fahrzeugspur überhaupt die richtige war. Bei den Stiefelabdrücken sah es günstiger aus, die waren dem Täter eindeutig zuzuordnen.

Es handelte sich um ein Schuhfabrikat, von dem vor ungefähr drei Jahren etliche Tausend Paare überall in der Republik verkauft worden waren. Durch das lange Tragen hatten sich an dem bewussten Paar Merkmale herausgebildet, die ebenso unverwechselbar waren wie die sogenannten Gangelemente ihres Trägers, die Jarosch auf den Millimeter genau im Kopf hatte.

»Wenn es sich um einen echten Triebtäter handelt, dann ist das – setzt man das von der Geschädigten angegebene Alter als annähernd richtig voraus – keinesfalls sein erster diesbezüglicher Versuch«, dozierte Dirk Oemlich. Er hob tatsächlich den Zeigefinger, als sei er der allwissende Professor und der Oberleutnant der gläubig zu ihm aufblickende Schüler, der ihm denn auch nicht widersprach. »Und natürlich nicht sein letzter«, fügte Oemlich mit noch größerer Sicherheit hinzu. »Vielleicht ist das der Punkt, wo wir ansetzen müssen.«

»Du meinst, wir warten ab, bis er die nächste Frau überfällt und wir es wieder vier Tage später erfahren, wenn wir Glück haben? Diese interessante Ermittlungsstrategie solltest du mal unserem Chef vortragen.«

»Natürlich nicht.« Der junge Mann ließ sich nicht beirren. »Aber in der Praxis kann es darauf hinauslaufen, nicht wahr?«

Jarosch schüttelte seinen massigen Schädel und klopfte mit der flachen Hand nachdrücklich auf den Tisch. »Ich muss ihn vorher fassen«, sagte er finster. »Einen zweiten Fall dieser Art können wir uns nicht leisten.« Es ließ sich nicht leugnen, dass vor seinem geistigen Auge dabei auch Edith stand, und was die wohl sagen würde.

»Außerdem ist das kein Brennpunkttäter. Wir haben hier seit Jahren keinen Schwerpunkt bei den Sexualdelikten. Nichts deutet auf eine Serie solcher Verbrechen hin.«

»Richtig!« Oemlich war erfreut über die Anteilnahme an seinen Ausführungen. »Oder fast richtig. Ich habe die Regenzeit genutzt, die entsprechende Straftatenkategorie für die letzten zehn Jahre sowohl nach den örtlichen Gegebenheiten wie nach den Details der Begehungsweise aufzulisten und zu analysieren.«

»Das haben wir per EDV schon im Mai abgefragt«, wandte Jarosch nicht sonderlich siegessicher ein. Über diesen Punkt hatte er selbst mehrfach nachgedacht. Waren sie wirklich gründlich genug vorgegangen? Die Wahrscheinlichkeit, dass es sich um einen vorbestraften Täter handelte, war gar nicht so gering. Wenn es gelang, einen der solchermaßen Verdächtigen mit dem Wartburg in Verbindung zu bringen oder mit den Schuhabdrücken …

»Keine Frage!« Oemlich war ein bisschen pikiert, dass der Oberleutnant ihn für einen Anfänger hielt. »Die EDV-Analyse habe ich studiert. Die Aufklärungsrate sieht gut aus. Mir sind eigentlich nur zwei signifikante Fälle aufgefallen, in denen der oder die Täter nicht ermittelt wurden. Die Akten dazu sind vorgestern eingetroffen.«

Jarosch staunte. Der Junge war tüchtiger, als er geglaubt hatte. »Und?«, fragte er gespannt. »Weshalb die lange Vorrede?«

»Weil sich daraus nur schwer ein Zusammenhang herstellen lässt«, sagte Oemlich unzufrieden. »Die beiden Straftaten liegen drei und fünf Jahre zurück. Der erste Fall hat sich im nördlichen Nachbarkreis ereignet. Eine neunundzwanzigjährige Frau, die unter erheblicher Gewaltanwendung zu sexuellen Handlungen gezwungen wurde, von einem Mann, dessen Beschreibung auf unseren Täter schon passen könnte. Er hat sie im Dunkeln vom Fahrrad gestoßen und ist später wahrscheinlich mit einem PKW geflüchtet. Die Frau

trug im Gesicht Verletzungen davon, die denen der Isa M. gleichen. Allerdings haben die Kriminalisten damals anscheinend eher den jähzornigen Ehemann der Geschädigten als Verursacher angenommen, ja, die ganze Sache vielleicht überhaupt als eine eheliche Auseinandersetzung aufgefasst.«
»Gib mir mal den Vorgang«, sagte Jarosch. »Vielleicht sollte man mit der Frau noch einmal reden.«
»Nach fünf Jahren?«, frage Oemlich ein wenig spöttisch.
»Nach fünf Jahren! Wenn die Sache sich so zugetragen hat, wie es in der Anzeige steht, dann vergisst sie diesen Kerl ihr Leben lang nicht. Verlass dich drauf!«
Oemlich, verwirrt durch Jaroschs ungewohnten Eifer, nickte verständnisvoll. »Ja, ja. Nur wird in dem anderen Fall die Geschädigte nicht so leicht zu finden sein. Sie war damals Studentin in Dresden und machte ihre Aussage erst im Zusammenhang mit einer zweiten versuchten Straftat. Sie fuhr immer per Anhalter bis in die Nähe des Ortes, wo die Eltern wohnten.«
Jarosch winkte ab. An den Vorgang erinnerte er sich. Kathleen hatte die Untersuchung geführt und den Täter, dem das Mädchen auf einem Feldweg entkommen war, innerhalb von drei Tagen gestellt. Bei ihrer Befragung hatte das Mädchen von einem zweiten, ähnlichen Ereignis berichtet, bei dem ein Kraftfahrer auf der nächtlichen Landstraße angehalten und sich ihr mit Gewalt genähert hatte, kaum fünf Kilometer von ihrem Ziel entfernt. In diesem zweiten Fall waren Kathleens Ermittlungen ohne Ergebnis geblieben, zumal seit dem Überfall zum Zeitpunkt der Anzeige fünf Wochen vergangen waren.
Die Strafakte des Abgeurteilten hatte Jarosch ebenfalls schon im Mai angefordert und überprüft. Der Mann war aus

der Haft in die BRD entlassen worden. Aber dieser Kraftfahrer auf der Landstraße, der war seiner Aufmerksamkeit entgangen. »Wo ist das gewesen …?«, fragte er mehr sich selbst als Oemlich, der sofort zur Wandkarte sprang und auf eine Straße wies, die das Kreisgebiet im Westen berührte.
»Sie kam von der Autobahn und legte die fast fünfzehn Kilometer bis zu ihrem Heimatort zu Fuß zurück. Ungefähr hier tauchte das Auto auf. Der Mann tat, als wollte er sie mitnehmen, und fiel über sie her. Er zog ihr die eigene Mütze über die Augen und versuchte …«
»… ihre Hände mit ihrem Schal zu binden!« Jaroschs dicker Zeigefinger stieß auf Oemlich zu. »Warum hast du das nicht gleich gesagt, als ich dich nach neuen Erkenntnissen gefragt habe?«
Oemlich, der einen Augenblick brauchte, um zu erkennen, dass es sich bei Jaroschs heftigen Worten weniger um einen Vorwurf als vielmehr um ein Lob für seine Entdeckung handelte, griente verlegen.
»Meinst du, dass dir das hilft?«
»Wir müssen alles versuchen! Wenn das wirklich das zweite oder dritte Verbrechen des gleichen Täters ist, dann dürfen wir uns ein Pfeifchen anzünden!«

15

Mit Erschrecken bemerkte Swetlana, dass die Ferien zu Ende gingen. Oder sollte sie froh sein darüber? Sie fühlte sich am Ende ihrer Kräfte. Die Heuchelei vor Arne war ihr so zuwider, dass sie ihm mitunter den ganzen Tag auswich, sich in der entlegensten Ecke des Gartens zu schaffen machte oder andere Vorwände fand, um seinen besorgten Blicken zu entgehen. Irgendwann musste selbst ihm auffallen, dass etwas mit ihr nicht in Ordnung war. Wie lange ließ er sich mit der Erklärung beruhigen, das anhaltend unangenehme Wetter sei ihr aufs Gemüt geschlagen?

Mit Unbehagen nahm sie wahr, dass er sie genauer beobachtete als gewöhnlich, sie öfter forschend anschaute. Ahnte er etwas? War das sein normaler Tonfall, in dem er ihr berichtete, dass Carsten Ederlein endgültig an der Kerchower Oberschule bleiben würde? Ein entwicklungsfähiger junger Kader, langfristig vorgesehen für die Planstelle des Stellvertreters, die Elfriede Rosner vermutlich nicht kampflos aufgeben würde. Stillschweigen sei deshalb angebracht.

Carsten war vor einer Woche aus dem Vogtland nach Kerchow zurückgekehrt. Sie hatten wenig miteinander gesprochen bei ihrem einzigen verstohlenen Rendezvous am hinteren Gartentor. Swetlana blieb entschlossen, seinem üblichen Drängen unter keinen Umständen nachzugeben. Sie hatte ihn nur flüchtig geküsst im Vergleich mit ihrer früheren Glut, an die sie sich sehnsuchtsvoll erinnerte. Auch er hatte ungewohnt zurückhaltend reagiert. Hast du einen anderen, hatte er gefragt. Es schien nicht scherzhaft gemeint.

Sie war nahe daran gewesen, die Nerven zu verlieren und laut zu schreien: einen anderen? Doch sie hatte geschwiegen und sich an ihn gelehnt, Geborgenheit wenigstens in seiner körperlichen Nähe gesucht und seine Hände auf ihrer Haut gefühlt. Spät in der Nacht hatte sie sich in der Badewanne geseift und geschrubbt, als wäre nicht Carsten es gewesen, der sie angefasst hatte.

Nein, sie konnte sich nicht einmal ihm anvertrauen. Oder ihn um Hilfe bitten. Wie sollte seine Hilfe aussehen? Er trug die Schuld an der Situation, in die sie geraten war. Er und kein anderer! So jedenfalls dachte sie in Augenblicken des Zorns und wusste doch die Wahrheit: Sie selbst hatte sich das eingebrockt. Es war gleichgültig, ob sie Carsten beschuldigte. Er war ebenso wenig wie irgendein anderer in der Lage, ihr zu helfen. Zum Kiesloch würde sie niemals wieder mit ihm gehen. Nichts war mehr so wie vor dem schrecklichen Sonnabend im Juli. Wie oft hatte sie seitdem voller Furcht aus dem Fenster gestarrt, auf den höllischen Ton des Telefons gelauscht. *Er* hatte es seit dem ersten Anruf mehrmals benutzt, um ihr zu drohen. Unter ihrem Brustbein spürte sie einen dumpfen Schmerz, wenn sie nur daran dachte. Sie war *ihm* in einer Weise ausgeliefert, die sie in Momenten des Nachdenkens in bodenlose Verzweiflung stürzte.

Mit seinem Auftauchen vor ihrer Haustür an jenem ersten Feriensonnabend hatte der böse Traum begonnen. Ich wollte mich bei Ihnen bedanken, hatte er unbeholfen und scheinheilig hervorgebracht und ihr die Blumen entgegengestreckt, einen dichten Strauß langstieliger Rosen.

Dass es der Junge geschafft hat, verdanken wir nur Ihnen …

Es war ihr in dieser Situation unmöglich, ihn über die wahren Hintergründe der Versetzung zu belehren. Und ebenso unmöglich war es gewesen, ihn am Betreten des Hauses zu hindern, als er sich ganz selbstverständlich an ihr vorbeischlängelte.

Ich bin beim Saubermachen … Etwas anderes war ihr nicht eingefallen. In seinen Augen war etwas, was sie beunruhigte. Nur langsam hatte sie etwas von ihrer Selbstsicherheit wiedergefunden. Irgendwie musste sie ihn so schnell wie möglich abwimmeln mit seinen unerwünschten Gaben. Ich nehme keine Geschenke an. Ihr Sohn hat ungewöhnliches

Glück gehabt, wenn Sie mich fragen. Und wenn er seine Lernhaltung nicht endlich …

Er hatte ihr gar nicht zugehört. Der Ausdruck in seinen Augen hatte sich vertieft: als wollte er sie mit seinen Blicken entkleiden. Arne hätte über diese Formulierung gelacht. Das stellt ihr Frauen euch immer so vor!

Nur war Arne weit, und dieser Mann, der sie so dreist musterte, war ihr bedrohlich nahe, und etwas Unheilvolles ging von ihm aus, wie er da unbeweglich stand und sie irgendwie gierig taxierte.

Er hatte sich fein gemacht für den Besuch, trug ein bis oben hin geschlossenes Oberhemd unter der Jacke, saubere Jeans und geputzte Schuhe. Ein ungewohnter Anblick in Kerchow. Winzige Bluttropfen auf seiner Wange verrieten, dass er sich extra rasiert hatte. Der Mund, schmallippig verzogen, wirkte ein wenig zu breit für sein längliches Gesicht. Und die Ohren waren zu groß. Richtige Fledermausohren.

Die Rosen behalten Sie mal für Ihre Frau, und die Erdbeeren können Sie am Montag im Kindergarten abgeben. Ich habe selber ein ganzes Beet. Sie gab sich locker. Gegen die Beklemmung half es nur wenig.

Ich muss jetzt weitermachen.

Er war ihr einfach gefolgt, als sie auf die noch immer offenstehende Haustür zuging, hatte sich so dicht an ihr vorbeigedrängelt, dass er sie berühren musste, und mit hartem Griff die Tür geschlossen.

Ich wollte Ihnen noch etwas zeigen!

Da war sie, die nackte Drohung, vor der sie sich die ganze Zeit gefürchtet hatte. Bevor er noch das Bündel aus der Innentasche seiner Jacke nestelte, wusste sie, was er ihr zeigen würde.

Grinsend blätterte er den Packen vor ihr auf. Eine unendliche Anzahl von Bildern, keineswegs alle so unscharf wie das in dem gelben Umschlag.

Sie riss ihm die Fotos aus der Hand und wollte sie zerreißen, wie dieses eine, das ihr genug verraten hatte. Es gelang nicht. Es waren zu viele. Hoffnungslos viele. Sie warf sie auf den Boden und trampelte mit ihren Holzsandalen darauf herum, bis sie merkte, dass ihr übel wurde.

Als Nächstes hatte sie wahrgenommen, dass sie auf der zweiten Stufe der Treppe hockte, neben sich die Rosen und den Erdbeerkorb, ihn zu ihren Füßen, die Bilder zusammenklaubend.

Scheren Sie sich hier raus!, sagte sie mit letzter Kraft.

Er betrachtete sie von unten her abschätzend. Von den Negativen lassen sich Fotos in Lebensgröße herstellen, sagte er ausdruckslos.

Hatte sie wirklich geglaubt, ihn mit Worten in die Flucht schlagen zu können? Sie mochte die Bilder zerreißen, verbrennen, auf jede erdenkliche Weise vernichten – er würde immer neue anfertigen, immer größere, deutlichere, sie an Arne adressieren, an die Schule schicken, ganz Kerchow damit überschwemmen.

Nach einer langen Zeit fragte sie stockend: Was verlangen Sie? Sie war nicht in der Lage, sich von der Treppenstufe zu erheben.

Um seinen Mund spielte ein böses Lächeln. Er achtete nicht auf ihre Worte, sortierte seinen Bilderpacken, bis er plötzlich aufsah und sich mit einem der Fotos dicht zu ihr beugte. Das!, sagte er. Das würde mir auch Spaß machen …

Ihre Faust war wie von selbst auf sein Gesicht zugestoßen. Er wich aus und lachte. Seine Hände glichen Eisenklam-

mern, als er nach ihr griff und sie von der Treppe aufhob. Ein bisschen Gegenwehr macht die Sache reizvoller, sagte er gepresst.
So hatte es angefangen. Eine Woche lang hatte sie sich danach im Haus verschanzt wie in einer Festung, bis ihre Vorräte zu Ende gingen. Nicht einmal in den Garten wagte sie sich, ging niemals ans Telefon, schlich mittags nur verstohlen zum Briefkasten. Auf einer Karte aus Dresden stand: Habe zweimal vergeblich versucht anzurufen … Carstens Schrift. Arne berichtete begeistert vom Grünen Gewölbe und erkundigte sich besorgt nach den Fischen.
Am Sonntag war sie schließlich zu den Jaroschs gefahren. Das waren Menschen, bei denen man auf Verständnis hoffen durfte. Freunde.
Sie hatte ihre Absicht zu beichten schnell aufgegeben. Werners stoische Unbeirrbarkeit hatte sie mehr aufgeregt als zu ihrer Beruhigung beigetragen. Und Edith mit ihren ewigen literarischen Beispielen war nicht die Frau, mit der man eine reale Katastrophe bereden konnte. Als Arne zurückkehrte und Carsten zwei Tage später zu seiner Verlobten ins Vogtland abreiste, gelang es ihr mühelos, wegen der Fische einen Streit vom Zaun zu brechen, der die Flucht zu ihrer Freundin Nicki nach Berlin hinreichend begründete.
Ja, es handelte sich um eine Flucht. In diesem Augenblick war es ihr höchst gleichgültig, was während ihrer Abwesenheit in Kerchow geschah, welche Briefe Arne erhielt, welche Telefonanrufe. Immerhin war sie geistesgegenwärtig genug, allen Bekannten, denen sie im Dorf und im Bus begegnete, von einer lange geplanten Reise zu erzählen. Auf diese Weise musste auch *er* davon erfahren …
In Berlin hatte sie es nicht lange ausgehalten. Voller Ver-

zweiflung fuhr sie in ihr Heimatstädtchen, zu ihrer von dem Besuch eher beunruhigten als beglückten Mutter. Nach drei Tagen ertrug sie deren Lamentieren nicht mehr. Sie nutzte ihre unerwartete Freiheit, besuchte sämtliche Verwandten, an die sie sich erinnern konnte, reiste über die Dörfer zu allen ihren Schulfreundinnen, wie sie sich das immer gewünscht hatte – und wurde doch keine Minute lang die Erinnerung an jenen Sonnabendnachmittag los.

Nach drei Wochen kehrte sie zurück, von Arne mit liebevoller Zurückhaltung empfangen. Zweimal nur hatten sie miteinander telefoniert.

Am gleichen Nachmittag aber, während Arne in der Garage herumräumte, hatte *er* angerufen: Wenn du mir noch länger ausweichst, Süße, schicke ich wieder ein Bild von deiner Lieblingsbeschäftigung. Ein besseres diesmal …

Dann ist endlich alles vorbei!, hatte sie voller Hass gedacht. Ein Bild genügte, das wusste *er* so gut wie sie.

Es wäre das Beste gewesen. Ein Ende mit Schrecken. Nicht länger dieser Schrecken ohne Ende.

Er hatte ihr dann einen Teil der Bilder gegeben, ihr vielmehr zugeworfen: Lohn für erhaltene Leistungen.

Da war sie mit beiden Händen auf ihn losgefahren, hatte ihn gewürgt. Minutenlang, glaubte sie. Das Grinsen um seine Augen verschwand nicht; das verhasste Gesicht lief rot an, bis es ihm zu viel wurde, seine sehnigen Muskelstränge noch länger anzuspannen. Mit einer brutalen Abwehrbewegung bewies er ihr seine körperliche Überlegenheit. Der Angriff hatte seine Lust, sie zu erniedrigen, nur angestachelt.

Nach einiger Überlegung, soweit sie dazu überhaupt fähig war, hatte sie ihm Geld für den Film und die restlichen Bilder angeboten. Er hatte dafür nur sein verschlagenes Grie-

nen übrig. Es gibt Sachen, die viel schöner sind als Geld … Sie beherrschte sich. Nannte eine Summe: tausend Mark. Woher sie die nehmen wollte, wusste sie nicht. Darüber konnte sie später nachdenken.
Er lachte verächtlich. Hitze überflutete sie, dann Eiseskälte.
Gut. Ich werde Anzeige erstatten.
Er griente abwartend.
Wegen Vergewaltigung. Und Erpressung. Darauf stehen hohe Freiheitsstrafen. Der Mann meiner Freundin ist bei der Kriminalpolizei … Plötzlich hatte sie Angst, als sie seine eisgrauen Augen sah.
Bitte. Wenn es Beweise gibt … Auch bei einer Vergewaltigung will die Polizei Beweise sehen.
Fotos? Habe ich nie gesehen. Irgendwelche Amateuraufnahmen. Manche Leute haben ihren Spaß daran, sich in solchen Stellungen zu fotografieren. So was kann jeder Knipser vergrößern …
Ich lasse mich nicht länger missbrauchen. Ihre Stimme hatte jeden Klang verloren.
Er wandte sich achselzuckend ab. So was muss man sich rechtzeitig überlegen.
Ihre Fingernägel trafen nur seinen Haaransatz hinter dem Ohr. Er fuhr herum und versetzte ihr einen kurzen, harten Schlag mit dem Handrücken.
Wie Sie wollen! Mit dem Zeigefinger fuhr er über die Wunde im Nacken und wies ihn blutig vor. Das werden Sie mir bezahlen!
Er nannte einen Preis für jedes Bild. Dreißig Bilder. Und der Film. Zusammen fünftausend Mark. Da kommst du billig weg. Er duzte sie wieder, um seine Überlegenheit hervorzukehren. Es hatte keine Wirkung mehr.

Gut, hatte sie kalt gesagt, fünftausend. Als wäre das eine Summe, die sie in der Tasche trug. Jetzt war alles egal.
In einer Woche. Das ist unmöglich.
Spätestens Ende des Monats. Vergiss nicht, es gibt da viele Interessenten …
Hinterher war ihr der Wahnsinn der Abmachung zum Bewusstsein gekommen. Fünftausend Mark waren keine Unsumme, doch es war viel mehr Geld, als sie jemals vor Arne als Ausgabe vom gemeinsamen Konto rechtfertigen konnte. Fünftausend Mark. Und ihr blieb nicht viel Zeit. Die Mutter fiel ihr ein und die unerquicklichen Gespräche über das, was der Vater hinterlassen hatte.
Wie zu ihrer Rettung gesandt, war Nicki mit ihrer nervenaufreibenden Tochter Nadine zu einem Gegenbesuch in Kerchow eingetroffen, doch ergaben sich daraus nur neue Unruhe und Aufregung. Vergeblich hatte Swetlana auf Nickis Rat und Hilfe gehofft. Die Intimität der gemeinsamen Studienjahre, die einstige Vertraulichkeit auch in den ganz persönlichen Dingen, wollte sich zwischen ihnen nicht wieder einstellen. Die zaghaften Ansätze zu einem Geständnis, nach dem Swetlana sich so sehr sehnte, hatte Nicki überhört oder einfach missverstanden.
Was du willst, sagte sie, so ein bisschen aasig macht doch erst den besonderen Reiz aus … In ihren Augen war ein Glanz, der Swetlana veranlasste, sich wortlos abzuwenden.
Auch bei dem Stichwort Geld hatte die Freundin nicht mit der gewohnten Leichtigkeit reagiert, mit der sie früher alle finanziellen Probleme angegangen war. Geld hätte ich selber gerne! Das klang verbissen, und es blieb ihr Geheimnis, wovon sie ihren Wartburg unterhielt und wer die Jugoslawien-Reise finanzierte. Nicki war zum dritten Mal geschieden.

Kurz vor der Abreise vermisste Nicki schließlich ihre Autoschlüssel, und es kostete Arne einige Mühe, Ersatzschlüssel anfertigen zu lassen. Swetlana traute Nadine zu, die Schlüssel versteckt zu haben, nur weil es ihr in Kerchow so gut gefiel. Es wurde ein kühler Abschied. In der darauffolgenden Nacht hatte Swetlana ernsthaft erwogen, Arne alles zu gestehen, doch der hatte geschlafen wie einer seiner gefühllosen Steine. Als sie am späten Morgen aus bleiernem Schlaf erwachte, war er längst in der Schule. Das neue Schuljahr warf seine Schatten voraus. Sollte sie da Arne ausgerechnet jetzt mit einem solchen Desaster belasten? Obwohl er bisher noch in jeder Situation den Kopf behalten und sich für das Richtige entschieden hatte. Er würde sofort und ohne zu zögern Anzeige erstatten. Dann wäre alles zu Ende. Es gab Augenblicke, in denen sie sich das brennend wünschte.
Ginge es um eine Sache, die ein Geheimnis zwischen ihnen beiden bleiben würde, hätte sie auf Arnes Verständnis hoffen dürfen. So gut kannte sie ihn. Aber wenn nur ein Mensch in der Schule oder im Ort etwas erfuhr … Nein, das hieß, seine Toleranz zu überschätzen. Ein solches Debakel ließ sich für einen Schuldirektor nicht einmal durch eine Scheidung aus der Welt schaffen. Alleine das Wort verursachte ihr Übelkeit. Eine Trennung von Arne, von Kerchow, ja, selbst von der wenig geliebten Schule erschien ihr unvorstellbar. Sie war hier zu Hause. Nirgendwo anders. Ihre Ehe, die tägliche Plage im Beruf, die Menschen ringsum und dieses Haus mit Arnes Fischen und Mineralien und den übrigen Mängeln machten ihr Leben aus. Sie konnte nicht einfach davonlaufen. Die Enttäuschung mit Nicki und die verlorenen Tage in der alten Heimat hatten ihr vor Augen geführt, wohin sie gehörte.

Das alles hatte sie aufs Spiel gesetzt. Weil es ihr zu gut gegangen war. Weil sie der Hafer stach. Weil die Wochen mit Carsten ein so erregendes Abenteuer in der ländlichen Eintönigkeit gewesen waren. Sie war noch keine alte Frau.
Was aber hatte ihr diese Erkenntnis eingebracht? Es widersprach ihrem Gerechtigkeitssinn, Carsten für die Folgen verantwortlich zu machen. Dass er endlich wieder in ihrer Nähe war, beunruhigte sie mehr, als sie sich eingestehen wollte. Sie war fest entschlossen, sich nie wieder heimlich mit ihm zu treffen, und nicht nur, weil Arne offenbar misstrauisch zu werden begann. Er schien sich neuerdings verpflichtet zu fühlen, ihr seine Liebe häufiger zu beweisen als bisher. Auch das bedrückte sie.
Wenn es für Carsten wenigstens eine Möglichkeit gegeben hätte, ihr aus dem Schlamassel herauszuhelfen. Geld hatte er selber nicht. Aber es musste auch in seinem Interesse liegen, die Bilder in die Hand zu bekommen.
In schlaflosen Nächten hatte sie ihren Kopf mit Plänen zermartert, einer immer verwegner als der andere, lange über die Einzelheiten eines Einbruchs gegrübelt, bis ihr das Unsinnige eines solchen Unternehmens bewusst wurde. Wo sollten sie oder Carsten – von allen anderen Schwierigkeiten einmal abgesehen – in einem fremden Haus einen Film und Fotos finden, die der Besitzer vor der eigenen Frau verbergen musste. Trug er sie vielleicht bei sich?
Sie hatte die Chance erwogen, den Mann außer Gefecht zu setzen, seine Kleidung und sein Auto zu durchsuchen. Dazu benötigte sie erst recht Hilfe. Was hieß überhaupt: außer Gefecht setzen? Carsten war diesem Kerl, der nur aus metallharten Muskeln zu bestehen schien, kaum gewachsen. War er überhaupt der Mann, ihrer dahingewelkten Liebelei

wegen einen anderen niederzuschlagen? In dem Buch, das Edith ihr geliehen hatte, erstach die Frau ihren Peiniger mit dessen eigenem Messer. Sie, die als Kind beim Schlachten der Tauben schreiend davongelaufen war, wusste nur zu genau, dass sie sich niemals so weit überwinden würde, eine Messerklinge in einen lebendigen Körper zu stoßen.

Überdies konnte ein solches Ende nur den Anfang neuer Leiden bedeuten. Endlose Vernehmungen durch Werner Jarosch oder seine Kollegen, die nie begreifen würden, in welcher Situation sich eine Frau zu einer derartigen Tat hinreißen lassen konnte. Für das, was sie zu ihrer Verteidigung anführen würde, gab es keine Zeugen, keine anderen Beweise als diesen Film und die Abzüge, die niemals jemand zu Gesicht bekommen durfte. Niemand durfte auch nur das Geringste von deren Existenz ahnen. Der gutgläubige Arne ebenso wenig wie die allwissende Elfriede Rosner, die neugierige Hannelore Griebenow, der friedliche Pfeifenraucher Ulberg oder die misstrauische Nachbarin Margot und ihr freundlicher Franz. Seit Nickis Besuch hatte sich Swetlanas Furcht noch verstärkt, jemand könnte hinter die wahren Gründe für ihre Depressionen kommen.

Schon einmal hatte sie die Nerven verloren, als Hannelore und sie mit den Kindern zum Schwimmbad in der Nachbargemeinde gefahren waren und der Junge ihr in seiner Ausgelassenheit mehrmals unangenehm auffiel. Du wärst wirklich besser in der Dritten geblieben, hatte sie ihn angefahren und ihn damit anscheinend tiefer getroffen, als sie beabsichtigt hatte. Bei der Rückfahrt fehlte er. Sie hatte es Hannelore überlassen zu erkunden, ob er zu Hause angekommen war. Wenn dem Jungen etwas passiert wäre … Und wenn Arne von dieser Pflichtverletzung erfuhr … Sie schlug die Hände vor das Gesicht und schloss die Augen. Sie hätte gerne geweint. Es gelang ihr nicht.

Sie hörte nicht einmal, dass Arne die Treppe herunterkam und hinter ihr stehenblieb.

»Gibt es heute kein Abendessen?«

Sie erschrak. »Mir ist nicht gut«, sagte sie unter ihren Händen hervor. Das war nicht einmal gelogen.

Besorgt legte Arne seine Hand auf ihre Schulter. »Es wird schon werden.« Seine kühle Hand glitt an ihrem Schlüsselbein abwärts. »Mach dir nicht zu viele Gedanken …«

Sie ertrug es nicht, sprang auf, als sei sie von einer aufsteigenden Hitzewelle geplagt. »Ich brauche frische Luft!«

Seine Begleitung lehnte sie ab. Als sie die hintere Gartenpforte schloss, stand er am Fenster und sog gedankenvoll an seiner Pfeife. Sie wollte niemanden treffen, an nichts erinnert werden. Es roch schon nach Herbst. Über die frischen Stoppeln wehte ein kühler Wind. Auf den ausgelegten Betonschwellen nahte ein Radfahrer. Vielleicht Margots Franz, der mit einem Sack Futter aus dem Nachbardorf kam. Sie verspürte eine starke Abneigung, jetzt angesprochen zu werden. Der Radfahrer hatte kein Hühnerfutter aus Kuschwitz geholt. Es war Carsten Ederlein auf seiner abendlichen Runde. Verlegen, als hätten sie sich gegenseitig auf Abwegen ertappt, standen sie sich gegenüber.

»Ich wollte sowieso mit dir reden …«, sagte Carsten endlich. Er blickte an ihr vorbei über die abgeräumten Felder, die sinkende Abendsonne im Rücken. Und dann sprach er von seinen veränderten Plänen, die irgendwann auch eine Veränderung in ihrer Beziehung bedeuten mussten. Arne hatte ihm versprochen, sich um eine passende Stelle für die Verlobte aus Oelsnitz zu bemühen, eventuell beim Rat der Gemeinde,

wo sie schon im November anfangen könnte. »Wir haben doch gewusst, dass es nicht für immer sein kann …«
»Sie tanzte nur einen Sommer …«, sagte Swetlana melancholisch. Das war so ein schwedischer Film gewesen, von dem die Mutter geschwärmt hatte. Auch sie vermied es, Carsten in die braunen Plüschaugen zu schauen, und versuchte, ohne Bitterkeit zu lächeln. »Es ist für alle Beteiligten besser so.«
Carsten, sichtlich erleichtert über ihre Reaktion, sagte aus ehrlichem Herzen: »Du bist großartig!« Etwas von der alten Zärtlichkeit klang da mit. »Du kannst immer mit mir rechnen, wenn du mich brauchst.«
Es war ganz leicht, die aufsteigenden Tränen hinunterzuschlucken und zu sagen: »Dann schaff mir diesen widerlichen Erpresser vom Hals.« Und ihm alles zu erzählen. Oder fast alles. Es traf ihn tief genug.
»Du bist sicher, dass die Fotos echt sind? Stell dir vor, dein Mann … Oder jemand in der Schule! Wenn Silke im Herbst kommt … So ein Bild, verstehst du, sie stammt aus einer Kleinstadt!«
Swetlana bereute ihr Geständnis. »Mach dir keine Sorgen. Ich werde schon fertig damit«, sagte sie burschikos. Innerlich war ihr zumute wie in dem Augenblick, als sie vor ihm auf die Treppenstufen gesunken war. »Ich bringe das in Ordnung. Niemand wird etwas erfahren.«
Sie schaffte es, ihm heiter zuzuwinken und sich auf den Nachhauseweg zu machen. Nach wenigen Metern überholte er sie, ließ sein Rad einfach fallen und umklammerte ihre Schultern. »Ich kann dich nicht in dieser Scheiße sitzen lassen!«, stieß er hervor. Und dann küsste er sie. Lange. Sehr lange.
Es war schon ziemlich dunkel. Dennoch hätte man sie vom Dorf aus beobachten können.

16

Werner Jarosch kämpfte mit der Müdigkeit. Die übliche Donnerstagssitzung dauerte schon viel zu lange. Und der grau verhangene Himmel draußen war nicht dazu angetan, ihn munterer zu stimmen. Ihm fehlte sein Tee. Um den aufzubrühen, hatte die Raucherpause nicht gereicht.
Nach eingehender Erörterung der weltpolitischen Lage und der daraus abzuleitenden aktuellen Schlussfolgerungen war der Major auf sein spezielles Steckenpferd umgestiegen, die vorbeugend-taktische Kriminalitätsbekämpfung im Stadt- und Kreisgebiet, inzwischen jedoch bei der Auswertung der Ermittlungs- und Untersuchungsergebnisse des fast vergangenen Monats angelangt. Oberleutnant Kirsch, der Jarosch gegenübersaß und schon vierundzwanzig Stunden Dienst hinter sich hatte, gab sich Mühe, seine Augenschlitze offen zu halten.
Jarosch wartete darauf, dass der Major auf den Mann mit der Pudelmütze zu sprechen kam. Die unruhige Erwartung munterte ihn ein wenig auf. Der Fall entwickelte sich allmählich zum Trauma für ihn. Jeden Tag ahnte er die Frage in Ediths Blick, die sie nicht mehr aussprach, seit er sie einmal unwirsch angefahren hatte. Er konnte nicht hexen. Aber ein nicht ermittelter und überführter Sexualstraftäter im Territorium, das war etwas, worauf der Chef mit Recht bei jedem Rapport herumritt.
Die Befragung der beiden Opfer der zurückliegenden Straftaten hatte keine wesentlichen Erkenntnisse vermittelt.
Zwar stimmten die Personenbeschreibungen der Täter weitgehend mit der von Isa Matuschek gegebenen überein,

brachten jedoch keine neuen, auswertbaren Details. Im Fall der ehemaligen Studentin konnte der Wagen des Täters ein Wartburg gewesen sein.

Die andere Frau, inzwischen übrigens von ihrem Mann geschieden, war noch unsicherer in ihren Angaben, glaubte aber, dass es sich bei dem Wagen um einen Trabant gehandelt hatte, mit dem der Unhold ohne Licht davongeknattert war.

Ging man von der Version aus, dass es sich in den drei Fällen um denselben Täter handelte, war bei der Überprüfung der Wartburg-Fahrer zu berücksichtigen, dass der Mann vor Jahren auch Trabant gefahren sein konnte – was den Kreis nicht wesentlich einschränkte.

Ein Erfolg war Jarosch denn auch noch immer nicht beschieden. Auf seinem Schreibtisch türmten sich die EDV-Listen. Das Problem blieb, dass der Mann ein fremdes Fahrzeug benutzt haben konnte …

Das ungestüme Eintreten eines Hauptwachtmeisters riss ihn aus seinen Gedanken. Der schob dem dozierenden Major einen Zettel zu und sagte vernehmlich: »Möglichst sofort.«

»Einbruchsdiebstahl im Bahnhofskiosk«, unkte Kriminalmeister Willert, der neben Jarosch saß. Es entstand ein wenig heitere Unruhe. Jarosch lachte mit. Er brauchte sich die Jacke nicht anzuziehen. Im Mai hatte er den Täter innerhalb einer Woche dingfest gemacht.

Der Major schob seine Brille zurecht und las mit gefurchter Stirn. »Verkehrsunfall mit Personenschaden, beteiligter Kraftfahrer beim Eintreffen der VP nicht am Unfallort.« Er hob den Blick gerade weit genug, um über die Gläser hinweg Jarosch zu fixieren. »Kiesgrube Kuschwitz. Weißt du, wo das ist?«

Der Oberleutnant, nicht unzufrieden über diese Unterbrechung, war schon aufgestanden. »Ungefähr«, sagte er.
Obwohl es auf die Mittagszeit zuging, herrschte starker Verkehr in der Stadt. Jarosch fuhr vorsichtig. Die diesige Nässe war tückisch, und die zahlreichen LKW hatten mehr feuchten Schmutz auf der Fahrbahn hinterlassen, als beim Bremsen gut sein konnte. Verkehrsunfallwetter. Das Diagramm an der Wandzeitung im Kreisamt würde eine neue Spitze anzeigen. Die wie vielte eigentlich seit dem Frühjahr? Die Unfälle hatten eindeutig zugenommen. Daran konnte nicht alleine das Wetter schuld sein.
Mit dem Wetter hatte der Verkehrsunfall an der ehemaligen Kuschwitzer Kiesgrube wahrscheinlich kaum etwas zu tun. Der unbefestigte Zufahrtsweg von der Kerchower Chaussee, der das hüglige Gelände durchschnitt, war bei Regen besser zu befahren als bei Trockenheit.
Den Wagen der Verkehrsunfallbereitschaft erblickte Jarosch schon von weitem. Dahinter senkte sich der Weg in einem Einschnitt und bog an seiner tiefsten Stelle nach links in Richtung Kuschwitz ab. Rechts stieg der Hügel ziemlich steil an. Dort lag die vor Jahrzehnten aufgegebene Kiesgrube, bis zum Bau eines Schwimmbades die einzige Bademöglichkeit für die ganze Umgebung.
Werner Jarosch war hier noch nie gewesen. Swetlana Schildhauer hatte den See erwähnt, in dem sie manchmal schwimmen ging. Er brachte seinen Wagen neben dem Barkas der Verkehrspolizei zum Halten. Davor stand ein Funkstreifenwagen.
»Den Mann mussten wir abtransportieren lassen«, sagte Obermeister Bolz in seiner melancholischen Art, ohne den ranghöheren Jarosch zu begrüßen. Sie kannten sich seit

Jahren und waren sich heute bei Dienstbeginn im Kreisamt begegnet.
»Vermutlich Becken- und Unterschenkelfraktur. Sehr wahrscheinlich innere Verletzungen. Jedenfalls war er bewusstlos.«
Jarosch nickte nur und wartete ab. Er war froh, dass Bolz nicht im Berufsjargon von dem Verunfallten sprach.
Sie gingen den Weg entlang. Der lag etwa anderthalb Meter tiefer als das Gelände und war gerade so breit, dass ihn ein LKW benutzen konnte.
»Hier lag der Verletzte«, erläuterte Bolz. »Unmittelbar neben der Abbruchkante. Der Arzt hat sofort die Überrollspuren am rechten Unterschenkel bemerkt und uns verständigt. Als wir kamen, hatten sie ihn bereits auf der Trage im Wagen. Er muss ungefähr so gelegen haben …« Bolz demonstrierte mit beiden Händen die Lage des Körpers. »Die Beine jedenfalls in der Spur jedes Fahrzeugs, das hier vorbeikommt Möglicherweise lag er schon länger so.«
»Wer hat den Verletzten gefunden und den Arzt benachrichtigt?«
Bolz hob die breiten Schultern. »Das herauszufinden bleibt euch überlassen. Ein anonymer Anruf.«
Jarosch sah sich um. Die Spurenlage war einigermaßen niederschmetternd. Mehrere Personen, wahrscheinlich der Arzt und der Kraftfahrer der Schnellen Medizinischen Hilfe, hatten den Boden in der ganzen Wegbreite zertreten. Es erschien müßig, hier bestimmte Schuhspuren herausfinden zu wollen. Die Reifenabdrücke, und es gab etliche, waren ebenfalls von den Trittspuren überlagert.
Eine Reifenspur, die sich in dem festgefahrenen Gemisch aus Schlacke und Kies deutlicher abzeichnete, fiel ihm auf.

In Höhe der Fundstelle des Verletzten musste sie dicht an der steilen Böschung verlaufen sein. Sehr dicht sogar, soweit sich das jetzt noch feststellen ließ. Von der Kante war ein größerer Brocken lehmiger Erde heruntergebrochen. Nach dem Unfall? Oder in seiner Folge?
Der Mann musste nicht unbedingt von diesem Fahrzeug überfahren worden sein. Oder nicht hier. Jemand konnte ihn hier liegen gelassen haben. Weshalb aber an einem so wenig getarnten Ort? Um die Auffindung doch zu erleichtern? Oder hatte sich der Verletzte mit eigener Kraft hierhergeschleppt?
Und wer war der anonyme Anrufer gewesen – der Kraftfahrer, der den Unfall verschuldet hatte und geflüchtet war? Vorerst waren das spekulative Fragen. Er musste warten, bis er das Unfallopfer vernehmen konnte.
Unter dem Schirm seiner weißen Mütze hervor beobachtete ihn Obermeister Bolz mit melancholischem Gesichtsausdruck. »Brauchst du uns noch? Wir haben viel zu tun. Das Wetter …«
»Fotografiert habt ihr?«
Bolz machte eine Handbewegung, die vieles bedeuten konnte. Nicht einmal die Lage des Mannes hatten sie mit Kreide skizzieren können. Auf andere Markierungen hatten sie verzichtet, um nicht weitere Spuren zu zerstören.
»Hier sind seine Papiere.« Bolz reichte ihm eine braune Lederbrieftasche. »Die Unfallmeldung hinterlege ich im Amt für dich.«
Jarosch nickte abwesend und grüßte, indem er die Brieftasche in seiner Hand hochhielt. Die Reifenspur ging ihm nicht aus dem Sinn. Wenn ihn nicht alles täuschte, waren das M+S-Reifen. Ein Profil, das ihm sehr vertraut erschien.

Oder begann er zu spinnen? Bei dem Wasserflohfänger hatte ihn sein optisches Gedächtnis nicht getrogen. Aber gleich zwei derartige Zufälle?

Er ging zu seinem Wagen zurück, um per Funk einen Techniker anzufordern und den Einsatzkoffer zu holen. »Sperrt vorne den Weg«, rief er dem Leiter der Funkstreife zu. Bolz fuhr gerade ab.

Jarosch schlug die Brieftasche auf. Ein unverschlossenes gelbes Kuvert lag lose darin. In der linken Seitentasche steckten Personalausweis und Führerschein. Das Bild zeigte einen überlegen dreinblickenden Mann in den Dreißigern, ein schmales Gesicht mit hoher Stirn, das Jarosch sofort erkannte: Reinhold Ney.

Der Oberleutnant, von Natur aus schwer aus der Ruhe zu bringen, sah sich unwillkürlich verdutzt um. Da war niemand mehr, mit dem er seine Überraschung teilen konnte.

Was mochte Ney an diesem regnerischen Vormittag hierher in die Nähe der Kiesgrube getrieben haben? Hahnshof lag ungefähr fünf oder sechs Kilometer entfernt, vielleicht noch weiter, wenn Ney den Weg über Kuschwitz benutzt hatte.

Er suchte weiter in der Brieftasche und fand die Papiere für zwei Fahrzeuge: für Neys weinroten Golf und für den Barkas des Ferienheims. Ein Auto war weit und breit nicht zu entdecken. Nicht einmal ein Fahrrad.

Jarosch sprach über Funk mit dem Kreisamt. Dann nahm er seine Tasche und bewegte sich langsam und systematisch dorthin zurück, wo Ney aufgefunden worden war. Aufmerksam betrachtete er jede Einzelheit des Weges und der Böschungen, die ihn begrenzten. An einigen Stellen waren die Kanten ausgebrochen, an anderen hingen Grassoden über. Rechts oben standen vereinzelte Büsche. Links verlief auf

der Grasnarbe ein handbreiter Saumpfad, vermutlich die Geschicklichkeitsstrecke Rad fahrender Kinder.
Er fand die Stelle, wo der Krankenwagen gestanden hatte, und kurz dahinter wieder die Spuren jener Winterreifen, denen er sich mit besonderer Sorgfalt widmete. Stellenweise markierten sich die Stollen sehr deutlich im Untergrund. Der Wagen, der mit keinem der Polizei- oder Krankenfahrzeuge identisch war, hatte anscheinend gehalten, war etliche Meter zurückgestoßen und dann scharf angefahren. Mit einem Rechtsschlenker auf den Unfallort zu. Und von dort weiter in Richtung Kuschwitz.
War Ney diesem Fahrzeug hier im Hohlweg zufällig begegnet? War der Unfall vielleicht schon im Dunkeln passiert – oder hatte der Fahrer Ney bewusst gegen die bröcklige Abbruchkante gestoßen und überrollt? Genau an dieser Stelle war die Spurenlage geradezu hoffnungslos.
Mit Luchsaugen verfolgte Jarosch die Winterreifenspur weiter. Auf dem festgefahrenen Schotter war sie mitunter schwer zu erkennen. Gerade wollte er umkehren, da bemerkte er nahe der Böschung den deutlichen Abdruck eines rechten Schuhs, dessen Sohle schräg und viel tiefer eingedrückt war als der Hacken. Mit dem linken Schuh hatte dieselbe Person eine Ladung Sand von der Kante gelöst. Ein Mann, der Sportschuhe etwa der Größe 30 mit abgewetztem Profil trug, war von hier auf den Weg gesprungen. Mit einiger Mühe fand der Oberleutnant die Fortsetzung der Spur und markierte sie. Sie ließ sich tatsächlich nur bis zu dem Punkt verfolgen, wo der Verletzte gelegen hatte. Also Neys eigene Schritte? Woher war er gekommen?
Jarosch erklomm die Böschung auf der gegenüberliegenden Seite und schritt langsam den schmalen Radsteig entlang.

Ein einsamer Fährtensucher auf dem Kriegspfad, dachte er grimmig. Er fühlte sich gut bei dieser Spähertätigkeit. Und sie war von Erfolg gekrönt. Quer über das Grasland des steilen Hügels auf der anderen Seite zeichnete sich schwach ein dunkler Bogen ab, der von oben etwa auf die Absprungstelle zuführte.

Eine Viertelstunde später hatte er erkundet, woher der Mann in den Sportschuhen gekommen war: aus einer flachen Mulde, im Buschwerk hoch über der zur Wasserfläche abfallenden Wand der Kiesgrube versteckt. Zufrieden wischte er sich den Schweiß aus der Stirn. Oder war das schon wieder Regen? Aus der Ferne leuchtete der Kirchturm von Kuschwitz herüber. Die Vertiefung, in der vor nicht allzu langer Zeit jemand ein Lagerfeuer unterhalten hatte, war ein idealer Platz, um das Gewässer und die Umgebung zu beobachten, ohne selbst gesehen zu werden. Ungefähr sechzig Meter entfernt begann der Wald. Jarosch hätte seine Expedition gerne bis dorthin ausgedehnt, doch von unten her vernahm er ein Hupsignal.

Strelczyk, der Techniker des Kreisamtes, empfing ihn missmutig, wie fast immer. »Waren hier die Wildschweine zugange? Oder was?«

»Pass auf. Dieses Reifenprofil und diese Schuhspuren mit besonderer Sorgfalt«, bat Jarosch. »Auch die Spur hier den Hang hinauf.«

Der Techniker sah ihn schief an. »Wo wir bekanntlich nie sorgfältig arbeiten!«, sagte er gallig. »Denkst du an was Bestimmtes?«

»Ich denke nie an etwas Bestimmtes«, antwortete Jarosch, und das war, entgegen seinen Gewohnheiten, glatt gelogen.

17

Der Weg nach Hahnshof zweigte einen Kilometer hinter der Kiesgrubenzufahrt von der Landstraße ab. Den unauffälligen Wegweiser konnte man leicht übersehen, nicht aber die überdimensionale Hinweistafel auf das Ferienobjekt des VEB RKL (V). Jarosch machte sich keine Gedanken darüber, was das heißen mochte. Um einen Betrieb mit guten Beziehungen und genügend Arbeitskräften musste es sich jedenfalls handeln. Nach zweihundert Metern Holperpflaster ging die Straße in eine schmale Betonpiste über, die nicht der Kreisbaubetrieb gegossen hatte. Oder war sie doch mit Regulskis Zement gefertigt?

Eigentlich wäre Jarosch lieber über Kuschwitz gefahren, um dort an einem bestimmten Bauernhaus zu halten, doch hätte er damit Strelczyks Spurensicherung gefährdet. Außerdem musste zunächst einmal Neys Familie benachrichtigt werden.

Hahnshof wirkte selbst bei schlechtem Wetter gepflegt und ordentlich, ein ehemaliges Einzelgehöft mitten in der Feldmark, davor zwei Neubauernhäuser, die mit ihren Anbauten wie kleine Villen auszusehen versuchten. Rechts von der Zufahrt erhob sich auf einem in den Hang hineingebauten Betonsockel ein barackenähnliches Holzhaus. Jarosch fuhr an der Garageneinfahrt vorbei hinauf in das offene Geviert des alten Gehöftes. Auf dem betonierten Platz vor dem Wohnhaus, wo früher der Misthaufen gewesen sein musste, standen im Regen eine Reihe von PKW mit Kennzeichen aus einem südlichen Bezirk.

Der Oberleutnant stieg aus. Im Wirtschaftsgebäude, dem ehemaligen Stall, klapperte Geschirr. Eine Küchenfrau be-

obachtete ihn durch das offen stehende Fenster. »Der Chef ist in seinem Büro«, sagte sie.
Um dem Regen zu entgehen, schlüpfte Jarosch unter das überhängende Dach. »Ich möchte zu Neys«, erklärte er.
Ihr Blick veränderte sich. Wortlos wies sie auf die Baracke gegenüber dem Hauptgebäude.
»Ich weiß«, sagte Jarosch.
»Der ist aber nicht zu Hause!«, rief sie ihm nach.
»Ja, bitte?« Die unauffällige kleine Frau, die auf sein Klopfen die Tür öffnete, sah an ihm vorbei.
»Ich komme von der Polizei. Jarosch ist mein Name.« Dass er Oberleutnant der Kriminalpolizei war, ließ er erst einmal weg. »Ihr Mann hatte einen Unfall …«
Sie wusste es schon. Die Verkehrspolizei hatte in Kerchow den ABV informiert, und der hatte angerufen. Vor einer halben Stunde vielleicht. Sie blickte immer noch an ihm vorbei. Jetzt erkannte Jarosch, dass die Frau ein wenig schielte, was ihrem Mädchengesicht einen eigenen Reiz verlieh. Verschüchtert stand sie in ihrem geräumigen Wohnzimmer herum, als wäre sie hier der ungebetene Gast. Das Haus, das mit seiner feuchten Holzbeplankung von außen einen düsteren Anblick bot, wirkte drinnen anheimelnd und freundlich. Und vor allem sauber.
»Nehmen Sie doch Platz.« Sie rückte an einem der hochlehnigen alten Stühle herum. »Was ist denn überhaupt passiert? Ist das Auto kaputt?«
Ihm fiel auf, dass sie sich zuerst nach dem Wagen und nicht nach dem Befinden des verletzten Mannes erkundigte, doch musste das nichts bedeuten. Die Nachricht hatte sie sicherlich verwirrt.
»Ihr Mann war nicht als Kraftfahrer in diesen Unfall verwi-

ckelt«, entgegnete er zögernd. »Eher als Fußgänger, wie es scheint. Wissen Sie, wohin er heute Vormittag wollte?«
Sie schüttelte den Kopf. »Das sagt er mir selten. Er hat ja immer was zu erledigen. Wahrscheinlich war er für Erler unterwegs. Wo ist es denn passiert?«
»In der Nähe der Kuschwitzer Kiesgrube. Auf dem Weg dorthin. Können Sie sich vorstellen, was er dort wollte?«
Die Tür sprang auf, und das enthob sie vorerst einer Antwort. Ein völlig durchnässter Junge von etwa neun Jahren, dem das Wasser aus den Haaren troff, wollte den Raum betreten.
»Die Schuhe!«, fuhr die Mutter ihn unerwartet energisch an. Er blieb auf der Schwelle stehen und wischte sich mit dem Ärmel über das Gesicht. »Was ist mit Papa?«, fragte er undeutlich.
»Er hatte einen Unfall. Das habe ich dir doch gesagt. Wahrscheinlich hat er nicht aufgepasst, so wie du immer, wenn du irgendwo rumrennst!«
Die Antwort befriedigte das Kind nicht. »Und wo ist er jetzt?«
»Im Krankenhaus.« Sie blickte zu Jarosch. Der nickte. »Da wird er wahrscheinlich ein Weilchen bleiben müssen.«
»Du wirst ihn besuchen«, sagte der Junge ernst. Er sprach schlecht.
»Natürlich.« Die Frau schob ihn aus der Tür. »Zieh dich sofort aus und trockne dich ab. Am besten badest du gleich.«
Der Junge warf einen langen Blick auf den Fremden und verließ widerstrebend den Raum.
»Das kann was werden, wenn Reinhold nicht da ist …«, sagte die Frau sorgenvoll.
»Er hängt sehr an seinem Vater?«
Darauf blieb sie ihm die Antwort schuldig. Also nahm Ja-

rosch seinen Faden wieder auf. »Wollte sich Ihr Mann heute mit jemandem treffen?«
Frau Ney hatte sich noch immer nicht hingesetzt. Umständlich ging sie um den ovalen Esstisch herum, ein schönes altes Stück mit Mittelfuß, zupfte hier und da an dem handgewebten Tischläufer, rückte den Messingaschenbecher zurecht und ließ sich schließlich auf dem geschwungenen Plüschsofa nieder, ohne zu antworten.
»Ihr Mann ist also oft unterwegs. Für das Ferienlager, wie ich annehme. Gehört das zu seiner Funktion als Hausmeister?«
»Eigentlich macht er alles, und Erler sitzt in seinem Büro und gibt die Anweisungen. Alleine kann der nicht mal 'n verklemmtes Fenster öffnen.« Sie verstummte, als hätte sie zu viel gesagt, doch gleich darauf brach es aus ihr heraus: »Reinhold muss alles machen, im Haus und auf dem Hof und in den Bungalows. Und wenn kein Heizer da ist, muss er auch da noch ran. Dazu die Fahrerei. Besorg mal dies, besorg mal das. Sie wissen ja, wie schwer was zu beschaffen ist. Und der Erler ist nicht mal von hier. Reinhold kennt jeden und weiß, wo es was gibt. Der Erler schickt ihn nur los und ist sicher, dass er's dann kriegt.«
»Ihr Mann verfügt also über einen ausgedehnten Bekanntenkreis …«
Ihre Finger wuselten an der Kante des Tischläufers. »Das müssen Sie ihn selber fragen. Um so was habe ich mich nie gekümmert.«
Sie vermied es, in seine Richtung zu gucken. Jarosch seufzte demonstrativ.
»Sie machen es mir nicht leicht, Frau Ney. Ihr Mann hatte einen ziemlich schweren Unfall. Im Augenblick steht noch gar nicht fest, wann wir ihn etwas fragen können. Er ist an einer

– nun sagen wir – merkwürdigen Stelle überfahren worden. Und der Unfallverursacher ist flüchtig.«
Mit seinem Werben um ihr Vertrauen erreichte er immerhin, dass sie ihm mit aufgerissenen Augen zuhörte.
»Wir fragen uns natürlich, ob dieser Unfall durch Zufall geschah – oder ob da etwa ein Vorsatz im Spiel sein könnte …«
»Mit Absicht?«, fragte sie heftig. »Sie meinen – jemand wollte Reinhold umbringen?«
So weit hatte Jarosch gar nicht gehen wollen. »Könnten Sie sich denn vorstellen, dass es einen Menschen gibt, der Ihrem Mann einen Schaden zufügen wollte? Sei es aus Feindschaft oder aus Rache …«
Zum ersten Mal sah sie ihm gerade in die Augen. Sie war wirklich nicht hässlich, diese unscheinbare kleine Frau, die schließlich wie atemlos sagte: »Ich weiß so was nicht. Wann kann ich ihn besuchen?«
Jarosch sah auf die Uhr. »Sie rufen am besten morgen früh im Krankenhaus an.«
»Mit dem Moped wäre ich in ’ner halben Stunde da.« Das war schon gar nicht mehr für ihn bestimmt. Sie war aufgestanden, lief geschäftig durchs Zimmer und blieb am Fenster stehen. »Es regnet immer noch. Ich muss das Regenzeug aus der Kammer holen …«
Er verstand, dass hier keine Auskünfte mehr zu erwarten waren, und verabschiedete sich höflich. Sie nahm es kaum wahr. Auch dass der Junge noch immer in seinem nassen Zeug im Flur herumturnte und erst bei Jaroschs Anblick hinter einer Tür verschwand, schien sie nicht zu stören.
Im Eingang des zweistöckigen Bauernhauses, unter einem Dach aus gewelltem Kunststoff, redeten drei Männer in breitem Sächsisch aufeinander ein. »’ch gloob dir ja, dasses

galt is in den Bungaloh – abr mir ham nu mal geene zusätzlichen Heizgörper …«, argumentierte ein Dunkelhaariger mit Brille, während die beiden anderen sich lautstark über die Kälteempfindlichkeit ihrer Frauen und Kinder ausließen.
»Als ob ich das Wättr mache!«
Er sah Jarosch, der zu ihnen in die grünliche Düsternis unter dem Vordach getreten war, argwöhnisch an. »Und worüber wolln Sie sich beschwärn?«
Jarosch wandte sich noch einmal um. Hinter dem Fenster des Holzhauses gegenüber bemerkte er ein schemenhaftes Gesicht. Der Junge.
»Ich möchte mich mit Ihnen über Ihren Hausmeister unterhalten.«
»Na, da sind Se richtich. Der hatte nämlich 'n Unfall!«
»Deswegen bin ich hier.«
Endlich verstand Erler, dass Jarosch der rettende Engel vor den nörgelnden Urlaubern sein konnte, und bat ihn zuvorkommend in sein Büro.
»Von der K?« Er gönnte Jarosch einen langen Blick und schloss sorgfältig die Tür des großen dunklen Raumes, der einst wohl die gute Stube des Hauses gewesen war. »Ich dachte, es handelt sich wirklich um einen Unfall …« Sein Dialekt hatte eine hochdeutsche Färbung angenommen.
»Um was sonst?«, wollte Jarosch wissen.
»Sonst nischt!« Der Leiter des Ferienobjektes ließ sich in dem zweiten Sessel nieder und zündete gewandt eine Zigarette an. »Ich hab genug Sorgen hier, das siehst du ja.«
Der Oberleutnant war an derlei Vertraulichkeiten von Leuten, die sich für wichtig hielten, gewöhnt. Darum sagte er einfach: »Erzähle mir mal was über Ney.«
Erler starrte durch seine dicken Brillengläser auf seine Zi-

garette. »Der macht seine Arbeit, da gibt's nischt! Einwandfrei. Und was sonst noch so über ihn geredet wird – das geht mich nischt an, verstehst du? Ein guter Hausmeister ist mehr als sein Gehalt wert. Wird das lange dauern mit ihm?«
Jarosch nickte unbestimmt. »Wahrscheinlich. Guckt euch mal vorsichtshalber nach einer Aushilfe um.«
Erler lachte auf. »Hier, mitten in der Prärie! Hier ist der Hund im Hollerbusch vergraben. Außerdem hätten wir nicht mal 'ne Wohnung.«
»Die Frau arbeitet ebenfalls hier im Objekt?«
»Meine zuverlässigste Kraft in der Küche.«
»Und er? War er nicht ganz so zuverlässig?«
»Das hast du missverstanden. Es gibt keine Klagen.«
»Ich habe schon richtig verstanden«, sagte Jarosch geduldig. »Ich bin nicht gekommen, um Klagen zu hören. Ich suche nach den Hintergründen für diesen Unfall. Welchen Fahrauftrag hatte Ney heute Vormittag?«
Erler rückte an seiner Brille herum und räusperte sich. »Seine Fahraufträge schreibt er sich meistens selber, wenn er mit dem Barkas unterwegs ist. Ich kontrolliere das dann und zeichne gegen.«
»Ist er denn überhaupt mit dem Barkas gefahren?«
»Ja, selbstverständlich. Wie sieht denn der Wagen aus?«
Erler verzog das Gesicht. »Nun geht das Theater mit der Werkstatt los. Und der Reinhold im Krankenhaus …«
»Wir haben den Wagen bis jetzt nicht gefunden.«
Der Heimleiter riss die Augen unnatürlich weit auf. »Nicht gefunden? Soll das heißen, der Wagen …«
»Der kann nicht aus der Welt sein«, beruhigte ihn Jarosch. »Der ABV wird sich in der Gegend des Unfallortes genau umsehen. Irgendwie muss Ney ja dorthin gelangt sein.«

Erler schien nicht sonderlich beruhigt. »Und wenn's nun doch 'n Totalschaden ist? Und dann keine Zeugen, wie?«
»Wahrscheinlich war der Wagen nicht an dem Unfall beteiligt. Ney ist überfahren und gegen eine Wegböschung gepresst worden.«
»Hast du das der Ingrid erzählt?« Erler wurde plötzlich bleich. »Ihr Vater, der ist nämlich vor Jahren auf die gleiche Weise ums Leben gekommen. Von einem angetrunkenen Traktoristen an der Friedhofsmauer zerquetscht. Die hatten gewettet in ihrem Suff.«
»Bis jetzt sind das alles nur Vermutungen«, wehrte Jarosch ab. »Vorerst interessiert mich, wer gewusst hat, wohin Ney heute Morgen wollte.«
»Du meinst mich?« Der Heimleiter starrte ihn ratlos an. »Mann, heute Morgen reiste hier plötzlich der Innenrevisor an, da war gleich der Teufel los. Wie sollte ich mich da um Ney kümmern? Der hat hier eine Art Vertrauensstellung, verstehst du?«
Jarosch verstand und verkniff sich das Zitat, das ihm auf der Zunge lag. »Er fuhr zur Kuschwitzer Kiesgrube. Sagt Ihnen das etwas?«
Sein Gesprächspartner erschrak weniger über die Frage als über die plötzliche formelle Anrede. »Ney macht oft Überstunden. Da kann er sich auch mal was Privates leisten …«, meinte er unsicher. Man sah ihm das schlechte Gewissen an.
»Ich weiß«, unterbrach ihn Jarosch. »Wann genau ist er hier abgefahren?«
Bedrückt schüttelte Erler den Kopf. »Keine Ahnung … Ja, hier läuft manches nicht so, wie es die Vorschriften verlangen. Deren Erfinder brauchen sich nämlich nicht mit den Leuten und einem verlotterten Ferienobjekt herumzuschla-

gen! Da ist ein Mann wie der Reinhold einfach Gold wert, selbst wenn er sich mal in ein undurchsichtiges Geschäft einlässt. Oder eben in diese Weibergeschichten … Womit habt ihr ihn denn in Verdacht?«

»Erzähle mir mal von diesen Geschäften«, forderte Jarosch nicht unfreundlich.

»Ich kümmere mich nicht darum!« Erlers zunehmende Erregung ließ das Gegenteil vermuten. »Da kommen öfter mal welche zu ihm und bringen was. Oder holen was ab. Was weiß ich. Er kennt ja Hinz und Kunz im ganzen Kreis. Vielleicht ist überhaupt nichts Unrechtes dabei. Er handelt eben gerne mit irgendwelchen Sachen …«

»Womit im Einzelnen?«

»Wenn du mich fragst …« Erler nahm die Brille ab und blinzelte wie geblendet. Jarosch war nicht sicher, ob das ein vertrauliches Zwinkern sein sollte. »Es ist einfacher zu fragen: womit nicht. Von der Bohrmaschine bis zum antiken Hakenpflug besorgt der alles. Sogar Fotopapier für das Ferienlager und Gabern für die Küche.«

Jarosch benötigte einen Augenblick, um Gabern als Kapern zu identifizieren. Er hatte nicht gewusst, dass die schwer zu beschaffen waren. »Na schön. Könnte er mit dieser Art von Handel in irgendwelche Schwierigkeiten geraten sein?«

»Mit euch?« Erler griente schlau. »Scheint so, wie?«

»Mit eventuellen Geschäftspartnern. Mit denen er sich an der Kiesgrube treffen wollte. Dort ist er nämlich angefahren worden, und es besteht die Möglichkeit, dass es nicht unabsichtlich geschah.«

»Mach keine Dinger!«, rief Erler aus. »Das klingt ja wie im Krimi.« Jaroschs Beruf kam ihm wohl zum Bewusstsein. »Ich meine: Wer sollte denn so was machen?«

»Genau das möchten wir herausfinden.«
Erler wiegte sein Haupt hin und her. »Da kann ich euch beim besten Willen nicht helfen. Ich treffe seine Besucher ja nur mal rein zufällig. Und wohin er fährt, das weiß ich nicht. Ich sage das mal so, wie es ist – auch wenn's nicht richtig ist. Das sehe ich ein.«
»Sie haben keine Ahnung, ob Ney sich irgendwo Feinde gemacht hat?«
Ganz mechanisch griff Erler nach seinen Zigaretten und zündete sich eine neue an. »Ich denke, Ney würde mit jedem fertigwerden. Mit dem ist wirklich nicht gut Kirschen essen, wenn ihm was nicht passt. Ich hab da meine Erfahrungen …« Er versank in Nachdenken. »Feinde ist ein starkes Wort«, sagte er schließlich. »Vielleicht war jemand einfach eifersüchtig?«
»Wer käme da in Frage?«
»Nu, die Lampe habe ich ihm nicht gehalten. Nur das eine oder andere kriegt man mit, ob man will oder nicht. Von den alleinstehenden Urlauberinnen hat sich noch keine direkt beschwert … Und die anderen …« Er hob die Schultern und schwieg.
»Was sagt seine Frau dazu?«
»Das ist eine so liebe Seele, die Ingrid. Die hat in dieser Ehe nichts zu melden. Vielleicht ist sie ganz froh, wenn sie mal 'n Schontag …« Er verstummte und setzte dann hinzu: »Das geht unsereins nun wirklich nichts an.«
»Unterhielt er mitunter auch länger währende Beziehungen?«
»Nicht hier im Objekt. Das kann ich versichern. Da hätte ich was gesagt. In der Kreisstadt soll er was mit einer gehabt haben, das weiß ich von den Fleischfahrern. Warte mal – Fahrlandt hieß die, soweit ich mich erinnere. Marina. Oder

Martina mit Vornamen. Schien dort nicht ganz unbekannt zu sein, die Dame. Und verheiratet war er ja auch schon mal, der Ney. Die Frau habe ich nicht mehr kennengelernt, aber die Küchenfrauen erzählen so manches von ihm, wenn die Ingrid nicht dabei ist.«
»Martina Fahrlandt? Ist das sicher?«
Erler winkte ab. »Das ist schon ein Weilchen her. Über den Sommer muss er irgendwo was anderes im Gebüsch gehabt haben, so oft wie der mit dem Wagen unterwegs war, und immer ziemlich feingemacht …« Er sah Jarosch treuherzig an. »Verstehst du, das bleibt aber vertraulich zwischen uns. Kein Wort darf die arme Ingrid erfahren!«
Jarosch nickte. Ihm fiel ein, dass er vergessen hatte, der Frau Neys Papiere zurückzugeben. Das ließ sich immer noch nachholen. Er war mit seinen Gedanken schon ein Stück weiter. Sicherheitshalber musste er sich Neys Golf noch einmal angucken. »Wer fährt denn hier einen Wartburg?«, erkundigte er sich.
»Einen Wartburg?« Erler dachte nach. »Gibt's natürlich etliche hier in der Gegend …«
»Einen Wartburg mit M+S-Reifen«, bekräftigte Jarosch.
»Die könnte man auf den Wegen hier gut gebrauchen. Aber jetzt im Sommer?«
»Kam irgendjemand von Neys Besuchern mit einem Wartburg?«
»Ist mir nicht aufgefallen. Welche Farbe denn?«
Wenn ich die wüsste, dachte Jarosch. »Niemand, der mit Ney zu tun hat?«, hakte er nach.
Allmählich verlor Erler die Lust, Fragen zu beantworten. »Ich fahre 'n Lada, falls euch das auch interessiert«, sagte er grämlich. »Einen mit ziemlichen Rostschäden.«

»Danke.« Jarosch stand auf. Er hatte sich hier lange genug aufgehalten. Martina Fahrlandt – das war eventuell eine Spur. Vielleicht musste man auch die beiden Gornaer Täter hören, die noch in Untersuchungshaft saßen. Am wichtigsten aber war, ob Strelczyk etwas herausgefunden hatte.
»Willst du nicht was essen?«, fragte Erler versöhnlich. »Wir haben reichlich. Die meisten Urlauber sind bei dem Wetter vorzeitig abgereist.«
»Danke«, entgegnete Jarosch bedauernd. »Ich habe noch ein bisschen was zu tun heute Abend.«
Aber dann überlegte er es sich doch. Er wusste nicht, wann er wieder dazu kommen würde, etwas zu essen.
Während ihm der Heimleiter gastfreundlich Haustee aus einer bauchigen Kanne nachschenkte und Jarosch sich über das zweite Kotelett hermachte, erkundigte er sich beiläufig: »Wie lange fährt Ney eigentlich schon seinen Golf?«
»Seit drei, vier Jahren, würde ich schätzen.«
»Und vorher?«
»Da hatte er einen alten Moskwitsch. Viel Freude hat er daran nicht gehabt. Der stand mehr, als er fuhr.«
Jarosch kaute gedankenvoll. Die Abdrücke dieser Winterreifen gingen ihm nicht aus dem Kopf.

18

Das Krankenhaus lag, wie in der einschlägigen Fernsehserie, am Rande der Stadt. Und ein bisschen fühlte sich Oberleutnant Werner Jarosch an Fernsehkulissen erinnert, als er durch die langen Flure des alten Backsteinbaus schritt.
Die Auskünfte, die er erhielt, klangen nicht gut. Eine Be-

ckenfraktur und eine des rechten Wadenbeins – diese erste Diagnose hatte sich bestätigt. Die junge Ärztin machte ein bedenkliches Gesicht, als sie Neys unnatürlich weißes Bein berührte und anhob, ohne dass der wie tot Daliegende eine Reaktion zeigte. »Das sieht nach einer traumatischen Rückenmarksschädigung im Bereich der oberen Lendenwirbel aus.«

Unwillkürlich fuhr Jarosch das wie ein Stich bis in die Wirbelsäule. Er war froh, als er wieder auf dem düsteren Gang stand.

»Er trug übrigens ein offenes Messer in der Jackentasche«, sagte die Ärztin. »Können Sie sich das erklären?«

Jarosch ließ es sich zeigen: ein stabiles Taschenmesser mit breiter Klinge und hölzernem Griff. In der Hand eines kräftigen und entschlossenen Mannes konnte das eine gefährliche Waffe sein. Ney hatte also eine Gefahr auf sich zukommen sehen. Wer trug sonst ein offenes Messer in der Tasche? Er nahm das Messer an sich. »Die anderen Sachen haben wir der Frau übergeben«, sagte die Ärztin, fand dann aber doch noch Fahrzeugschlüssel und Neys schmutzige Schuhe. Jarosch verstaute sie in einer Plastetüte.

Auf dem Rückweg zu seinem Wagen ging er an der Telefonzentrale vorbei. Dort musste am Morgen die Meldung über den Unfall aufgenommen worden sein. Um 9 Uhr 37, wie die Eintragung nachwies. Die Kollegin, die den Anruf entgegengenommen hatte, war noch immer im Dienst. Sie erinnerte sich genau. »Er hat aufgelegt, als ich noch mal nachfragte«, sagte sie. »Eine normale Männerstimme. Nicht alt, würde ich denken.«

»Besitzen Sie keine Aufzeichnungen aller ankommenden Meldungen?«

»Das Gerät ist meistens nicht in Ordnung …«, entschuldigte sie sich.
Also nichts. Jarosch knallte die Tür seines Dienstwagens zu und fuhr ins Amt. Im Keller empfing ihn Strelczyk in seiner üblichen Art. »Du kannst es wohl gar nicht erwarten, wie?«
Jarosch legte ihm die Tüte mit den Schuhen auf den Tisch.
»Schuhe auf dem Tisch geben Ärger. Weißt du das nicht?« Strelczyk klang nicht ganz so bärbeißig wie sonst, nur ein bisschen spöttisch.
»Ich habe auch eine Mutter, die solche Sprüche drauf hat«, sagte Jarosch. »Und Ärger sowieso genug.«
Strelczyk griente überlegen. »Dann werde ich dich mal ein wenig erfreuen, mein Lieber. Du hast recht behalten.«
Mit trockenem Mund wartete Jarosch auf eine nähere Erklärung.
»Hat's dir die Sprache verschlagen? Die Reifen sind mit denen von Bartz identisch. Profil P einunddreißig, veraltet, aber leicht erkennbar an den aufgelockerten z-förmigen Profilblöcken. Scheint außerdem seitdem nicht viel gerollt zu sein, der Wagen. Es stecken noch die gleichen Steinchen zwischen den Stollen.«
Jarosch schluckte. Endlich. Obwohl das Ergebnis nicht unerwartet kam, war er im Augenblick nicht in der Lage, alle Konsequenzen zu überschauen.
»Es ist ein Wartburg?«, fragte er.
Strelczyk sonnte sich in der Überlegenheit des Experten. »Kaum ein Zweifel möglich. Du brauchst ihn nur noch zu finden.«
»Darauf wäre ich jetzt nicht gekommen«, entgegnete Jarosch, dem Ironie eigentlich fremd war. »Und die Fußspuren?«

Strelczyk polterte: »Wenn man euch den kleinen Finger reicht! Ich hatte vor anderthalb Stunden Dienstschluss. Weißt du, wie lange du auf deine Expertise warten kannst, wenn wir den Vorgang zum Bezirk schicken?«
»Ich danke dir«, sagte Jarosch weich. »Du bist ein guter Mensch.«
Er ließ Strelczyk verwirrt zurück. Im Zimmer des Diensthabenden saß Willert und studierte eine Anzeige. »Suchst du was Bestimmtes?«, fragte er, weil Jarosch sich am Aktenschrank zu schaffen machte.
»Ich brauchte noch einmal die EDV-Listen der Wartburg-Besitzer.«
Willert, der etwas für Komik übrig hatte, sagte: »Da waren es nur noch viertausendeinhundertsechsundneunzig … Jedenfalls einer weniger. Es gibt da eine Verlustmeldung aus der Siedlung am ›Heidekrug‹. Hast du da nicht deine Hazienda?«
»In der Siedlung besteht ein Fahrverbot für Kraftfahrzeuge«, war alles, was Jarosch dazu im Augenblick einfiel.
»Dann solltest du dich vielleicht darum kümmern, wer es missachtet hat. Ich habe jedenfalls nichts ermitteln können.«
Jarosch hatte die Listen gefunden.
»Der Kraftfahrzeughalter ist ein gewisser Keibus. Ich glaube, der war früher mal Vorsitzender unseres Wohnbezirks.«
»Keibus?«, fragte Jarosch verblüfft. »Der ist doch tot!«
Herbert Keibus war auch der zweite Vorsitzende ihres Siedlervereins gewesen. Im Februar war er ganz plötzlich gestorben.
»Na eben«, sagte Willert. »Es war ja auch der Schwiegersohn, der den Diebstahl gemeldet hat.«
»Hatte der Wagen Winterreifen?«
Willert lachte ohne jede Spur von Humor. »Der stolze Erbe

kannte nicht mal das genaue Kennzeichen. Das musste ich erst bei der VK erfragen.«

Jarosch erinnerte sich, dass nach Keibus' Tod von unklaren Eigentumsverhältnissen an dem Bungalow die Rede gewesen war. Keibus hatte mit einer Frau zusammengelebt, ohne mit ihr verheiratet zu sein. Dass er einen PKW hinterlassen hatte, wusste Jarosch nicht. Er blätterte in der ermüdend langen Liste und fand endlich das Fahrzeug: ein saharafarbener Wartburg, sechs Jahre alt. Also ein echter Wertgegenstand für die Erben.

»Kümmert euch mal um den Wagen«, sagte er. Er hatte wahrlich andere Sorgen.

Willert sah ihn schräg an. »Die Fahndung ist raus«, sagte er.

In seinem Dienstzimmer legte Jarosch Neys Brieftasche, die Schlüssel und das Taschenmesser auf den Schreibtisch, nahm einen weißen Bogen aus dem Schubfach und schrieb mit seiner klobigen Schrift mitten auf das Blatt: REINHOLD NEY, Golf, Barkas (?). Links oben vermerkte er: Rogel u. a. (Gorna), und versah es ebenfalls mit einem Fragezeichen. Als er rechts den Namen Martina Fahrlandt aufschrieb, fiel ihm ein Lieblingszitat seines Vorgesetzten ein: Von tausend Bürgern werden im Laufe eines Jahres nur sieben straffällig. Statistisch gesehen.

So etwas vergaß man leicht, wenn sich plötzlich Einbrecher, Gewalttäter, potenzielle Hehler und eine abgeurteilte Scheckbetrügerin in trauter Gemeinsamkeit auf einem Blatt fanden. Der Mann mit dem offenen Messer in der Tasche – war er wirklich die Zentralfigur? Und wem gehörte der Wartburg?

Der Oberleutnant schlug die Brieftasche auf. Neys Dokumente lagen lose darin, zusammen mit dem unbeschrifteten Umschlag. Vorsichtig zog er die Karte heraus, die darin steckte. Im ersten Augenblick war er enttäuscht. Ein pornographisches Foto. Mehr nicht. Ein schnurrbärtiger junger Mann, der sich in eindeutiger Haltung über eine Frau beugte, deren Gesicht nicht zu erkennen war. Jarosch hatte derlei Aufnahmen schon viel deutlicher und in Farbe gesehen. Es musste einen Grund geben, weshalb Ney ausgerechnet diese grobkörnige Amateuraufnahme in seiner Brieftasche mit sich herumtrug.

Er schob das Foto dichter unter die Tischlampe. Der Mann ließ sich wahrscheinlich leicht identifizieren. Der Körper der Frau war von einer unscharfen Linie im Vordergrund begrenzt, ihr Gesicht abgewandt. Soweit Jarosch etwas vom Fotografieren verstand, handelte es sich um eine Aufnahme mit einem Teleobjektiv. Der Hintergrund ging in diffuses Grau über. Nur rechts von den beiden Personen war der grasbewachsene Boden scharf abgebildet. Darüber weißer Himmel. Wahrlich kein Meisterfoto.

Jarosch brauchte eine ganze Weile, bis ihm klarwurde, was ihm auf dem Bild so vertraut erschien. Und je länger er es anguckte, um so sicherer wurde er, dass es in der Bodenmulde oben über dem Kiessee aufgenommen worden war. Der Fotograf musste sich am Waldrand verborgen haben, dem Aufnahmewinkel nach sogar auf einem Baum. Wie mochte das Bild in Neys Besitz gekommen sein? War er selber der Fotograf? Hatte ihn der Mann interessiert oder die Frau? Konnte es sich um Martina Fahrlandt handeln? Und war der Mann vielleicht der Wartburg-Fahrer?

Kurz entschlossen räumte Jarosch die Gegenstände auf seinem Schreibtisch zusammen. Es war noch nicht zu spät, Frau Fahrlandt einen Besuch abzustatten, um etwas über ihre Beziehungen zu Ney zu erfahren.

Dass es solche Beziehungen gegeben hatte, bestritt die Frau nicht, nachdem sie sich vom ersten Schreck erholt und den ungebetenen Besucher mit spürbarem Widerstreben in ihre unaufgeräumte Küche geführt hatte.
Ihr Schreck rührte vor allem von der Vermutung her, der Oberleutnant sei gekommen, um ihr den Termin für den Haftantritt mitzuteilen oder sie wegen der noch ausstehenden Schadensersatzzahlungen zur Verantwortung zu ziehen. Die Geldstrafe hatte sie mit Ach und Krach zum Termin bezahlt, woher aber sollte sie die noch offenen zweitausendvierhundert Mark nehmen, ohne wieder …
Verstand das dieser Klotz von einem Polizisten nicht? Von ihrer Familie hatte sie nichts zu erwarten; die hatten sich schon von ihr abgewandt, als sie damals mit dem unehelichen Kind angekommen war. Und Bekannte? Da konnte sie nur glockenhell auflachen! Wer pumpte denn einer alleinstehenden Mutter Geld, noch dazu, wo jetzt jeder wusste, dass sie demnächst einrücken musste. Und den guten Job in der Expedition beim Fleischkombinat, den war sie auch los. Zur Etikettierung hatte man sie versetzt. So sah die Hilfe für eine Gestrauchelte aus!
Für eine einmal Gestrauchelte sagte sie nicht, weil sie wohl mit Recht vermutete, dass Jarosch ihre Akte gut genug im Gedächtnis hatte. Und ihr Neuer, der Paul, der besaß selber nichts. So weit ging die Liebe nicht, dass der ihre Schulden übernahm. Der hatte mit sich zu tun und mit den Alimenten für seine Gören.
Ja, er arbeitete auch im Fleischkombinat, der Paul. Als Kraftfahrer. Und vorbestraft war er auch. Da gab es nichts zu verheimlichen. Das kriegte die Kripo ja sowieso raus, wenn der Oberleutnant es nicht schon wusste und nur so harmlos

tat, um auf den Busch zu klopfen. Körperverletzung und Rowdytum. Das musste Jahre zurückliegen. Der Paul war da noch jung gewesen.
An diesem Punkt hatte Jarosch aufgehorcht. Fleischfahrer im Kombinat, da war auch einiges gelaufen, vor Jahren. Nur ohne diesen Paul, wie es schien. Aber Körperverletzung. Und Kraftfahrer war der Paul. Besaß er einen eigenen Wagen?
Ja, eine Pappe, bestätigte die Frau, nicht gerade begeistert, dreizehn Jahre alt, und man darf nur noch vorsichtig einsteigen.
Ob denn der Paul auch den Reinhold Ney kenne?
Die Frau, deren Gesicht hinter grenzenlosem Missmut durchaus Reste einstiger Schönheit aufwies, nur eben von den untrüglichen Spuren überlagert, die Alkohol und Nikotin nun einmal hinterlassen, zündete sich die nächste Zigarette an. An Ney wollte sie sich nur ungern erinnern. Der Paul kannte ihn nicht. Nahm sie jedenfalls an. Sie sagte das so zögernd, als wäre ihr selber klar, dass aus einer näheren Bekanntschaft der beiden nichts Gutes erwachsen konnte.
Natürlich wusste Paul von ihrer Geschichte mit Ney. Für so was sorgten schon die lieben Kollegen. Oder die Nachbarn, obwohl sie ja hier in dieser baufälligen Bude über dem Seifenkonsum in einer der Altstadtgassen beinahe alleine mit ihrem Jungen hauste. Vielleicht stand ihr endlich eine bessere Wohnung zu, wenn sie wieder rauskam. Andererseits war das mit Ney der Schnee vom vergangenen Jahr. Aus und vorbei. Lohnte sich sowieso nicht, mit einem Verheirateten was anzufangen. Sie wusste es aus schlechter Erfahrung. Deshalb wuchs der Junge ohne Vater auf. Das war auch so einer gewesen. Wie der Ney. Bloß mal vorbeikommen, wenn

ihm so war, und dann hopp, hopp ins Bett oder auch nicht, wenn die Zeit nicht langte. Na schön, der Reinhold, der hatte meistens Zeit mitgebracht. Brauchte man ja auch für seine Sonderwünsche …

Zum ersten Mal veränderte sich ihr Gesichtsausdruck. Forschend guckte sie den Oberleutnant an, wie um zu erfahren, was der von ihrer Offenheit hielt. Der äußerte sich nicht dazu, obwohl es ihm keineswegs besonders angenehm war, sich von dieser Frau über ein solches Thema aufklären zu lassen. Sie merkte das und schien es umso mehr darauf anzulegen. Ein ganz besonderer Typ sei der Ney gewesen. So was habe noch keiner von ihr verlangt, und sie sei gewiss nicht von gestern. Mit schwarzen Stiefeln und allerlei anderen Sachen. Nun ja, die von der Kripo seien ja wohl erfahrene Leute, und er könne sich sicher vorstellen … Auf die Dauer war ihr das jedenfalls nichts, und einmal sei der Junge dazugekommen, und so habe sie dann eines Tages endgültig Schluss gemacht mit Ney, auch wenn der noch so viel Geld hatte.

Jarosch spielte den Erstaunten. »Verdiente der so gut?«

Sie hob vielsagend die Schultern und sog an ihrer gerade angezündeten Zigarette, als sei es ihre letzte. »Der hing doch überall drin. Mit den Fleischleuten hat er wohl früher auch mal Geschäfte gemacht, lange vor meiner Zeit. Aber am meisten verdient er mit dem Trödel, den er den Bauern abschwatzt. Altes Pferdegeschirr samt Kumt. Wagenräder und Kutschlaternen.« Sie zögerte, als fürchte sie, jemand könnte ihr das einzige Schmuckstück ihrer kärglichen Kücheneinrichtung rauben. Dann wies sie doch auf das blaulackierte Schränkchen mit dem Löffelbord. »Das hat er mir mal geschenkt. Nachher wollte er es am liebsten wiederhaben, weil ich es angeblich nicht zu würdigen wüsste!«

Ihr spöttisches Lachen ging in Husten über.
Werner Jarosch hatte genug von dem Mief in der ungelüfteten Küche und von dieser Frau, die ihm schon während der Vernehmungen in ihrer Scheckaffäre auf die Nerven gegangen war.
»Hat Ney Sie mal mitgenommen in die Gegend von Kuschwitz?«, fragte er.
»Wie kommen Sie denn darauf? Der hatte doch Schiss, mit mir gesehen zu werden!«
»Kennen Sie den Kiessee?«
»Was für 'n Kiessee? Ich kann nicht mal richtig schwimmen.«
Jarosch zog den Umschlag aus seiner Innentasche. Das Foto schob er sorgsam so, dass nur der Kopf des Mannes im Kuvertausschnitt zu sehen war. »Ist Ihnen dieser Mann bekannt?«
Sie schüttelte den Kopf und hustete. »Nie gesehen. Hat der was mit Ney zu tun?«
»Das frage ich Sie.«
Sie dachte nach. »Einmal, da hatte er so einen jungen Burschen im Auto. Mit dem hat er über Spinnräder und so was geredet. Aber der hat gar nicht zugehört, weil er unentwegt nur mich angeglotzt hat, der Laffe.«
»Würden Sie ihn wiedererkennen, diesen – Laffen?«
»Na sicher«, sagte sie, bekam jedoch plötzlich einen Schreck vor der eigenen Courage. »Ich weiß nicht … Der sah irgendwie – gefährlich aus. Finster, mit so ganz kurzen Haaren …«
Nun begehrte sie auf. »Was soll diese Fragerei? Wenn Sie was von dem Ney wollen, dann quetschen Sie ihn gefälligst selber aus und fallen nicht einer – alleinstehenden Frau ins Haus!« Sie hatte wohl unbescholtenen Frau sagen wollen und das gerade noch verschluckt. Weitere Auskünfte wollte

sie nicht mehr geben, wo sie ja nachgewiesenermaßen seit Monaten nichts mehr mit Ney hatte und nie wieder was mit ihm haben würde. Mit so einem nicht! Jetzt, wo es ihr schlecht ging und sie dringend Geld benötigte, da hatte der ihr glatt jede Hilfe verweigert. Mit dem war sie fertig.
»Wann ist das gewesen, mit dem Geld?«, wollte Jarosch wissen.
Im Juni schon, erfuhr er, aber da hatte der Ney wahrscheinlich längst wieder ein anderes Pferdchen am Laufen gehabt, der alte Bock, der, und sie einfach ausgelacht in ihrer Not. Nein, dem Paul hatte sie vorsichtshalber nichts von diesem vergeblichen Versuch erzählt, sonst hätte den womöglich noch die Eifersucht gepackt. Wie die Kerle eben in solchen Dingen sind, besonders wenn gar kein Grund vorliegt. Denn auf eine Gegenleistung hätte der Ney bei ihr vergebens gewartet. So eine sei sie nicht; sie wisse, was sie ihrem Paul schuldig sei, und der wäre überhaupt ein ganz anderer Mensch als dieser fischige Ney mit seinen schweinischen Heften, die er ihr ins Haus schleppte, bis der Junge eins gefunden und in die Schule mitgenommen hatte …
Neys Ehe? Davon wusste sie nicht viel. Die Frau war so ein Puttchen mit Konsum-Frisur, wie das auf dem Dorf üblich ist. Und entsprechend gekleidet. Einmal war sie dem Ehepaar hier in der Stadt begegnet. Ney hatte es fertiggebracht, den Bekotzten zu spielen und glatt durch sie hindurchzugucken, als hätte er nicht am Nachmittag zuvor noch mit ihr … Nun ja, Neys Angetraute war selber schuld, wenn sie es mit so einem aushielt. Genau wie die arme Negerin in diesem amerikanischen Film. Ob Jarosch den schon gesehen habe …?
Jarosch hatte. Aber das gehörte wahrlich nicht zu den Themen, die er mit Frau Fahrlandt diskutieren wollte. Deren

Redseligkeit nahm allmählich anstrengende Formen an. Zwischendurch war sie mal aus der Küche gehuscht, um nach dem Jungen zu sehen, und sie atmete ein wenig zurückhaltend, als sie sich wieder am Tisch niederließ. Jarosch roch den Alkohol.

Ney hatte gelegentlich erwähnt, dass er vor seiner jetzigen Ehe schon einmal verheiratet gewesen war. Wen wunderte das bei so einem, dem eine nie genügte. Vermutlich hatte der Ersten die Engelsgeduld gefehlt oder der Sinn fürs Ungewöhnliche. Sie war irgendwo nach dem Norden gezogen, diese Frau, soweit sie sich erinnerte, und studiert hat die auch, Ökonomie oder so was, was solche Frauen halt studierten, und das erklärt wohl hinreichend Neys Rochus auf studierte Weiber, sonst hätte er ja nichts erzählt von der und ihrem Seeoffizier, mit dem sie jetzt verheiratet war. Die Frau wollte eben zwischendurch auch mal ein bisschen Ruhe haben, das kann man schon verstehen. Die leitet inzwischen eine Wäscherei, hatte Ney erzählt. Auf die Alimente verzichtete sie zu dessen Leidwesen nicht, und der Seemann wollte die beiden Kinder anscheinend auch nicht adoptieren …

In diesem Augenblick schloss jemand die Wohnungstür auf. Ein vierschrötiger Mann mit dichtem weißgrauem Haar stapfte in die Küche. Wortlos maß er Jarosch mit einem Blick, der dem Oberleutnant zwar keine Furcht einflößte, ihn jedoch zu seinem üblichen Vorstellungszeremoniell veranlasste, um die Situation zu klären.

In Pauls Augen wandelte sich die blinde Eifersucht in die Normalform des Misstrauens. Eine weitere Erklärung forderte er nicht, blieb einfach vor dem gusseisernen Ausguss stehen, zog das Hemd über den Kopf und begann sich zu

waschen, als täte er das täglich unter den wachsamen Augen der Kriminalpolizei. Frau Fahrlandts Redefluss war versiegt. Jarosch verabschiedete sich.
»Waren Sie heute Vormittag mit dem Wagen unterwegs?«, fragte er Paul.
Der trocknete sich gewissenhaft ab und bequemte sich schließlich zu der Antwort: »Rinder aus Angermünde.«
»Danke.«
Paul folgte Jarosch auf den düsteren Treppenpodest, wo es durchdringend nach dem ungelöschten Kalk im Klo roch.
»Was ist los?«, fragte er rau. »Ich bin sauber, klar!«
»Das hoffe ich«, sagte Jarosch. »Wir untersuchen einen Verkehrsunfall, der sich heute Vormittag ereignet hat.«
Paul schien beruhigt, soweit sich das in dem spärlichen Licht erkennen ließ. »Bin als Beifahrer gefahren«, sagte er. »Keine Vorkommnisse an Bord.«
Werner Jarosch bemühte sich, die ausgetretenen Stufen hinunterzusteigen, ohne zu fallen. Das war gar nicht so einfach.

19

Ursprünglich hatte Jarosch beabsichtigt, den Kerchower ABV mit der Suche nach Erlers Barkas zu beauftragen. Da aber die Kiesgrube an seinem Weg lag, entschloss er sich, die Umgebung selber noch einmal genauer in Augenschein zu nehmen. Das Wetter war weitaus freundlicher als am Vortag. Auf dem letzten Wegstück überholte er zweimal Kinder auf ihren Fahrrädern, die zum Baden fuhren.
Ungefähr zweihundert Meter bevor der Zufahrtsweg sich in dem Geländeeinschnitt zum Kiessee senkte, bog rechts

eine Fahrspur ab. Jarosch folgte diesem ansteigenden Weg bis zum Waldrand hinauf, wo sich die Fahrzeugspuren zwischen den Bäumen verloren.

Der Oberleutnant parkte seinen Wagen und ging aufs Geratewohl weiter. Nach kaum fünfzig Metern stand er auf einer Lichtung vor dem gesuchten B 1000. Er schloss mit Neys Schlüsseln die Fahrertür auf und inspizierte den Wagen, ohne etwas Auffälliges zu entdecken. In der Seitentasche steckten neben allerlei Krimskrams das Heft mit den Tankschecks und das Fahrtenbuch. Er schlug es auf und verglich den Kilometerstand. Die letzte Eintragung war vier Tage alt. Ney war seitdem 123 Kilometer gefahren.

Sorgfältig verschloss er das Fahrzeug wieder und setzte seinen Weg quer durch den Wald fort, ungefähr in die Richtung, in die auch Ney gegangen sein musste. Die Stämme standen stellenweise dicht. Am Waldrand angekommen, versuchte er, sich zu orientieren. Der Hohlweg, zu dem er sich parallel bewegte, war von hier nicht einzusehen. Die Hügelkuppe lag dazwischen.

Jarosch beäugte die Bäume am Waldsaum, meist Birken, deren Äste erst in sechs, acht Metern Höhe ansetzten. Dazwischen aber wuchs eine mächtige alte Eiche, die ihr Astwerk bis dicht über den Boden ausbreitete. Er blickte sich um. Zu sehen war niemand. Also begann er, den Baum zu erklettern. Kein Problem für einen einigermaßen gewandten Mann, bis in die Krone vorzudringen. Jetzt vernahm er entferntes Kindergeschrei.

In eine Astgabel gelehnt, verschnaufte er sich. Er hatte sich nicht getäuscht. Von hier war die Landschaft weit zu überblicken. Nur das Wasser lag unsichtbar hinter der Abbruchkante, die zum Greifen nahe schien. Die Mulde hatte er di-

rekt im Blickfeld. Ohne Schwierigkeiten waren die Reste des Lagerfeuers mit bloßem Auge zu erkennen.
Er vergewisserte sich der Haltbarkeit der Astgabel und zog den Umschlag mit dem Foto aus der Tasche. Kein Zweifel, die Aufnahme war ungefähr aus diesem Blickwinkel geschossen worden. Befriedigt machte er sich an den Abstieg.
Das Wegstück zwischen der illegalen Badestelle am Kiesloch und dem Dorf Kuschwitz erwies sich als eine wahre Tortur für seinen Wagen. Zweimal hielt er an und stieg aus, nicht nur, weil ihm die Bodenwellen allzu gewaltig erschienen, sondern auch, um sich zu überzeugen, dass irgendwo immer das z-förmige Reifenprofil P 31 eingedrückt war.
Im Vorgarten des Pritzlaff'schen Gehöfts blühte eine Blumenpracht, die Ediths Entzücken hervorgerufen hätte. Der Oberleutnant stieg die drei ausgetretenen Stufen zur Tür empor und klopfte nachdrücklich. Während er auf die Geräusche im Hause achtete, reinigte er sorgfältig seine Schuhsohlen an dem in die Wand eingelassenen Stiefelkratzer.
Frau Pritzlaff erkannte ihn sofort wieder. »Ach, Sie sind es …«, sagte sie in ihrer gelassenen Art, die Jarosch schon bei seinem ersten Besuch beeindruckt hatte. Neben ihr tauchte ein etwa dreijähriges Kind in der Tür auf, winzig im Verhältnis zur Mutter, doch mit dem gleichen dunklen Teint wie sie.
»Geh spielen, Schätzchen. Wiebke ist im Hof.«
»Ich hätte Ihrem Mann gern ein paar Fragen gestellt.«
Sie ließ einige Zeit verstreichen, blickte an Jarosch vorbei die Dorfstraße hinunter, als würde sie ihren Mann jeden Augenblick aus dieser Richtung erwarten, erwiderte dann jedoch unbestimmt: »Der ist unterwegs …«
Jarosch nickte, ohne seine Enttäuschung zu zeigen. »Vielleicht

können Sie mir helfen.« Sie machte eine Handbewegung, die so etwas wie eine Einladung darstellte. »Haben Sie den Richtigen immer noch nicht gefunden?«, erkundigte sie sich.
Der große niedrige Wohnraum wirkte im Licht der Vormittagssonne noch freundlicher, als Jarosch ihn in Erinnerung hatte.
»Welchen Richtigen meinen Sie?«, fragte er.
Frau Pritzlaff räumte Spielzeug vom Tisch. »Das wissen Sie besser als ich«, sagte sie. Und nach einer langen Pause: »Das war jedenfalls ein sehr unerfreulicher Auftritt von diesem jungen Mann.«
Jarosch war daran gewöhnt, seine Gedanken bewusst zu verschlüsseln, bevor er sie aussprach. Wenn andere in Rätseln redeten, schätzte er das weniger.
»Welcher junge Mann?«
Sie war mit dem Aufräumen fertig. Ihr Gesicht hatte sich gerötet. »Er beschuldigte Rainer, seine Verlobte in Bartz überfallen zu haben.«
Fredo Bartus. Der war also hier gewesen. Es wurde immer verrückter. »Davon wusste ich nichts«, sagte Jarosch, ärgerlich auf sich selbst. Es war ein unentschuldbarer Fehler, dass Fredo bei der Gegenüberstellung zugegen gewesen war. »Deswegen bin ich nicht hier«, fügte er hinzu. Es schien ihm an der Zeit, sein Ziel direkt anzusteuern. »Ihnen ist ein gewisser Reinhold Ney bekannt.«
Frau Pritzlaff sah ihn an. »Ja«, sagte sie endlich, und mehr nicht.
Jarosch räusperte sich. Ihre Wortkargheit schlug ihm auf die Stimme.
»Herr Ney handelt gelegentlich mit allerlei alten Gegenständen, wie ich hörte.«

»Möglich«, sagte sie, als er schon keine Antwort mehr erwartete.
»Hat er Ihrem Mann manchmal etwas angeboten?«
Wieder antwortete sie nicht sofort. Dann aber sagte sie kühl: »Mein Mann hat ihm etwas angeboten, aber was ganz anderes. Deswegen sind Sie ja wohl hier. Oder?«
Da nun Jarosch schwieg, sie nur fragend anblickte, fuhr sie nach einer neuerlichen Pause fort: »Ja, es hat Streit gegeben. Jeder im Dorf weiß das.«
»Kann man erfahren, worum es dabei ging?«
»Das wissen Sie so gut wie ich. Sonst wären Sie kaum hier.«
An Temperament mangelt es ihr bei aller Gelassenheit nicht, dachte Jarosch. Was sie dann sagte, überraschte ihn doch.
»Es ist ein absoluter Witz, meinen Mann für einen Sittlichkeitsverbrecher zu halten! Ich kenne seine sexuellen Bedürfnisse. Wir sprechen offen über solche Dinge. Und wir reden nicht nur darüber, falls Sie das interessiert. Rainer hat es nicht nötig, irgendein Mädchen im Dunkeln anzufallen.«
Jarosch schaute sie nicht ohne Bewunderung an. Er mochte es, wenn die Menschen sagten, was sie dachten. So etwas klärte allemal die Atmosphäre. Er allerdings hatte gelernt, sich zurückzuhalten. »Frau Pritzlaff«, sagte er deshalb ganz ruhig, »die damalige Befragung Ihres Mannes und unser heutiges Gespräch stehen in keinem unmittelbaren Zusammenhang. Mich interessiert gegenwärtig lediglich der Grund oder auch der Anlass für die Kontroverse zwischen Ihrem Mann und Herrn Ney.«
»Na eben«, sagte sie lakonisch.
Ganz sanft versuchte es Jarosch noch einmal.
»Also, worum ging der Streit?«
Sie verstand nicht, dass er das noch immer nicht begriffen

hatte. »Um mich«, sagte sie. »Oder vielmehr darum, dass dieser Ney glaubte, sich auch mir gegenüber Freiheiten herausnehmen zu dürfen, wie er das offensichtlich bei anderen Frauen gewöhnt ist.« Jarosch nickte nur. »Das ist ein absolut fieser Kerl!«, setzte sie mit Entschiedenheit hinzu. Sie sah nicht aus wie eine Frau, die ein Urteil voreilig aussprach.

»Ich verstehe. Deshalb also hat sich Ihr Mann mit Ney geschlagen.«

Sie schien nicht aufgelegt, sich näher zu erklären.

Jarosch blieb nichts anderes übrig, als es hartnäckig mit einem neuen Anlauf zu versuchen. »Es gab also eine Auseinandersetzung. Wann und wo war das?«

»Da, wo man Leute wie diesen Ney antrifft: in der Kneipe. Rainer wollte Rotwein kaufen. Ney saß dort herum. Also hat er ihn zur Rede gestellt.« Damit war sie fertig.

»Und?«, fragte Jarosch trotzdem.

»Sie haben sich nicht geschlagen. Rainer kam nur fuchsteufelswild zurück. Das will bei ihm etwas bedeuten.«

»Sie könnten sich möglicherweise auch aus anderen Gründen gestritten haben«, gab Jarosch zu bedenken.

Wieder verging geraume Zeit, bis sie sprach. Die Pausen machten das Gespräch anstrengend.

»Ney hat meinem Mann empfohlen, sich besser darum zu kümmern, ob wenigstens die anderen Kinder von ihm sind.« Und da Jarosch das nicht verstand, fügte sie schließlich hinzu: »Den Lars habe ich mit in die Ehe gebracht.«

»Das erklärt, weshalb Ihr Mann wütend war.«

»Lars weiß, dass Rainer nicht sein Vater ist. Er will das gar nicht wahrhaben.« Sie wurde ein bisschen lebhafter. »Die beiden sind die besten Freunde. Wenn Rainer nicht so geduldig wäre – vermutlich wäre Lars nicht einmal schulfähig.«

»Er geht in Kerchow zur Schule?«
»Ja. Er ist sogar versetzt worden. In die vierte Klasse. Er ist kein Kind wie andere. Und nur durch meine Schuld. Ich habe mich im ersten Jahr überhaupt nicht um ihn gekümmert. Ich wollte ihn nicht haben …«
Sie stand am Fenster und sah hinaus, als hätte sie ihren Besucher vergessen.
»Mit meiner Tochter gibt es auch Probleme in der Schule«, sagte Jarosch, »und wir haben uns immer um sie gekümmert.«
Frau Pritzlaff schwieg.
»Würden Sie mir erzählen, was für eine Art Erfahrung das war, die Sie mit Ney machen mussten? Oder fällt es Ihnen schwer, darüber zu sprechen?«
Sie hob die Schultern. »Überhaupt nicht. Ich war abends mit dem Rad unterwegs zu einer Freundin, zwei Dörfer von hier entfernt. Er überholte mich mit seinem Wagen und versperrte mir den Weg.«
Ihrer Gewohnheit entsprechend, legte sie eine Pause ein. Jarosch nutzte die Zeit. »Was für ein Wagen war das?«, fragte er.
Sie überlegte. »Ich weiß nicht. Wenn ich ihn im Dorf sehe, fährt er so eine Art Bus. Aber das war ein PKW. Irgendein dunkles Auto. Kein Trabant.«
»Eventuell ein weinroter Wagen?«
»Möglich …«, sagte sie zweifelnd.
Im Augenblick wollte er nicht darauf herumreiten. »Was geschah dann, Frau Pritzlaff?«
»Das war's schon. Er stieg aus und glaubte, eine von seinen Anzüglichkeiten loswerden zu müssen.« Sie blickte Jarosch an. »Nun gucken Sie nicht so! Er machte mir ein sehr eindeutiges Angebot. In der Art, wie es zu ihm passt. Weiter nichts. Und wenn mein Mann daraus schlussfolgert, Ney

wäre Ihr gesuchter Sittlichkeitsverbrecher, dann ist das eine fixe Idee von ihm.«

Jarosch ließ sich nicht anmerken, wie stark ihn diese Wendung des Gesprächs berührte. »Abgesehen von diesem persönlichen Erlebnis – hat Ihr Mann noch andere Anhaltspunkte, die eine solche Annahme begründen würden?«

»Ich sage Ihnen doch: Das ist seine fixe Idee, seit Sie ihn damals verhört haben.«

»Es handelte sich um eine Befragung«, stellte Jarosch richtig. Das Wort Verhör war nicht aus den Köpfen zu bringen. Aber sagte er nicht selber Pfund, wenn er ein halbes Kilogramm meinte?

»Wie ging die Angelegenheit zwischen Ihnen und Ney an jenem Abend zu Ende?«

»Ich habe gesagt: Sie sind ein alter Drecksack, Herr Ney! Es schien ihn am meisten zu schocken, dass ich ihn erkannt hatte. Er ist in sein Auto gestiegen und hat sich davongemacht.«

»Sie kannten ihn schon länger?«

»Mein Mann hat ihn mir mal gezeigt: Das ist der Kerl, der den Bauern Hausrat für einen Apfel und ein Ei abschwindelt.«

»Demnach hat Ihr Mann mehrere Gründe, Zorn auf Ney zu empfinden.«

»Mein Gott, Zorn.« Sie lächelte und sah plötzlich sehr jung aus. »Sie kennen Rainer nicht. Er würde diesen Ney nicht einmal mit der Kohlenzange anfassen.« Und wieder legte sie eine der Pausen ein, die dem Gespräch die besondere Note gaben. Jarosch gewöhnte sich langsam daran.

»Wann treffe ich Ihren Mann mit einiger Sicherheit hier an?«, erkundigte er sich.

»Er zeltet mit dem Jungen in Mecklenburg. Irgendwo in der Gegend von Neustrelitz.«

Jarosch schüttelte sich. »Mit dem Zelt? Die Nächte sind schon reichlich kühl.«
»Ein Freund von ihm leitet ein Ferienheim. Ich hoffe, die beiden sind bei ihm untergekrochen.«
»Wann sind sie gefahren?«
»Gestern früh, gleich nach acht.« Frau Pritzlaff war jetzt ganz unbefangen. »Es sind ja nur noch drei, vier Tage. Lars wollte unbedingt los, obwohl es regnete.«
»Und Sie selbst waren gestern Vormittag zu Hause?«
»Natürlich. Wo sollte ich bei dem Wetter sonst sein?«
»Ist Ihnen ein Fahrzeug aufgefallen, das hier vorbeikam?«
»Vom Kiesloch her?« Sie schüttelte den Kopf. »Höchstens ein Traktor. Der Weg ist nicht befahrbar.«
»Ich bin auch von dort gekommen«, wandte Jarosch ein.
Sie guckte aus dem Fenster. »Sie haben recht«, sagte sie ruhig. »Es muss so nach neun gewesen sein, da fuhr hier jemand ziemlich hastig durch.«
»Können Sie sich an den Typ und die Farbe des Wagens erinnern?«, fragte Jarosch, ohne etwas von seiner Spannung zu verraten.
Sie starrte nach draußen, als könnte sie sich beim Anblick der holprigen Straße besser erinnern. »Der Fahrer trug eine Pudelmütze.«
»Eine Pudelmütze? Sind Sie sicher?«
»Ja«, beharrte sie. »Es sah merkwürdig aus.«
Jarosch ließ sich die Person im Auto mehrmals beschreiben, die angeblich tief über das Lenkrad gebeugt und mit abgewandtem Gesicht schnell vorbeigefahren war. Die Haltung hatte verkrampft und wohl auch wegen der Pudelmütze ein bisschen lächerlich gewirkt. Deshalb war ihr das überhaupt im Gedächtnis geblieben. Ein blauer Wartburg.

Oder braun. Wahrscheinlich eher braun. Auf das Kennzeichen hatte sie nicht geachtet, nicht einmal auf den ersten Buchstaben, der den Bezirk verriet. Ein Fremder, hatte sie jedenfalls gedacht und sich keine weiteren Gedanken gemacht. Kein Ortskundiger würde in dem Tempo den schlechten Weg befahren.
Jarosch holte aus seiner Tasche den Umschlag mit dem Foto aus Neys Brieftasche und rückte das Gesicht des Mannes in den Kuvertausschnitt. »Kennen Sie diese Person?«
»Möglich«, gab sie zu. »Wahrscheinlich habe ich ihn schon mal gesehen. Haben Sie kein besseres Foto?«
»In dem Wagen saß er nicht?«
Sie schüttelte den Kopf.
Jarosch schob den Umschlag in die Tasche zurück. »Ihr Mann fährt ebenfalls einen Wartburg.«
Sie stimmte sofort zu. »Deshalb habe ich den Wagen ja erkannt. Ich interessiere mich nicht für Autotypen.«
Er stand auf und bedankte sich. »Sie selbst haben keinen Führerschein?«, fragte er im Flur.
»Ich fahre nicht mal gerne mit.« Und dann, schon in der Haustür, fragte sie: »Wäre es nicht eine Geste der Höflichkeit, mir wenigstens mitzuteilen, worum es eigentlich geht?«
An derlei Vorwürfe war Jarosch gewöhnt. Er sprach dennoch nicht von der Klärung eines Sachverhalts, sondern sagte schlicht: »Ney hatte einen Unfall. Haben Sie nichts davon gehört?«
»Ich glaube nicht, dass es mich interessiert hätte.« Sie kam einige Schritte hinter ihm her. »Ist er tot?«
Diesmal machte Jarosch eine Pause. »Ich hoffe, dass er mir spätestens morgen sagen wird, wie und durch wen es zu diesem Unfall kam.«

Sie stand in der Gartenpforte und beobachtete ihn, wie er den Wegrand nach Abdrücken absuchte, bevor er in seinen Wagen stieg und die Scheibe herunterkurbelte.
»Wenn ich mit dem verheiratet wäre«, sagte sie laut in ihrem gelassenen Tonfall, der ihm allmählich gefiel, »dem hätte ich schon längst den Scheitel mit dem Beil nachgezogen …«
Für wie viele Überraschungen war sie noch gut? Jarosch fiel ein, sich nach der Adresse des Ferienheims bei Neustrelitz zu erkundigen.
»Ich glaube, es heißt Brückenthin. Aber ob Rainer wirklich dort ist …«
Der Oberleutnant ließ den Motor an und winkte ihr freundlich zu. Um die Hausecke bogen zwei Kinder mit einem Wägelchen.

20

Obwohl noch Ferien waren und damit die Schule als wichtigste Informationsquelle ausschied, war die Nachricht von Reinhold Neys Unfall schnell zu Schildhauers gedrungen. Margot Stachowiak hatte bei ihnen geklingelt, wie sie es manchmal tat, wenn es etwas Wichtiges mitzuteilen gab. Und ein Verkehrsunfall mit Fahrerflucht war eine kleine Sensation. Noch dazu, wenn es sich bei dem Opfer um jemanden handelte, mit dem sie selber einmal gut bekannt gewesen war. Unter Arnes Blick hatte sie auf weitere Ausführungen verzichtet und war mit der Neuigkeit zum nächsten Nachbarn gezogen, während Swetlana wie starr in der Garagentür verharrte. Sie war gerade zurückgekehrt, hatte das Auto mit den üblichen Schwierigkeiten in die schmale Garageneinfahrt manövriert, und wartete nun, was Arne sagen würde. Der aber wandte sich achselzuckend ab und ging ins Haus, als sei nichts Besonderes geschehen.

Lange hatte Swetlana gezögert, ihm zu folgen. Sie fürchtete, er würde ihr etwas anmerken. Als sie endlich glaubte, ihre Selbstbeherrschung einigermaßen wiedergefunden zu haben, war er längst oben bei seinen Fischen und Mineralien. Er tauchte erst im Schlafzimmer auf, als sie gerade ihre Nachttischlampe gelöscht hatte.

War's schön in Sanssouci? Das war alles, was er gefragt hatte, wobei er sie zart auf die Stirn küsste und ihre abwehrend gegen seine Schulter gelegte Hand richtig deutete. Er musste sogar im Dunkeln spüren, wie verstört sie war.

Die Fahrt nach Potsdam hatte sie sich seit langem vorgenommen. Nie hatte Arnes Zeit gereicht. So war sie an diesem kühlen Augustmorgen alleine aufgebrochen, entschlossen, sich vom Regen nicht den Genuss verderben zu lassen. Sie musste einfach mal etwas anderes sehen als die Kerchower Feldmark.

Je näher sie der Autobahn kam, umso mehr verstärkten sich ihre Zweifel. Wie sollte sie in ihrer Situation in Filzpantoffeln durch die prächtigen Gemächer rutschen, während ihr die fünftausend Mark nicht aus dem Sinn gingen. Musste sie nicht alles unternehmen, um das Geld aufzutreiben?

Sie bog nach Süden ab, als sie die Autobahn erreichte. Es herrschte reger Verkehr. Die Leute kehrten aus dem Urlaub heim. Sie fühlte sich unsicher, weil sie zu selten fuhr und weil der Gedanke an ihr Vorhaben sie beunruhigte. Arne hatte ihr diesmal das Auto ohne weitere Fragen überlassen, sie nur davor gewarnt, sich an einem Ferientag ins Berliner Stadtzentrum zu wagen. Das hatte sie ohnehin nicht vorge-

habt. Die Beziehungen zu Nicki hatten mehr gelitten, als sie sich eingestehen wollte.
Sie vereinsamte. Keine Frage. Wer blieb ihr denn? Carsten Ederlein war noch einmal nach Oelsnitz gereist, um die letzten Vorbereitungen für den Umzug seiner Silke zu treffen, für die sich eine Stellung im Büro gefunden hatte. Mit Arnes Unterstützung. Sollten sie glücklich miteinander werden. Swetlana empfand keinen Groll gegen Carsten und seine Verlobte. Sie war fertig mit ihm. Im Guten. Er sah es wohl auch so. Es gelang ihnen beiden, sich ganz unbefangen zu grüßen. Sie hatte sogar gewagt, ihn im Lehrerzimmer, unter den Augen aller, im Vorbeigehen ungezwungen an der Schulter zu berühren und einen Scherz über seine Frisur zu machen. Nicht einmal Elfriede Rosner hätte da etwas Verdächtiges bemerken können, oder Hannelore Griebenow.
Zwar hatte Carsten sie fragend angesehen, als sie sich dann gegenübersaßen, sie aber hatte ihm beruhigend zugeblinzelt. Wozu ihn in Panik versetzen. Sie versuchte, so ausgeglichen zu wirken, wie sie es früher einmal gewesen war, und nicht an das Geld und an die Fotos zu denken.
Weil alle davon sprachen, hatte sie Arne überredet, mit ihr in die Kreisstadt ins Kino zu fahren und sich diesen amerikanischen Erfolgsfilm anzuschauen, aber das Schicksal der geschundenen Frau hatte sie nur noch tiefer deprimiert.
Auch die gestrige Fahrt hatte sie einer Lösung ihres Problems keinen Schritt näher gebracht. Im Gegenteil. Seit gestern war alles anders. Und wahrscheinlich noch viel schlimmer als vorher. Alles trieb auf ein böses Ende zu. Das spürte sie geradezu körperlich.
Wie als Bestätigung ihrer Ahnungen vernahm sie plötzlich Stimmen im Flur; Arnes vertrautes Organ, das ungewohnt

munter klang und sich deutlich von den tiefen Lauten abhob, die sein Gesprächspartner beisteuerte.

Ihr war nicht aufgefallen, dass vor dem Haus ein Auto gehalten hatte, während sie hier im Wohnzimmer so tat, als sei sie mit Staubwischen beschäftigt, in Wirklichkeit aber nur dastand und vor sich hin brütete. Es war heller Vormittag, und sie beabsichtigte, heute noch das ganze Haus zu putzen. Eine sinnlose, immer wiederkehrende Tätigkeit, die sie hasste.

Sie horchte gespannt, bis endlich die Tür aufging und, von Arne freundschaftlich geschoben, Werner Jarosch eintrat. Sie starrte ihn an und brachte nur ein mattes »Hallo!« über die Lippen. Für einen Moment hatte sie das Gefühl: Das ist es, das Ende!

»Nun guck mich nicht so entsetzt an«, sagte Jarosch heiter. »Das war so eine spontane Idee von mir, euch heimzusuchen. Pädagogen haben in den Ferien sowieso nichts zu tun, dachte ich.«

Swetlana hörte gar nicht auf seine Worte; sie versuchte sofort, hinter deren verborgenen Sinn zu kommen. Werner war kein Mann, der spontanen Eingebungen folgte. Beklommen erwartete sie jeden Augenblick, dass sein Gesicht sich verdüsterte, zu einer Amtsmiene gewissermaßen, und er sagen würde: Ich komme in einer dienstlichen Angelegenheit.

Doch Werner Jarosch gab sich wider Erwarten locker. »Ich hatte zufällig hier in der Gegend zu tun, und da fiel mir auf, dass wir uns lange nicht gesehen haben …«

Swetlana fand langsam in die Wirklichkeit zurück. »Für einen Kaffee wirst du ja Zeit haben«, sagte sie, und endlich gelang ihr ein Lächeln. Was mochte das für ein Zufall sein, der ihn in ihre Gegend getrieben hatte?

»Er kann zum Essen bleiben!«, polterte Arne. »Du nimmst

etwas aus der Tiefkühltruhe und machst uns was richtig Schnuddliges. Was, Werner?«
Weshalb übertrieb er so? Jarosch wehrte ab. »Nein, nein. Kaffee genügt. Noch besser wäre allerdings Tee.«
»Tee!« Glücklich, einen Gleichgesinnten gefunden zu haben, verschwand Arne in Richtung Küche.
Auf den blaukarierten Kissen in der Sitzecke saß es sich gemütlich. Jarosch tat, als sei er auf die geräumige Wohnküche neidisch. »Bei uns zu Hause spielte sich früher das ganze Leben in so einer Küche ab. Nur war die nicht so hell und freundlich.«
»Wo war das?«, erkundigte sich Arne. Jarosch hatte keine Lust, darauf einzugehen. »Ich will nicht von früher schwärmen wie ein alter Mann. Edith und Marko lieben das nicht. Nur Marie manchmal.«
Arne prüfte, ob der Tee die richtige Färbung hatte. »Was haben die lieben Mitbürger in unserer friedlichen Gegend angerichtet, dass es dich bis hierhertreibt?«
Werner Jarosch tat Kandiszucker in seinen Tee und lauschte dem Zerspringen der Kristalle. Swetlana ließ ihn nicht aus den Augen. Irgendwann musste er den wahren Grund für seinen Besuch nennen. Sie war auf der Hut.
»Ein Mitbürger ist gestern – verunglückt …«
Er sprach es so aus, dass da etwas offenblieb.
»Reinhold Ney!«, entfuhr es Swetlana.
Werner Jarosch hob sein Teeglas und genoss das Aroma. »Es hat sich also bereits rumgesprochen«, sagte er ruhig. »Kennt ihr ihn?«
Swetlana blickte zu Arne, und der sah sie an. »Kennen …?«, sagte er schließlich zögernd. »Er wohnt etliche Kilometer von hier entfernt.«

Swetlana wusste, dass sie wachsam bleiben musste, und sie hatte sich nicht getäuscht. Ganz harmlos, zwischen zwei genießerischen Schlucken, fragte Jarosch sie: »Weshalb hast du nicht zugeben wollen, dass Ney euch den Türstock angeboten hat?«
Es gelang ihr, ihm gerade in seine wasserblauen Augen zu blicken. Es schimmerte kein Arg darin. In einer plötzlichen Aufwallung griff sie nach seiner großen Hand, so wie er damals seine Hand auf die ihre gelegt hatte, an jenem Tag in seinem Garten, als sie es nicht über sich gebracht hatte zu sprechen, und sagte aus tiefster Seele: »Verzeih mir, Werner. Es war sehr dumm von mir.«
Verständnislos schaute Arne von einem zum anderen. Jarosch lächelte ihm zu, stellte sein Teeglas ab und klopfte mit seinen warmen Fingern ganz leicht und beruhigend auf Swetlanas Handrücken. »Damit muss man in unserem Beruf leben. Die einen schwätzen das ungereimteste Zeug daher, sobald sie merken, mit wem sie es zu tun haben, und die besten Freunde verstummen vorsichtshalber.« Er hob aufmunternd sein Glas, als wollte er mit ihnen anstoßen. »Nun erzählt mir mal, was der Ney für einer ist. Der Junge geht doch in deine Klasse.«
Auch das wusste er also.
»Ja. Und er ist ein schlechter Schüler!«, sagte Swetlana steif.
»Wenn du mich fragst«, ergänzte Arne, »so ist dieser Ney keine besonders edle Gestalt in unserer entwickelten Gesellschaft. Der ist auf alles aus, was Geld bringt. Woher also soll der Junge eine vernünftige Haltung haben. Eine Kollegin hat den Ney am Totensonntag in der Stadt gesehen. Er verkaufte vor dem Friedhof Kieferngrün.« Arne hob seine Hände. »Ich weiß, daran ist nichts Ehrenrühriges. Nur hat

er das Zeug todsicher ohne Genehmigung irgendwo aus der Schonung geschnitten.«
»Und was war er sonst für ein Mensch?« Werner Jarosch sah Swetlana fragend an.
»War?«, fragte Arne scharf. »Ist er …?«
Jarosch schüttelte seinen großen Kopf. »Nein, nein. Er ist nur ziemlich schwer verletzt.«
»Besteht Lebensgefahr?«
Swetlana wunderte sich. Weshalb interessierte Arne sich so sehr für Neys Gesundheitszustand?
»Die Ärzte sind noch unschlüssig«, meinte Jarosch unbestimmt. »Aber er wird wohl einen bleibenden Körperschaden davontragen.«
»Was sagt er denn, wie es passiert ist?«
»Er sagt vorläufig gar nichts. Wir sind wieder mal auf uns selber angewiesen. Und ich bin auserkoren, denjenigen zu finden, der ihn überfahren hat.«
»Und die Spur führt hierher«, stellte Arne nüchtern fest.
Werner Jarosch lächelte unfroh. »Ich habe das Reifenprofil bei mir.« Er klopfte auf seine Jacke, als trüge er die Abdrücke in der Tasche. »Nur kenne ich die Reifenspur und das Sohlenprofil bereits aus einem anderen Fall. Nach dem dazugehörenden Mann suche ich seit Monaten.«
»Wir hörten gestern Abend von der Sache«, sagte Arne ruhig. »Die Nachbarin brachte es von der Post mit. Swetlana war ja den ganzen Tag in Potsdam. Ich wäre gerne mitgefahren …« Er verzog sein Gesicht. »Die Einschulung am Sonnabend … Ich bin nur am Vormittag ein bisschen in der Gegend herumgefahren. Einfach so. Frische Luft atmen. Das war auch mal ganz schön.«
»Bei dem schlechten Wetter?«, fragte Swetlana erstaunt.

»Bist du mit dem Fahrrad unterwegs gewesen?«
Arne lachte. »Mit dem Moped! Du wirst es nicht glauben, es fährt noch. Eigentlich wollte ich nur zum Kollegen Ederlein hinüberfahren, aber der war schon abgereist …«
Weshalb erzählte er das alles? Und weshalb sah er sie nicht an dabei? Wusste er etwas von ihr und Carsten und hatte es sie die ganze Zeit nicht merken lassen? Oder ließ er jetzt, unter Werners prüfenden Blicken, einfach nur einen Versuchsballon steigen?
»Das ist der junge Kollege, der einmal mein Nachfolger wird …«
Werner Jarosch lachte. »Du fängst ja früh an! Noch keine fünfzig und schon einen eigenen Kronprinzen!«
»Genau das ist der Punkt!«, wandte Arne lebhaft ein. »Es können doch nicht immer die Fünfundfünfzigjährigen die Fünfundsechzigjährigen ablösen. Auch in den pädagogischen Wissenschaften nimmt eine gewisse Überalterung zu …«
Was redet er da zusammen, dachte Swetlana befremdet. Immerhin – Carsten würde Mitte vierzig sein, wenn Arne das Rentenalter erreichte. Und sie Mitte fünfzig! Ein Schauer tiefer Verzweiflung überkam sie mit plötzlicher Heftigkeit. Was würde bis dahin sein? Und was im nächsten Augenblick, wenn Werner Jarosch aufstand und den wahren Grund seines Kommens nannte …
Doch Jarosch sagte nur: »Ein Glas trinke ich noch, dann muss ich wieder los.«
Swetlana war überzeugt, dass er noch etwas auf dem Herzen hatte. »Du hast dich damals auch nach Pritzlaff erkundigt«, sagte sie. »Interessiert er dich immer noch?«
Jarosch nickte bedächtig. »Es soll Streit gegeben haben zwischen ihm und Ney.«

Er blieb also bei Ney. Genau das behagte ihr nicht. »Vermutlich ein Streit unter Antiquitätenliebhabern«, sagte sie leichthin.
Arne widersprach ihr. »Mir hat Pritzlaff etwas anderes erzählt.« Er sah seine Frau an. »Er beliefert mich mit Wasserflöhen. Sein Junge ist ebenfalls in Swetlanas Klasse.«
»Meine beiden Herzbuben«, sagte sie sarkastisch. Lange hielt sie es nicht mehr durch, den Männern heitere Gelassenheit vorzuspielen. Es wurde Zeit, dass Werner ging.
Arne lächelte ihr zu. »Du wirst mit ihnen fertig werden.«
»Oder sie mit mir.« Swetlana stand auf und räumte die Teegläser ab. Das Geschirr zitterte in ihrer Hand.
»Wonach suchst du überhaupt?«, wollte Arne von Jarosch wissen.
Der zählte es an seinen dicken Fingern auf: »Nach einem Mann mit einer Pudelmütze. Nach einem Wartburg mit einem speziellen Reifenprofil. Nach Leuten, die einen Rochus auf Reinhold Ney haben könnten.«
Eine so detaillierte Antwort schien Arne nicht erwartet zu haben. »Pritzlaff fährt einen Wartburg …«, sagte er.
»Ich weiß. Hast du ihn in letzter Zeit damit gesehen?«
»Ja«, sagte Arne. »Gestern früh vor dem Kerchower Konsum. Er fuhr gerade ab, als ich vorbeikam. Lars benahm sich mal wieder reichlich auffällig …«
»Wann genau war das?«
»Etwa gegen neun, denke ich.«
»Und wohin fuhr er?«
»Nach Norden raus. Nicht in Richtung Kuschwitz. Das Auto war ziemlich beladen.«
Werner Jarosch nickte, als hätte er das erwartet. »Seine Reifen wirst du dir nicht angeguckt haben.«

Arne war überrascht. »Du glaubst doch nicht, dass Pritzlaff einen Menschen überfährt und dann Fahrerflucht begeht!«
Jarosch erhob sich. »Vielleicht war es mehr als Fahrerflucht«, sagte er düster. »War schön, euch zu sehen.« Er reichte Swetlana seine Pranke, und es schien, als ob er sie umarmen wollte. Anscheinend vermochte er seine Hemmungen ihr gegenüber aber nicht zu überwinden, während er Arne immerhin kameradschaftlich an der Schulter packte.
Wenn er sie jetzt wenigstens für einen Moment an sich gedrückt, und wenn Arne nicht mit diesem Direktorenblick dabeigestanden hätte – sie wäre imstande gewesen, ihm alles zu beichten. So aber dachte sie nur: Was macht Arne ihm da für seltsame Zeichen?
»Ich bringe dich«, sagte der, als wäre es ein Kilometer bis zum Gartentor. Am liebsten wäre Swetlana mitgegangen. Was hatten die beiden miteinander zu reden?
»Grüß Edith«, sagte sie.
»Danke. Wenn sie gewusst hätte, dass ich bei euch reingucke, hätte sie Bücher mitgeschickt.«
Jarosch sah sie noch einmal an. So plump er körperlich wirkte – besaß er doch ein feines Gespür. Irgendetwas störte die friedliche Atmosphäre in diesem Hause. Hatten die beiden sich gestritten?
Schweigend ging er vor Arne den Gartenweg entlang.
»Ich spreche nicht gerne ungerechtfertigte Vermutungen aus«, sagte Arne schließlich zögernd. »Aber Pritzlaff hat da so eine eigenartige Beschuldigung gegen Ney ausgesprochen.«
Werner Jarosch schloss seinen Wagen auf und wartete. »Wenn er jemandem ein Sittlichkeitsverbrechen zutraue, dann Ney … Wie gesagt, das sind Pritzlaffs Worte.«

»Ich hörte davon. Hat er dir erzählt, worauf sich seine Mutmaßung stützt?«
»Nein. Ich kenne Ney nicht besonders gut. Ein unangenehmer Zeitgenosse, will mir scheinen.« Er beeilte sich hinzuzusetzen: »Das sage ich selbstverständlich nur dir.«
Jarosch griff nach dem Umschlag in seiner Tasche. Wieder zog er das Foto so weit heraus, dass nur das Gesicht des Mannes zu sehen war. »Kennst du den?«
Arne verfärbte sich. »Deshalb bist du gekommen …«, sagte er mühsam. Das Bild hatte ihn aus der Fassung gebracht. Und Jarosch ahnte plötzlich, warum.
»Das ist der Kollege Carsten Ederlein«, sagte Arne steif.
Jaroschs Blick wanderte zum Küchenfenster. Dort stand Swetlana und beobachtete sie.
»Es ist besser, ich fahre jetzt«, sagte er und steckte das Foto ein. »Du sprichst bitte mit niemand darüber.«
Er wusste, das war eine überflüssige Mahnung. Und er wusste auch, dass er Arne und Swetlana noch viele Fragen zu stellen hatte. Im Augenblick fühlte er sich dazu nicht in der Lage.

21

In Kerchow kannte jeder den Weg zum Anwesen des ehemaligen Leiters der Freiwilligen Feuerwehr. Die Häuser lagen direkt an der Landstraße, gleichförmig aussehend, auf angeschütteten Hügeln. Einfach und geschmacklos, dachte Jarosch, disziplinierte seine Gedanken jedoch sofort. Es handelte sich eben um den Typ von Fertighäusern, der für den Kreis vorgesehen war.

Im Garten war ein älterer Mann damit beschäftigt, die Rasenfläche zu mähen. Umsichtig und korrekt tat er das, sodass er den Oberleutnant zunächst gar nicht bemerkte.
Jarosch kannte ihn. Bei allen möglichen Gelegenheiten hatte Edgar Ederlein die gesellschaftlichen Kräfte von Kerchow vertreten, da waren sie sich mehrfach begegnet. Ihm fiel auf, wie stark der Mann seitdem gealtert war.
»Ich möchte zu Carsten Ederlein«, sagte Jarosch vernehmlich.
Der alte Ederlein sah ihn abwartend an und schaltete den Rasenmäher ab. Er erkannte ihn anscheinend nicht. »Was ist los?«
Der Oberleutnant wiederholte seinen Wunsch. War der Alte auch noch schwerhörig?
»Carsten ist in Oelsnitz«, sagte der, als er endlich verstanden hatte.
»Ist er schon länger weg?«
»Seit gestern früh.«
»Ist er mit dem Zug gefahren?«
»Mit meinem neuen Auto«, entgegnete Ederlein sorgenvoll. »Bist du nicht vom Kreisamt?«
Jarosch bestätigte das. »Trabant?«, wollte er wissen.
»Wartburg eins-drei«, sagte Ederlein ein bisschen selbstgefällig. »Viertakter, mein Lieber. Habe ich lange genug drauf warten müssen.«
»Donnerwetter. Welche Farbe denn?«
»Delphingrau.«
»Und die Reifen?«
»Na, die neuen Stahlgürteldinger.« Bereitwillig begann Ederlein weitere Details aufzuzählen.
»Ich suche ein paar M+S-Reifen.«

»Tut mir leid. Unsere alten Schlurren haben wir zusammen mit dem Wagen weggegeben.«
»Auch ein Wartburg? An wen habt ihr den verkauft?« Ederleins Misstrauen erwachte. Anscheinend kam ihm zum ersten Mal der Gedanke, der Oberleutnant könne sich aus beruflichen Gründen für seine Autos interessieren. »Das war alles streng reell«, sagte er. »Ich bin nicht so einer, der von Überpreisen leben muss! Seid ihr hinter Schiebern her?«
»Immer«, sagte Jarosch seufzend. »Das gehört zum täglichen Brot.«
»Meinen hat ein Kollege von Carsten gekauft. Der Ulberg. Am liebsten hätte der Junge den Wagen selber behalten. Aber was sollen wir mit zwei Autos. Er fährt sowieso lieber mit dem Fahrrad.«
Der Lehrer Ulberg. Hätte Frau Pritzlaff den erkannt? »War der blau, der alte Wagen?«
Allmählich verlor Ederlein den Spaß an der Unterhaltung. »Dunkelgrün«, sagte er grämlich. »Was soll das ewige Gefrage nach dem Wagen. Ich denke, du wolltest zu meinem Jungen.«
»Wann genau ist der denn gestern losgefahren?«
Der Alte zog die rechte Schulter hoch und massierte sie mit der Hand. »Ich war bei der Gemeindeschwester. Bekomme da zweimal die Woche meine Spritze. Hält aber nur einen Tag vor.«
»Kennst du den Ney aus Hahnshof?«
»Den sie gestern in der Kiesgrube tot aufgefunden haben?« Ederlein wurde ein wenig munterer. »Was hatte der dort zu suchen? Die Kiesförderung ist vor Jahren eingestellt worden! War sonst ’n ordentlicher Mensch, der Reinhold. Schade drum. Hat sich immer vorbildlich um Ordnung und Sicher-

heit im Ferienheim gekümmert.« Besonders um den Brandschutz in seiner Garage, dachte Jarosch, unterließ es aber, darauf anzuspielen.

»Ney ist nicht tot«, sagte er. »Kannte der Carsten ihn näher?«

»Glaube ich nicht.« Ederlein schüttelte den Kopf. »Vielleicht geht ein Kind von dem in seine Klasse? Vor ein paar Tagen hat er mich über Ney ausgefragt …« Er dachte nach. »Weiß aber nicht, warum er was über den wissen wollte.«

Jarosch verabschiedete sich.

»Soll ich dem Jungen was ausrichten?«

»Wann kommt er denn wieder?«

»Am späten Sonntagabend, denke ich.« Ederlein griente. »Er ist bei seiner Herzallerliebsten, verstehst du?«

»War sie öfter mal hier?«

»Was du alles wissen willst«, wunderte Ederlein sich. »Nur zu Weihnachten. Er fährt immer zu ihr. Aber das hört ja nun auf.«

Jarosch fuhr von der Siedlung aus direkt zum Krankenhaus. Auf der Chirurgischen Station hatte die junge Ärztin Dienst, die er bereits kannte und die ihn ebenso freundlich wie selbstsicher begrüßte. »Unser Patient will keine Aussage machen.«

Jarosch sagte mild: »So etwas sind wir gewöhnt. Ich muss es trotzdem versuchen.«

»Vergessen Sie nicht, dass auch wir zur Klärung der Unfallursachen verpflichtet sind. Der Mann steht unter erheblicher Schockeinwirkung.«

»Ja, ja«, stimmte Jarosch zu. »Ich bin auch nicht ganz neu in dem Metier. Mit der berühmten Schockwirkung lässt sich beinahe alles erklären.«

Sie nahm das Geplänkel ernst und begann, ihm einen medizinischen Vortrag über die möglichen Auswirkungen traumatischer Rückenmarksschädigungen ohne oder mit Wirbelkörperverrenkungen und Verletzungen im Bereich der fünf Lendenwirbel zu halten, sprach von Kollision und der Entladung kinetischer Energie beim Anfahren und Überrollen eines menschlichen Körpers durch ein Kraftfahrzeug, bis Jarosch sie unterbrach: »Eine Querschnittslähmung also, wenn ich Sie richtig verstehe?«

»Es ist viel zu früh, dazu etwas Endgültiges zu sagen. Da können noch Monate, wenn nicht längere Zeiträume vergehen, bis der Patient …«

»Ist Ihnen sonst irgendetwas an seinem Körper aufgefallen?«, unterbrach Jarosch sie ein zweites Mal. Er fürchtete einen weiteren Ausflug in ihr Fachgebiet. »Ich meine andere Verletzungen, Narben …«

»Narben? Keine Besonderheiten. Eine Blinddarmoperation, zwei, drei alte Verletzungen im Bereich der Kniescheibe, wie sie fast jeder männliche Erwachsene aufweist.«

»Keine Kratzspuren?« Jarosch versuchte, nicht an sein eigenes Knie zu denken. Sie sah erstaunt zu ihm auf.

»Ich meine am Hals. Oder eher in der Gegend der Schlüsselbeine.« Er wies auf die entsprechende Partie seines eigenen Körpers.

»Jetzt, wo Sie mich darauf aufmerksam machen … Er hat am Hals Flecke, die wie Würgemale aussehen.«

»Würgemale?«, fragte Jarosch mit aufwallender Erregung. »Haben Sie die in irgendeiner Weise aufgenommen – ich meine: dokumentiert?«

Sie teilte seine Aufregung nicht. »Die sind sicher ein paar Wochen alt.«

»Vielleicht lässt sich feststellen, ob der Verursacher ein Mann

oder eine Frau war. Oder rühren die Spuren von einem Gegenstand her? Einem Seil beispielsweise.«
»Nein, nein. Ich würde es schon für Fingerspuren halten. Ich glaube, es ist ein Nagelabdruck sichtbar.« Sie sah auf ihre locker geballte Hand. »Von einer Frau, würde ich annehmen. Sonst wäre die Wunde wahrscheinlich breiter gewesen.«
Sie ergriff Jaroschs Ellenbogen. »Kommen Sie, wir sehen uns das gemeinsam an.«
Der Oberleutnant, der es eben noch so eilig gehabt hatte, mit dem Patienten zu sprechen, zögerte. »Wahrscheinlich ist es besser, Sie machen Fotos von seinen sämtlichen Verletzungen. Das scheint mir unauffälliger. Ich möchte ihn nicht darauf aufmerksam machen, dass wir uns für seinen Hals interessieren.«
»Sie können ganz beruhigt sein. Der Patient wird nicht auf unsere Anwesenheit reagieren.«
»Wie denn? Er nimmt seine Umwelt nicht wahr?«
»Kommen Sie«, drängte sie. »Wir werden sehen. Mit seiner Frau soll er allerdings gesprochen haben, behaupten die anderen Patienten.«
Das fand Jarosch interessant. Brav trabte er hinter der energischen kleinen Person her zum Zimmer 218, dessen gewaltige Flügeltür sie mit einem Ruck aufriss. Für einen Moment fühlte der Oberleutnant sich in ein historisches Lazarett versetzt. In dem weitläufigen Raum mit gefliestem Fußboden und hohen Fenstern standen rechts und links Betten. Allerlei Gestänge und Stellagen zeigten an, dass es sich bei den Kranken um kompliziertere Fälle der Chirurgie handeln mochte.
Im zweiten Bett rechts lag Reinhold Ney in unnatürlich flacher Stellung auf dem Rücken, die Nase spitz aus dem bleichen Gesicht emporragend, die Augen weit offen.

Vorsichtig trat Jarosch näher. Die Ärztin gab sich ungezwungener. »Hören Sie mich, Herr Ney?«, rief sie in einer Lautstärke, die auch noch den Kranken am Fenster erreichen musste. »Besuch für Sie!«

Ney, wenn er die Stimme überhaupt vernahm, reagierte nicht. Jarosch beugte sich zu ihm. »Sie haben einen Unfall erlitten, Herr Ney. Erinnern Sie sich daran?«

Im Gesicht des Kranken regte sich nichts.

»Sie kennen mich«, sagte der Oberleutnant eindringlich. »Mein Name ist Jarosch. Von der Kriminalpolizei.«

Ohne den starren Blick von der weißen Decke des Raums zu wenden, flüsterte Ney: »Ich weiß nichts …«

»Sie sind überfahren worden. Ich versuche zu ermitteln …«

Immer neue Anfänge wählte Jarosch. Ergebnislos. Ney schwieg und stierte nach oben, reagierte auch nicht, als die Ärztin wie fürsorglich sein kragenloses Hemd ordnete und dabei, für Jarosch sichtbar, auf die gelblichen Druckstellen an Neys sehnigem Hals deutete. Links, in der Nähe der Schlagader bedeckte ein kaum zentimeterlanger Schorf eine kleine Wunde.

Jarosch nickte. »Ich komme wieder, Herr Ney. Wahrscheinlich fällt Ihnen noch eine Menge ein.«

»Sie werden nicht viel Glück haben«, meinte die Ärztin draußen. »Suchen Sie den, der ihn so zugerichtet hat, besser auf anderem Wege.«

Der Oberleutnant, in Gedanken versunken, erwiderte: »Vielen Dank für Ihre Hilfe.«

»Bitte.« Mit eiligen Schritten hatte sie sich schon einige Meter entfernt, als Jarosch fragte: »Wäre es nicht möglich, ihn in ein kleineres Zimmer zu verlegen?«

Sie blieb stehen und lächelte dünn. »Wie stellen Sie sich das vor? Das Gebäude ist achtzehnhundertachtundneunzig errichtet worden. Der Neubau wird erst mal für die Gynäkologie gebraucht.«

»Das ist einzusehen.« Er gab ihr die Hand. »Angenehmen Dienst noch.«

Es war fast fünfzehn Uhr, als er das Kreisamt erreichte. Strelczyks Kellerlabor war verschlossen. Das hatte Jarosch befürchtet.

Im Sekretariat war Edeltraud Neubert mit saurer Miene beschäftigt, Ordnung zu schaffen. »Da liegt ein Liebesbrief vom teuren Genossen Strelczyk. Ich dachte, es lässt sich überhaupt niemand mehr hier sehen!«

Jarosch, der es kaum erwarten konnte, die Ergebnisse zu erfahren, wies auf die Tür zum Büro des Leiters.

Edeltraud schüttelte den Kopf. »Freitag ab eins macht jeder seins«, zitierte sie spitz, obwohl sie wissen musste, dass sie eine ungerechtfertigte Verdächtigung aussprach. Der Major war gewiss der Letzte, der an die eigene Freizeit dachte.

»Besitzen wir ein Telefonbuch des Bezirks Neubrandenburg?«

Sie ließ ihn spüren, dass er sie bei einer wichtigen Tätigkeit störte. »Weshalb rufen Sie nicht in der Zentrale an?«

»Ich gucke da vorbei«, sagte Jarosch ergeben. Und da Kriminalmeister Willert gerade hereinkam, um sich abzumelden, fragte er den: »Ist dir schon mal der Ortsname Brückenthin untergekommen?«

Willert schüttelte den Kopf. »Scheint bisher in der Kriminalgeschichte unseres Landes keine herausragende Rolle gespielt zu haben.«

»So was ändert sich mitunter schlagartig«, sagte Jarosch. Mit Strelczyks Schreiben in der Hand hastete er hinauf in den zweiten Stock. Schon im Flur entfaltete er das Papier. *Gangbilder Bartz und Zufahrt Kiesgrube Kuschwitz in folgenden Elementen nahezu identisch: Schrittbreite, Fußlinie, Fußwinkel. Schrittlänge und -winkel entsprechend Gangart differierend.*

Oberleutnant Werner Jarosch sank auf seinen Stuhl und las die Zeilen wieder und wieder. Vergebens wartete er darauf, dass sich Freude über den Erfolg einstellen würde. Sollte das wirklich die Lösung sein?

Wenn es so war, musste er umgehend den Major verständigen, den Staatsanwalt, eine sofortige Durchsuchung in Hahnshof vorbereiten, Isa Matuschek dem Ney gegenüberstellen … Außerdem blieb zu überprüfen, welche Auswirkungen die Erkenntnisse auf die Ermittlungen in der Unfallsache hatten.

Jaroschs Gedanken liefen kreuz und quer. Er war hellwach. Für eine Durchsuchung war es heute zu spät. Bis er mit einem zweiten Kriminalisten oder dem Staatsanwalt Hahnshof erreichen würde, war es Abend. Zu derartiger Eile lag auch gar kein Grund vor. So sicher wie Ney war ihm noch kein Beschuldigter gewesen, und gerade das war es wohl, was ihn in seiner Entschlussfähigkeit lähmte. Er sah dieses fahle, spitznasige Gesicht auf dem flachen Krankenlager vor sich. Vielleicht würde es nie mehr möglich sein, das originale Gangbild dieses Mannes aufzunehmen und ihn mit letzter Konsequenz als den Täter von Bartz zu überführen.

Er erhob sich, stieß sich das Knie und ging, ohne darauf zu achten, zum Schrank. Die Akte wog nicht übermäßig schwer in seiner Hand.

Er griff zum Telefon und wählte. Gleichmäßig tönte das Rufzeichen.

Die zweite Hälfte von Edeltrauds Spruch ging ihm im Kopf

herum: … macht jeder seins, bis sich plötzlich doch die vertraute Stimme meldete.
»Waren Sie gestern Vormittag im Betrieb?«, erkundigte er sich.
»Ja. Wo sonst?«
»Ich bin in zwanzig Minuten bei Ihnen«, sagte Jarosch. »Warten Sie bitte auf mich.«

22

»Sie haben ihn!«, sagte Isa Matuschek, noch bevor der Oberleutnant die Tür zu ihrem Büro hinter sich geschlossen hatte. Jarosch, durchaus bereit, ihre Intuition zu bewundern, stutzte. Merkte man ihm den Erfolg so deutlich an? »Wir werden sehen …«, meinte er unbestimmt. »Ich lade Sie zu einer kleinen Autotour ein.«
Unterwegs gab Isa Matuschek das Fragen schnell auf, da er nicht antwortete. Als sie in die Auffahrt zum Krankenhaus einbogen, schien ihr mulmig zu werden. »Ist er etwa – tot?«, fragte sie fast tonlos.
»Sie reden mit niemandem und tun nur, was ich Ihnen sage«, gebot Jarosch. »Jetzt warten Sie hier unten in der Halle, bis ich Sie abhole.«
Auf der Station erlebte er eine Überraschung; Neys Bett stand auf dem Flur. »Hat Frau Doktor Fischer extra angeordnet«, erklärte ihm die Schwester patzig. »Er wird in das Dreibettzimmer verlegt.«
Es kostete Jarosch einige Mühe, die Verlegung wenigstens um eine halbe Stunde hinauszuzögern. Die Schwester war nicht gewillt, sich von seinem Ausweis und Dienstrang beeindrucken zu lassen. »Und wenn Sie der Mann im Mond

sind! Für die Patienten sind einzig und allein wir verantwortlich! Als ob wir nicht genug zu tun hätten …«

Als Jarosch gar noch einen Kittel für eine groß gewachsene Frau von ihr verlangte, war es endgültig um ihre Geduld geschehen. »Wir sind hier nicht beim Maskenfest! Fasching ist erst im Februar!«

Werner Jarosch blieb ruhig. »Ich denke mir das nicht zum Spaß aus«, sagte er leise und bestimmt. »Es handelt sich um die Aufklärung einer schweren Straftat. Ich bin auf Ihre Unterstützung angewiesen.«

Nun wurde sie stutzig. »Eine junge Frau? Sagen Sie bloß, *der* ist das, den Sie seit langem suchen!« Sie wies mit dem Daumen über ihre Schulter auf Neys Bett.

»Geben Sie mir bitte einen Kittel, und lassen Sie die junge Frau für drei Minuten ungestört in dem Zimmer.«

Die Schwester, eine nicht mehr ganz junge und ebenso resolute Person wie die Stationsärztin, hatte begriffen.

»Ich gebe ihr ein Tablett mit Medikamenten. Das sieht überzeugender aus. Ja?«

Wie eine echte Krankenschwester wirkte Isa Matuschek dennoch nicht, als sie vor der Saaltür stand. Sie war blass. Die Fläschchen und Röhren auf dem Tablett in ihrer Hand klirrten.

»Sie gehen einfach hinein und lassen die Tür offen. Gucken Sie sich jeden Patienten an, als wollten Sie ihn kennenlernen. Sie brauchen kein Wort zu sprechen.«

Isa nickte gehorsam. Die Stationsschwester öffnete ihr die Tür und schob sie in den Raum. Isa Matuschek ging von Bett zu Bett, stockend anfangs, dann etwas schneller und sicherer. Sie hatte links begonnen und war am Fenster angelangt, als ein unerwarteter Zwischenfall eintrat.

»Hej, Isa!«, sprach sie mit krächzender Stimme der im letzten Bett liegende Patient an, von dem nur ein Haarbüschel, die Augen und die Mundpartie aus dem Kopfverband hervorschauten. »Wie kommst du denn hierher?«

Vor Schreck ließ Isa das Tablett fallen. Glas klirrte, Dragees rollten über den Boden. Im Saal breitete sich ein unterdrücktes, dann heftiger werdendes Gelächter aus. Die Männer sparten nicht mit anzüglichen Bemerkungen. Ohne auf Jaroschs Beschwichtigung zu achten, stürmte die echte Schwester in den Raum, nahm Isa, die mit dem Aufsammeln der Medikamente und Scherben begonnen hatte, das Tablett aus der Hand und sagte mütterlich und sehr bestimmt: »Machen Sie weiter, Kind, ich erledige das hier.«

Mit hochrotem Gesicht kam Isa auf die Tür zu, besann sich jedoch ihres Auftrags und blickte zögernd zu den Kranken auf der rechten Seite, von denen einige ihr fröhliche Grimassen schnitten. Ob Ney eine Reaktion anzumerken war, vermochte Jarosch nicht zu erkennen, weil der sich im toten Winkel befand. Das war ein Fehler, der sich jetzt nicht wiedergutmachen ließ.

Als Isa sein Bett erreichte, veränderte sich ihre Haltung. Für einen Moment verharrte sie, dann ging sie mit schnellen Schritten auf den Ausgang zu, ohne dem letzten Patienten in seinem Bett hinter der Tür auch nur einen Blick zuzuwerfen.

»Ich wusste es ja«, sagte sie und lehnte sich schwer atmend mit einer Schulter gegen die Wand, als müsse sie sich nach einer körperlichen Anstrengung erholen. »Was haben Sie mit ihm gemacht?«

Jarosch schüttelte langsam den Kopf. »Sagen Sie mir ganz klar, wen Sie erkannt haben.«

»Wen! Wen! Den im zweiten Bett rechts, das wissen Sie

doch. Nicht den Dombrowski aus dem Betrieb. Sie hätten mich wenigstens warnen sollen.«
»Und bezüglich dieses Mannes sind Sie ganz sicher?«
Mit unnatürlich geweiteten Augen sah sie ihn an. »Was haben Sie denn erwartet? Ich weiß, ich habe Ihnen nicht geglaubt, dass Sie ihn kriegen …« Und plötzlich war es mit ihrer Fassung vorbei. Sie begann zu weinen, heftig und haltlos wie ein kleines Mädchen, und da sie vor ihm stand, legte sie ihren Kopf einfach an seine Schulter. Jarosch gab seine steife Haltung ein wenig auf.
Der Blick der Schwester, die mit dem Tablett voller Scherben aus dem Zimmer trat, fiel auf dieses traute Bild. »Welcher war es denn nun?«, erkundigte sie sich irritiert. »Doch nicht etwa der Dombrowski?«
»Unterlassen Sie bitte jede Schlussfolgerung«, riet Jarosch ihr freundlich. »Sie kennen ja das Gebot der Schweigepflicht in unseren Berufen.«
»Na, wenn man ein solches Scheusal auf der Station hat, möchte man es schon wissen!« Sie griff mit der freien Hand in ihre Kitteltasche und reichte Isa einige Lagen Zellstoff. »Hier, nehmen Sie das.«
Als Jarosch mit Isa dem Ausgang zustrebte, kam ihnen mit flinken Schritten eine Frau entgegen: Ingrid Ney. Sie grüßte den Oberleutnant schon von weitem, ihr Blick aber hing an seiner Begleiterin.
Draußen fragte Isa: »Das war seine Frau?« Jarosch, daran gewöhnt, die Fragen auch der hellsichtigsten Zeugen unbeantwortet zu lassen, sagte: »Ich fahre Sie jetzt nach Hause.«
Sie waren schon fast in Großpöhlow, als Isa sagte: »Der war schon mal in der ›Sonne‹. Vor längerer Zeit. Da hat er mich auch angeglotzt, als wollte er mich gleich anfassen.«

»War Fredo damals dabei?«
Isa zuckte die Achseln. »Vielleicht war ich da noch gar nicht mit ihm zusammen. Aber möglich wäre es schon.«
Sie schniefte und wischte mit dem Zellstoff in ihrem Gesicht herum. »Am besten fahren Sie mich zu ihm oder zu meiner Freundin Nina. Wenn meine Mutter mich so verheult sieht, denkt sie gleich wieder sonst was.«
»Einverstanden. Ich fahre Sie zu Ihrer Freundin.«
Sie brauchte nicht zu wissen, dass er sich gerade entschlossen hatte, mit Fredo ein Gespräch zu führen.
Das Auto, unter dem er diesmal in der Garage lag, war ein alter F 9, der halb demontiert und ohne Scheiben wie ein Wrack wirkte.
»Übers Wochenende wird der gespritzt, dann sieht er wieder tipptopp aus«, erläuterte Fredo, dem der unerwartete Besucher anscheinend nicht gelegen kam.
Jarosch ging um das Fahrzeug herum und interessierte sich besonders für den Zustand der vorderen Kotflügel. Der rechte war ausgebeult und mit Rostschutz bestrichen.
Fredo putzte seine Hände an einem Lappen ab und fragte: »Haben Sie was rausgekriegt?«
»Hmm …«, äußerte Jarosch undeutlich. Er beguckte noch immer das ausgebeulte Blech.
»Sie haben ihn!« In Fredos Augen blitzte es. »Weiß es Isa schon?«
Zum zweiten Mal war Jarosch eher unangenehm berührt von der Sicherheit, mit der ihm jemand seinen Erfolg anmerkte. Oder rührte Fredos und damit auch Isas Wissen aus einer ganz anderen Ecke her?
Er kratzte mit dem Daumennagel an der dick aufgetragenen Rostschutzfarbe. Die senffarbene Schmiere war noch weich.

»Wann ist denn zum letzten Mal jemand mit dem Wagen gefahren?«, fragte er.
»Der ist zugelassen!«, entgegnete Fredo mit milder Empörung. »Wartburgmotor und was sonst noch passt – alles paletti!«
»Sind Sie gestern damit unterwegs gewesen?«
»Gestern?« Fredo tat, als bereite es ihm Mühe, seine Gedanken um einen Tag zurückschweifen zu lassen. »Was war denn das für 'n Tag …?«
»Ein regnerischer«, sagte Jarosch freundlich. Er wartete. Fredo wurde zusehends unsicherer.
»Na ja, ich hätte eigentlich mitfahren müssen nach Cottbus«, sagte er schließlich.
»Und wohin sind Sie wirklich gefahren?«
Fredo zögerte. »Ich hatte wegen dem F 9 schon mit dem Verkäufer in Drielow telefoniert. Das lag sozusagen am Wege …«
»Sie haben den Wagen erst gestern gekauft?«
»Sage ich doch.« Unter Fredos argwöhnischem Blick prüfte Jarosch die Reifen des Wagens, die in der Ecke lehnten. Negativ. »Wann waren Sie in Drielow?«
»Schon früh. Gleich nach acht. Kutte ist dann alleine weiter nach Cottbus.« Jarosch kniff die Augen zusammen. Drielow lag von Kuschwitz gut fünfzehn Kilometer entfernt.
»Erzählen Sie mal weiter. Was haben Sie dann getan?«
»Nichts.« Fredo wurde allmählich unwillig. »Ich habe bezahlt, bin eingestiegen und los ging's. Wie Sie sehen, bin ich hier gut angekommen.«
»Wann?«
»Ist was mit dem Wagen nicht in Ordnung?«
»Beantworten Sie bitte meine Frage«, entgegnete Jarosch bestimmt. »Sind Sie ohne Umweg hierhergefahren?«

Fredo ballte den schmutzigen Lappen in seinen Händen.
»Na gut, ich bin bei Isa vorbeigefahren«, sagte er undeutlich. »Wollte ihr das Schmuckstück vorführen. Das muss so gegen zehn gewesen sein.«
»Und dann haben Sie gemeinsam eine Proberunde gedreht«, vermutete Jarosch.
»Sie war nicht im Büro. Irgendwo unterwegs.« Er starrte finster auf den Lappen und auf seine Finger, die sich damit nicht reinigen ließen.
»Besitzt Fräulein Matuschek einen Führerschein?«
Fredo blickte auf. »Ihnen entgeht wohl nichts, wie? Wenn uns jemals einer gesehen hat, dann nicht auf 'ner öffentlichen Straße. Das genügt wohl. Oder?«
»Fräulein Matuschek ist also in der Lage, einen PKW zu fahren«, stellte Jarosch nüchtern fest.
»Wer kann das nicht!«, sagte Fredo aufgebracht. »Darf ich jetzt weitermachen – oder auf was sind Sie eigentlich aus?«
»Ich schlage vor, Sie lassen den Wagen übers Wochenende so, wie er jetzt ist. Und wir beide unterhalten uns noch ein bisschen genauer über den gestrigen Vormittag.«
»Scheiße!« Fredo warf den dreckigen Lappen wütend in die Ecke. »Ich stelle mich anscheinend immer zu dämlich an.«
Wie dumm Fredo Bartus sich stellte, vermochte Werner Jarosch auch nach einer weiteren intensiven Befragung nicht eindeutig zu entscheiden. Angeblich bezog sich Fredos selbstkritische Äußerung nämlich nur darauf, dass man ihn im Betrieb zweimal bei relativ geringfügigen Verstößen gegen die Arbeitsordnung ertappt und angezählt hatte, während andere, beispielsweise dieser Kutte, einfach immer Schwein hatten und nie auffielen.
Greifbares war von Fredo nicht zu erfahren. Natürlich hatte

ihm Isa öfter mal was erzählt von Kerlen, die da glaubten, sich bei ihr was rausnehmen zu dürfen mit ihren Schmutzgriffeln. Damit musste man nun mal leben, bei einer Frau, die so aussah wie seine Isa. Er war sowieso nicht dafür, dass sie in der »Sonne« kellnerte, obwohl sie sich ja durchaus selber helfen konnte, wenn ihr einer zu nahe trat. Sie war nicht so eine wie die Nina, die es darauf anlegte, die Kerle anzuheizen, um sie dann umso besser abfahren zu lassen. Das war nicht die Masche, die Fredo und seine Kumpel liebten, aber Nina hatte nun mal ihren Spaß daran.
An einen bestimmten Fall wollte Fredo sich nicht erinnern. Gewiss, er hatte auch mal einem ein paar gelangt in der Rage, doch ehrlich gesagt hatte ihm der Jüngling, der ja nicht ahnen konnte, dass die Isa zu ihm gehörte, hinterher leid getan. Sonst gab es da nichts, worauf er sich besinnen konnte. Selbst als der Oberleutnant ihm das Foto in Neys Führerschein vorwies, zeigte Fredo keine auffällige und deutbare Reaktion. Habe ich vielleicht schon mal gesehen, meinte er. Jarosch hielt ihm seine eigenen und auf den vermeintlichen Täter Pritzlaff gemünzten Worte vor: Den Hund mach ich nieder … »Und genau das haben Sie bei Herrn Pritzlaff probiert.«
Da war plötzlich ein verkniffener Zug um Fredos Mund, und seine Hand griff fordernd nach dem Dokument, das der Oberleutnant wie ein geübter Taschenspieler verschwinden ließ.
»Das war er?« Ganz flach klang Fredos Stimme vor Hass. »Wann haben Sie ihn gesehen?«
Fredo leugnete nicht, diesen Mann, wenn der es gewesen war und wenn er ihn jemals sehen sollte, mit eigenen Händen niedermachen zu wollen.

»Es hat ihn bereits jemand niedergemacht, Herr Bartus.« Jaroschs trockener Ton ließ Fredo offenen Mundes verstummen.

»Sie denken …?«

»Ich denke, wir sehen uns zweckmäßigerweise am Montag im Kreisamt.«

Es war spät geworden. In der »Sonne« wogte der Freitagabendbetrieb, als Jarosch dort ankam. Geduldig lehnte er am Ende der Theke. Erst nach geraumer Zeit fand der Wirt Zeit für ihn. Jarosch zeigte ihm ohne viele Worte Neys Bild.

Der Wirt lief rosarot an unter seiner silbernen Haarpracht. »Da hätte ich eigentlich drauf kommen müssen … Na ja, wenn man selber ein schlechtes Gewissen hat …« Nein, nicht was der Oberleutnant nun dachte. Dieser Mann auf dem Bild, der sah einem ähnlich, der ihm mal Wild zum Kauf angeboten hatte. Jahre war das her.

Jarosch verzichtete darauf, die Zeitangabe einzugrenzen, ja, er fragte nicht einmal, ob dem Angebot ein Kauf gefolgt war. Immerhin ließ sich so die Bemerkung des Wirts über die Jagdsaison in ihrem ersten Gespräch erklären.

»Der war ewig nicht hier. Ich habe keine Ahnung, wie der heißt oder woher der kommt.« Der Wirt war voller Eifer und Hilfsbereitschaft.

»Erinnern Sie sich, ob er an dem bewussten Sonnabend im Mai hier war?«

Der Wirt starrte durch seine randlose Brille an Jarosch vorbei, als hätte er die Frage nicht verstanden. In ihm arbeitete es. Jarosch wartete geduldig.

»In der Drehe etwa könnte es gewesen sein … Im Frühjahr sicherlich.«

Und dann, als entstünde aus dem Kneipendunst und Zigarillorauch der Schemen des Mannes, wies er auf einen Punkt vor dem Tresen, direkt am Spülbecken. »Da hat er gestanden. Und Alte Juwel verlangt. Weiter nichts. War gleich wieder verschwunden. Ich glaube, er hatte passendes Geld …«

»Und Fredo? Hat der den Mann gesehen?«

Daran konnte der Wirt sich beim besten Willen nicht mehr erinnern. Dennoch war Jarosch zufrieden, als er in sein Auto stieg. Und er war es noch, als er eine Stunde später vor seiner Wohnungstür die Schuhe abstreifte und leise aufschloss. Aus dem Wohnzimmer tönte ungewöhnlich laut der Fernseher, in der Küche klapperte Geschirr.

»Jetzt fange ich noch mal an«, sagte Edith zur Begrüßung. Es klang nicht vorwurfsvoll.

»Weshalb überlässt du den Kindern nicht den Abwasch?«

»Weil ich ihnen doch nachräumen muss. Genau wie dir.« Sie war guter Stimmung. Oder sie tat so, weil sie ihm ansah, dass ein anstrengender Tag hinter ihm lag. »Außerdem ist morgen der letzte Ferientag für die beiden.«

»Richtig.« Werner Jarosch freute sich. »Morgen können wir alle mal richtig ausschlafen!«

»Das sieht dir ähnlich! Du hast es vergessen, gib es zu.«

Er brauchte eine Weile, bis er darauf kam. Der Tierpark. Und der Fernsehturm, wenn es nicht regnete. Vielleicht auch noch der Kulturpark. Seit mindestens einem Jahr hatte er den Kindern die Fahrt nach Berlin versprochen.

»Dann bleibt es dabei«, sagte er fest, weil er Ediths prüfenden Blick nur allzu deutlich spürte. Sie hatte eine Ausrede erwartet. Die Ausrede. Immer dieselbe: Dienst.

»Um acht fahren wir.«

Im Wohnzimmer saß Marie vor dem Fernseher, die es gar nicht erst auf eine Diskussion ankommen ließ und mit einem enttäuschten Flunsch das Programm wechselte. Er tätschelte ihre Schulter und drückte sie an sich, was sie ein bisschen versöhnte. Richtig glücklich strahlte sie ihn an, als er sagte: »Meinetwegen kannst du noch ein bisschen gucken. Ich will baden.«

In der Badewanne versuchte er die Zeitung zu lesen. In der feuchten Luft beschlugen die Brillengläser. »Du wirst dich noch mal verbrühen«, meinte Edith und öffnete das Fenster. Marie, die kam, um ihm den Rücken abzuseifen, weil der Film doof und sowieso zu Ende war, zog erschrocken ihre Hand wieder aus dem Wasser. Schließlich tauchte auch noch Marko im Bad auf, der ausgerechnet dann auf die Toilette musste, wenn der Vater sich einmal in der Wanne entspannen wollte.

»Hast du was dagegen, wenn ich morgen nicht mit nach Berlin komme?«, nuschelte er.

»Was sagt deine Mutter dazu? Hast du etwas Besseres vor?« Marko murmelte Undeutliches und verschwand wieder. »Papa hat nichts dagegen«, hörte er ihn im Flur sagen.

Nein, Werner Jarosch hatte nichts dagegen. Er war müde und abgekämpft und in friedfertiger Stimmung. Gerötet wie ein Krebs legte er sich im Schlafzimmer auf sein Bett. Ein bisschen war ihm auch übel. Wahrscheinlich mutete er seinem Kreislauf wirklich zu viel zu.

Es dauerte noch lange, bis alle Geräusche in der Wohnung nach und nach verstummten und Edith endlich ins Schlafzimmer kam. Werner Jarosch schlief nicht. Sein Kreislauf war noch immer in Wallung, und die Ereignisse des Tages gingen ihm nicht aus dem Kopf.

»Rutsch ein Stück«, sagte Edith resolut und legte sich zu ihm. »Oder willst du lieber schlafen?«

»Nein, nein.« Er zog sie an sich und fuhr mit seinen groben Händen über ihre glatte, nachgiebige Haut.
»Ich muss abnehmen«, stellte Edith aus Gewohnheit fest.
Sanft knetete er ihren Körper.
»Ich mag dich, wie du bist.«
Sie roch gut. Und er mochte sie wirklich, besonders wenn sie so verträglich war wie heute.
»Irgendwas ist mit dir …«, sagte sie.
»Nichts!«, beteuerte er und rollte sie spielerisch auf die Seite.
»Doch!«, beharrte sie. »Du brauchst dich gar nicht zu verstellen.« Sie lachte. »Ich kenne dich. Besser, als du dich selbst kennst.«
Er widersprach ihr nicht. Ein bisschen hatte sie vermutlich recht.
»Also – was ist los?«
Er versuchte auszuweichen, obwohl er wusste, dass es keinen Zweck hatte. »Wir wollen jetzt nicht reden …«
»Das könnte dir so passen! Erst die Wahrheit – dann das Vergnügen!«
Eine Weile lag Jarosch stumm wie ein Fisch. Schließlich sagte er, um einen möglichst normalen Tonfall bemüht: »Ich glaube, ich habe ihn.«
Edith verstand ihn sofort und richtete sich auf. »Und da liegst du hier ganz ungerührt im Bett?«
Er beruhigte sie. »Der läuft mir nicht weg.«
Sie wollte alles wissen. Alles und ein bisschen mehr.
Ganz gegen seine Gewohnheit erzählte ihr Werner Jarosch von dem rätselhaften Unfall, natürlich ohne einen Namen zu nennen oder das Foto in der Brieftasche zu erwähnen.
»Also ein Racheakt«, vermutete Edith.
Diese Annahme war nicht so weit von seiner eigenen Versi-

on entfernt. Das aber sagte er nicht, sondern: »Das wird sich erst herausstellen.«
»Du liest eben zu wenig.« Edith lächelte nachsichtig. »Die vollkommene Waffe …«
Er verstand nicht, was sie meinte.
»Das Auto. Eine vollkommene Waffe, um einen Menschen, den man hasst, umzubringen. Erinnerst du dich nicht an die Geschichte, wo der Ehemann den Liebhaber seiner Frau durch einen vorgetäuschten Verkehrsunfall tötet? Und sie lässt aus Rache sein Auto von einem Zug zermalmen?«
Nein, er erinnerte sich nicht, diese blutrünstige Story gelesen zu haben. Nur Fredo fiel ihm sofort ein. Und Arnes Gesicht, als der das Foto gesehen hatte.
»Der ›Börsenpfeil‹ hieß der Zug«, sagte Edith. »Ich glaube, ich habe das Buch Swetlana gegeben.«
»Bist du sicher?«, fragte Jarosch nach einer längeren Pause mit belegter Stimme.
Edith beugte sich zu ihm und sah ihn forschend an. »Was gibt es noch?«, wollte sie wissen.
»Nichts …«, beteuerte Jarosch.
Edith löschte das Licht.
»Weißt du …«, begann Werner Jarosch nach einer Weile.
Sie kuschelte sich an ihn und fuhr mit den Fingernägeln über seine Haut. »Wir wollen jetzt nicht reden …«
Später, viel später sagte sie: »Vielleicht genügt es, wenn wir morgen früh um neun fahren.« Und drehte sich um und schlief.
Werner Jarosch lag noch lange wach. Wenn Ney der Sexualtäter mit der Pudelmütze war – wer war dann in dieser Verkleidung am Haus der Pritzlaffs vorbeigefahren? Die Fahrzeugspuren stimmten mit denen von Bartz überein.

Wem gehörte der braune oder dunkelblaue Wartburg, und wo war er geblieben? Hatte Ney ihn im Mai benutzt? Besaß er vielleicht einen Mitwisser, der versucht hatte, ihn zu beseitigen? Weshalb? Die Burschen aus Gorna hatten bewiesen, zu welcher Brutalität sie fähig waren. Aber die saßen in U-Haft. Oder war die Lösung so einfach, wie Edith vermutete? Dann spielte das Foto die Schlüsselrolle. Oder war es erst nach dem Unfall in Neys Brieftasche gelangt, und der Täter hatte bewusst dessen Pudelmützen-Maskerade benutzt? Carsten Ederlein? Woher wusste der von der Pudelmütze? Und weshalb nahm er dem Verletzten das verräterische Foto nicht ab? Handelte er in Panik? Wer hatte das Bild aufgenommen? Konnte nicht Pritzlaff von Fredo erfahren haben, dass der Sexualtäter eine Pudelmütze …
War denn die Frau auf dem Foto wirklich Swetlana? Wer außer ihr kannte die Geschichte mit der vollkommenen Waffe? Arne. Und wenn Isa sich irrte? Oder Fredo doch der blindwütige Rächer war … Oder Isa selbst den Mann irgendwo erkannt hatte …
Allmählich verwirrten sich seine Gedanken. Werner Jarosch sank in einen unruhigen Schlaf.

23

An diesem Sonntagabend war es sehr still im Haus. Ausnahmsweise zog Arne sich nicht nach oben zu seinen Fischen zurück. Bis gegen halb sieben hatte er im Garten gewühlt und dann freiwillig das Abendessen zubereitet, was selten genug vorkam.
Schweigend ließen sie beide den Wetterbericht im Fernsehen

über sich ergehen, der ruhiges Herbstwetter mit gelegentlichen Schauern prophezeite, und ebenso wortlos schaltete Arne nach zehn Minuten, noch während der ausführlichen Spitzenmeldung der Aktuellen Kamera, das Gerät aus. Swetlana reagierte nicht darauf. Unter dem Vorwand, arbeiten zu müssen, setzte sie sich an ihren Schreibtisch und versuchte vergeblich, Ordnung in ihre Gedanken zu bringen.

Arne war verändert, das fiel ihr heute besonders auf. Oder lag es nur daran, dass sie ihn in den letzten Tagen noch misstrauischer belauert hatte, bereit, jede Regung als Einleitung zur unvermeidlichen Katastrophe zu deuten. Im Grunde war das natürlich albern. Die Gefahr ging nicht von Arne aus.

Irgendwann würde Ney reden. Was sollte ihn jetzt noch davon abhalten? Oder jemand würde die Bilder finden. Im mildesten Fall war dieser Jemand seine Frau. Vor einer Woche war Swetlana ihr im Konsum begegnet, und noch ehe es ihr gelungen war, sich verstohlen abzuwenden, war die mit einem schüchternen Gruß an sie herangetreten. Ich wollte Ihnen noch mal danken, wegen Silvio. Sie merken das vielleicht nicht so, aber er mag Sie sehr …

Es war ihr schwergefallen, nicht die Fassung zu verlieren, dieser Frau mit dem scheelen Blick und der unordentlichen Frisur nicht höhnisch ins Gesicht zu lachen und sie anzuschreien: Er mag mich sehr! – Was wusste die denn …

Nichts, glücklicherweise. Noch nichts. Aber wenn ihr die Bilder in die Hände fielen …

Nein, sie durfte nicht ungerecht sein. Es gab keinen Grund, der Frau etwas Böses zu unterstellen. Immerhin bestand die Möglichkeit, dass sie diese Bilder gar nicht beachtete und sie wegwarf.

Der Gedanke rief neuen Schrecken hervor. Einfach wegwerfen, das genügte nicht! Jemand konnte die Bilder finden! Ein Fremder. Oder, was viel schlimmer war, jemand, der sie und Carsten kannte. Silvio vielleicht, der die Fotos mit in die Schule brachte! Nur wenn diese Aufnahmen verbrannt, der Film unwiederbringlich vernichtet, alle Spuren getilgt waren, konnte sie sich noch einmal einen Aufschub versprechen – solange Ney nicht redete. Und für den gab es auch Gründe zu schweigen.
Swetlana war bereit, sich an jeden Strohhalm zu klammern. Je genauer sie sich Ingrid Ney vorstellte, umso mehr hoffte sie, dass die solche Bilder nicht aufhob oder herumzeigte. Dass da vielleicht eine Verbindung bestand zwischen den Fotos und dem Unfall – auf diese Idee kam eine brave Seele wie Ingrid Ney sicher nicht.
Gleichzeitig wusste Swetlana, dass sie sich etwas vormachte. Was nutzte es, wenn Neys Frau das Naheliegende nicht einfiel, solange es einen Oberleutnant Werner Jarosch gab, der, ausgestattet mit der Machtvollkommenheit seiner Behörde und mit deren Technik, gewiss die richtigen Schlüsse ziehen und den Unfall aufklären würde.
Wenn es sein muss, lässt sich beweisen, auf welchem Stuhl du gesessen hast, hatte er einmal in seiner bedächtigen Art geäußert, in einem jener seltenen Augenblicke, in denen er von seiner Arbeit sprach und insbesondere von dem erstaunlichen Niveau der Kriminaltechnik.
»Hast du etwas von Ney gehört?«
Ihr Halswirbel knackte schmerzhaft, so heftig schrak sie zusammen. Arne, angelegentlich mit einer Zeitschrift beschäftigt, schien die Wirkung seiner Frage auf sie glücklicherweise entgangen zu sein.

»Was – sollte ich denn gehört haben?«, brachte sie nach einer Weile gepresst hervor.
»Wie es ihm geht. Oder sonst irgendwas …«
»Nein.« Das klang so abweisend, dass Arne nach einem erstaunten Blick das Thema nicht weiterverfolgte.
Sein Schweigen war für Swetlana ebenso furchterregend.
»Wie kommst du gerade auf Ney?«, begann sie nach einer Weile.
Arne zögerte mit der Antwort. »Ich habe da etwas Merkwürdiges erfahren. Du weißt, ich gebe auf Gerüchte nichts. Aber der Weishaupt aus Launitz ist eigentlich zuverlässig.«
Ahnte er wirklich nicht, dass jedes seiner Worte eine Folter für sie bedeutete? Sie hätte sich auf ihn stürzen, ihm die Zeitschrift, die er pedantisch faltete, aus den Fingern reißen, ihn anschreien mögen. Doch sie saß wie versteinert und hielt seinem Blick scheinbar gelassen stand.
»Angeblich haben sie den Sittenstrolch dort aus der Gegend endlich gefasst. Er soll nach einem Autounfall im Krankenhaus liegen.«
Es dauerte wohl eine Minute, bis sie die Tragweite dieser Nachricht zu begreifen begann.
»Du meinst – Ney?«, fragte sie tonlos.
»Der Beschreibung nach … du weißt ja, es wird viel geredet. Weishaupt hat es von einem ehemaligen Schüler, der mit dem überfallenen Mädchen verlobt ist.«
Swetlana, die sich auf ihrem Schreibtischstuhl halb umgedreht hatte, wagte es nicht, sich jetzt abzuwenden.
»Ney hat dieses Mädchen vergewaltigt?«
»Das würde jedenfalls erklären, weshalb sich Werner bei uns so eingehend nach ihm erkundigt hat.«
Ja, das erklärte es. Es erklärte alles. Swetlana wusste plötzlich

nicht mehr, dass sie an ihrem Schreibtisch saß. Das Muster des Teppichbodens zwischen ihr und Arne verschwamm in eigenartigen Wellen, irgendwo hielt sie sich fest, stieß mit der Stirn an eine Kante.

»Swetlana!« Arnes Stimme war beunruhigend nahe. »Was ist denn mit dir, mein Mädchen ...« Mein Mädchen. Seit Jahren hatte er sie nicht so genannt.

Sie ließ sich von ihm zum Sofa führen. Er saß neben ihr und hielt ihre Hand.

»Du musst tapfer sein«, sagte er, und diese verhasste Floskel, die ihre Mutter so unsinnig oft gebraucht hatte, brachte den Damm, hinter dem sich alle ihre Ängste angestaut hatten, endgültig zum Einsturz. Sie schlug die Hände vor das Gesicht und schluchzte herzzerreißend.

Arne war klug genug, nicht auf sie einzureden. Er hatte seinen Arm um sie gelegt und drückte sie ganz leicht an sich. Lange saßen sie so. Sehr lange. Es schien ihr, als könnte sie niemals wieder aufhören zu weinen, doch allmählich versiegten die Tränen. In ihr breitete sich eine Leere aus, die alle Gefühle verdrängte.

Sie fuhr sich mit dem Ärmel ihres grauen Pullovers durchs Gesicht und sagte mit spröder Stimme: »Ich habe dich betrogen.«

Arne hörte nicht auf, ganz sanft mit seiner Hand über ihren Arm zu streichen. Er schwieg.

»Angefangen hat es vor den Maiferien ...« In ihr stieg wieder ein Schluchzer auf wie bei einem bockigen Kind, und so hätte sie sich am liebsten auch gefühlt. Sie würde ihm alles sagen. Endlich.

»Ich habe – mit Carsten ... mit Carsten Ederlein. Ich kann es dir nicht erklären. Es war alleine meine Schuld.«

Der Druck seiner Hand auf ihren Unterarm verstärkte sich.
»Ich weiß«, sagte er bekümmert.
Sie erstarrte. »Du – du hast es gewusst?«
Er nickte. Wie ein abgeklärter Weiser saß er da und nickte.
»Im Grunde war es wohl meine Schuld«, sagte er langsam.
»Du bist eine unternehmungslustige junge Frau. Und ich bin ein verknöcherter Halbwissenschaftler. Eine Bürokratenseele. So fühle ich mich manchmal. Ich habe dich hier an das Haus gefesselt, das du nicht magst, habe dir jede Freiheit genommen, dich mit dem Füttern der Fische gequält. Ich weiß, wie sehr du sie verabscheust.«
Sie blickte ihn an, als sehe sie ihn nach langer Zeit zum ersten Mal. Er hatte alles gewusst. Und was schlimmer war: Er verzieh ihr. Er suchte die Schuld bei sich. Sie hatte sich ohne jeden Grund erpressen, erniedrigen, vergewaltigen lassen. Von diesem – Verbrecher.
Ja, das war Ney: ein Verbrecher! Sie verstand plötzlich ihre ständige Furcht vor Arne überhaupt nicht mehr, und noch weniger, wie sie allein aus dieser Angst auf Neys Scheußlichkeiten hatte eingehen können. Die ganze Zeit war Arne bereit gewesen, sie mit offenen Armen wieder aufzunehmen, über ihren Fehltritt hinwegzusehen, als wäre nichts geschehen, ohne jeden Vorwurf, großmütig, wie er nun einmal war.
Statt sich zu rächen, hatte er Carsten zu seinem künftigen Stellvertreter auserkoren, hatte dafür gesorgt, dass dessen Verlobte hierherkam und die Affäre auch dadurch ein unauffälliges Ende fand. In Sekunden wurde ihr das ganze Ausmaß von Arnes Planung klar, und sie fing wieder an zu weinen, still vor sich hin diesmal. Er zog ihren Kopf in seinen Schoß, strich ihr von Zeit zu Zeit über das Haar und schwieg.

Viel später holte er ihr ein Glas Wasser und zwei Schlaftabletten. Sie hatte gar nicht gewusst, dass sie so etwas im Hause hatten.

24

Am Montagmorgen fiel Werner Jarosch das Aufstehen erstaunlich leicht. Gegen halb acht versuchte er, sich beim Major anzumelden, drang jedoch nur bis zu Edeltraud vor. Die tat wieder einmal, als müsste jeder Mitarbeiter wissen, was der Chef nur ihr anvertraut hatte. Er war zu einer dringenden Sitzung in die Bezirksbehörde gerufen worden.

Im Grund kam Jarosch dieser Aufschub nicht ungelegen. Es gab keinen Anlass, etwas zu überstürzen: Über das Wochenende hatte er sich alle Mühe gegeben, die Erinnerung an Ney und an alles, was mit dem zusammenhing, zu verdrängen. Am Sonnabendvormittag, während der Fahrt nach Berlin, sorgte Marie für Ablenkung. Dann hatten der hauptstädtische Verkehr und die Jagd nach Plätzen für ein Mittagessen seine ganze Aufmerksamkeit beansprucht. Doch auf der Rückfahrt, als die Tochter im Fond schlief, kehrten seine Gedanken zu dem Thema zurück, das ihn einzig bewegte.

Offensichtlich hatte auch Edith an nichts anderes gedacht.

»Weshalb musst du rauskriegen, wer ihn überfahren hat«, sagte sie aus heiterem Himmel. »Der hat nur bekommen, was er verdient.«

So durfte die Ehefrau eines Kriminalisten nicht ernsthaft argumentieren. »Wir sind hier nicht im Wilden Westen!«, sagte Jarosch ärgerlich. »Wo ein Mann den anderen mit dem Auto umbringt.«

»Ich glaube, die Geschichte spielt in New York. Und woher weißt du, dass es ein Mann war? Auch Frauen fahren Auto.«
Jarosch überlegte. Er hatte Swetlana nicht erwähnt. »Gegen Fälle von Selbstjustiz muss man mit allen Mitteln vorgehen«, sagte er.
Das wusste sie natürlich. »Bist du absolut sicher, dass es sich um Selbstjustiz handelt?«
Nein, das war er nicht. Dennoch konnte es sich dem gegenwärtigen Stand der Ermittlungen nach kaum um einen normalen Verkehrsunfall handeln, dessen Opfer zufällig Ney geworden war.
Die Chance, von Reinhold Ney selber Aufschluss über den Unfallhergang oder gar über dessen Hintergründe zu erhalten, schätzte Jarosch gering ein. Ney musste Isa Matuschek ebenso erkannt haben wie die ihn. Er wusste also, was Jarosch wusste. Und er hatte vermutlich wenig Grund, sich kooperativ zu verhalten. Es sei denn, es gelang, Neys Wut auf den Unfallverursacher weit genug herauszufordern.
Weshalb war Ney an jenem regnerischen Vormittag zum Kiessee gefahren? Wer hatte ihn – oder wen hatte er dort erwartet?
Das war die Kardinalfrage.
Die Wartburg-Listen. Vielleicht konnte er den Chef überreden, Willert mit der gründlichen Auswertung zu beauftragen. Edith hatte übrigens gewusst, dass bei Keibus' Erbschaft auch ein Auto im Spiel war: Er hat doch mit dieser kleinen, wieselflinken Frau zusammengelebt, der jetzt das Haus gehören soll. Aber der Pachtvertrag lief auf den Namen Keibus. Und die Tochter aus erster Ehe hat das Testament angefochten, weil nämlich …
Ja, ja, hatte Jarosch gesagt. Er hatte wahrlich andere Sorgen.

Zuerst einmal rief er bei Isa Matuscheks Chef in Launitz an und erfuhr nach einigem Hin und Her, dass der sie am Donnerstag früh mit einem Kraftfahrer zum Bahnhof geschickt hatte, um eine längst überfällige Ersatzteillieferung abzuholen. Nein, nicht mit einem Wartburg. Mit einem ZUK-Transporter.

Jarosch pfiff tonlos zwischen den Zähnen vor sich hin, als er hinunterstieg ins Sockelgeschoss zu Strelczyk. Der war dabei, die vergrößerte Abbildung einer undeutlichen Fingerspur mit zahllosen Vorlagen zu vergleichen, und empfing ihn wieder einmal mit überwältigendem Entgegenkommen.

»Manche Leute möchten mit ein paar Spuren am liebsten ganze Völkerstämme beschäftigen«, brubbelte er. »Da drüben. Guck dir dein Zeug selber an.«

Lange betrachtete Jarosch die Skizzen und die Fotos, verglich noch einmal alle Maßangaben. Da schien kaum ein Zweifel möglich: Ney war der Verursacher der Schuhspuren bei Bartz und im Hohlweg am Kuschwitzer Kiessee. Und auch die Reifenspuren waren identisch, das war eindeutig.

Strelczyk blickte abwartend herüber. Er traute dem Oberleutnant offensichtlich nicht zu, selbständig die richtigen Schlüsse zu ziehen. Nicht nur, um ihm einen Gefallen zu tun, nahm Jarosch ein Blatt auf, das den undeutlichen Abdruck eines kleinen Schuhs trug. »Was ist das hier?«

»Den hast du übersehen, was?« Strelczyk freute sich. »Stammt von der Stelle, wo der Wartburg gehalten hat. Sportschuh, Größe siebenunddreißig.«

»Nur der eine?«

Strelczyk, schon wieder mit der Daktyloskopie beschäftigt, murmelte unwillig: »Ihr seid nie zufrieden. Auf dem Weg wimmelt es rechts und links von Abdrücken. Meistens von

Turnschuhen in Kindergrößen. Aber auch Größe dreiundvierzig ist dabei. Ich kann da nicht wochenlang auf dem Bauch rumkriechen. Selbst bei dem hier lässt sich der Zusammenhang mit dem Wagen nicht unmittelbar beweisen.«
Jarosch legte das Blatt nachdenklich zurück. »Vielleicht sollten wir uns Neys Barkas mal genauer vornehmen«, sagte er.
Der Techniker blickte auf. »Weshalb? Der kann an dem Unfall kaum beteiligt gewesen sein! Oder?«
»Ist nur so eine Idee …« Jarosch legte seine Pranke auf Strelczyks Schulter. »Du wirst das schon machen, Knut.«
Das hörte der allemal am liebsten.
Kurz vor neun war Jarosch in Hahnshof. Seinen Wagen parkte er diesmal direkt vor Neys Garage.
Frau Ney empfing ihn, als hätte sie sein Kommen geahnt. Erwartungsvoll war vielleicht nicht der richtige Ausdruck für ihre Haltung, doch erschien ihm die Frau auf überraschende Weise verändert.
»Frau Ney«, begann er behutsam, »ich habe noch einige Fragen an Sie … Im Zusammenhang mit dem Unfall Ihres Mannes.«
Die Frau antwortete ruhig und mit einer Selbstsicherheit, die ihr vor drei Tagen gänzlich gefehlt hatte. »Sie brauchen nicht drumherum zu reden. Jetzt ist sowieso alles anders.«
Sie deutete Jaroschs erstaunten Blick richtig. »Ich habe mit dem Chefarzt gesprochen.«
Jarosch ging nicht auf dieses Thema ein.
»Um mit unseren Ermittlungen weiterzukommen, benötigen wir einige Angaben.«
Mit ihrem leichten Silberblick, der ihn heute viel stärker irritierte, sah sie ihn wach an. »Ich weiß nichts. Und ich will auch gar nichts wissen. Das alles muss doch mal ein Ende haben.«

»Ihre Ehe war nicht sehr glücklich …«, vermutete Jarosch mit der gebotenen Zurückhaltung.
»Glücklich? Können Sie mir erklären, was das ist? Ist Ihre eigene Ehe glücklich?«
Jarosch, immer noch beeindruckt von ihrer Wandlung, wollte ihr eine Antwort nicht ganz schuldig bleiben. »Das müssen Sie meine Frau fragen.«
Sie nickte befriedigt, als hätte sie sich das gedacht. »Sie verstehen mich schon …«
Es fiel Jarosch wirklich nicht leicht, sich dem veränderten Wesen der Frau anzupassen.
»Sie haben sicher die persönlichen Dinge Ihres Mannes bei der Hand. Darf ich fragen, ob ein Kalender dabei ist?«
Frau Ney lächelte kaum merklich und schüttelte den Kopf. »Wegen irgendwelcher Namen? Da haben Sie Pech. Reinhold hatte alles im Kopf. Alle Namen und Telefonnummern, alle seine Geschäfte. Und auch sonst …«
»Und auch sonst?«, fragte Jarosch.
»Sie haben mich schon verstanden«, wiederholte sie so ruhig, dass er sich unwillkürlich an seine Gespräche mit Frau Pritzlaff erinnert fühlte. Von den Frauen hier in den Dörfern ging etwas beneidenswert Abgeklärtes aus. Vielleicht war Ediths Idee, aufs Land zu ziehen, nicht so abwegig …
Was war heute mit ihm los? Er hatte eine Befragung durchzuführen, bei der es auf jedes Wort, ja auf den Tonfall ankommen konnte.
»Sie meinen Frauengeschichten«, vergewisserte er sich. Nun wandte sie sich doch ab. »Das krähen hier in der Gegend die Hähne vom Mist«, erwiderte sie abweisend.
»Ihr Mann ist vor einiger Zeit am Hals verletzt worden. Können Sie mir darüber etwas sagen?«

»Weshalb fragen Sie ihn nicht selber? Wahrscheinlich ist er in der Kneipe mit jemandem aneinandergeraten.«
War ihr Gleichmut gespielt? »Die Spuren stammen von einer Frauenhand.«
Sie sah Jarosch noch immer nicht an. »Ich weiß nicht, was Weibsbilder daran finden, ihn so zuzurichten.«
Es hatte fast den Anschein, als verspotte sie ihn. »Erinnern Sie sich daran, ob er irgendwann in der Gegend des Schlüsselbeins eine Verletzung hatte?«
»Fragen Sie ihn selber«, wiederholte sie. »Der Polizei muss er doch die Wahrheit sagen.«
»Immerhin wäre möglich, dass er mit jemand Streit hatte. In Kuschwitz beispielsweise. Da ist er mal in eine Auseinandersetzung verwickelt worden …«
»Mit dem Mann von der Zigeunerin? Die werden schon einen Grund gehabt haben, sich gegenseitig die Meinung zu geigen.«
Sie kam auf Jarosch zu und blieb dicht vor ihm stehen.
»Warum wollen Sie das alles wissen? Das macht ihn nicht wieder …«, sie zögerte, »… gesund. Lassen Sie uns unsere Ruhe. Der Junge hat es auch bitter nötig.«
Jarosch hätte ihr gerne den Gefallen getan. Sie tat ihm leid, doch zu seinem Beruf gehörte es nun einmal, den eigenen Gefühlen nicht nachzugeben.
»Mag er den Jungen nicht?«, fragte er.
Ihre Antwort war ein Schulterzucken. Sie beugte sich über den Tisch und strich die Falten der bestickten Decke glatt. Richtig, dort hatte am Donnerstag ein Tischläufer gelegen. Und ein Aschenbecher hatte darauf gestanden. Der war verschwunden.
»Bei Reinhold weiß man nie, ob er jemanden mag. Er will

einfach nicht verstehen, dass Silvio nicht zu den Besten in der Schule gehört. Von wem sollte der Junge das haben? Ich bin selber nur mit knapper Not bis zur Achten gelangt. Und Reinhold? Der weiß schon, warum alle seine Zeugnisse angeblich verschwunden sind.« Sie gab sich einen Ruck. »Jedenfalls ist vom Prügeln noch kein Kind schlauer geworden! Ich muss jetzt rüber in die Küche. Ist noch was?«

»Ich hätte mir gerne die persönlichen Sachen Ihres Mannes angesehen. Ich kann natürlich noch einmal wiederkommen …«

»Bis dahin ist die Hälfte von all dem Trödel dort verheizt«, erklärte sie energisch. »Es wird Zeit, dass Ordnung in die Garage kommt. Der Mann konnte sich ja von nichts trennen!«

»Bitte warten Sie damit«, bat Jarosch freundlich. »Ich müsste mir das schon etwas genauer angucken.«

»Na, dann gucken Sie lieber gleich!« Sie sah ihn plötzlich erschrocken an. »Oder heißt das, Sie wollen hier eine Hausdurchsuchung machen?«

»Nein, nein«, beruhigte Jarosch sie halbherzig. »Dazu ist ein ordnungsgemäßer Durchsuchungsbefehl notwendig. Aber wenn Sie ein paar Minuten Zeit hätten, damit ich mich mal in der Garage umsehen kann.«

»Das wird nichts«, sagte sie kategorisch. »Der Erler soll nicht denken, jetzt, wo ihm der Reinhold ausgefallen ist, da ist auch mit der Ingrid nicht zu rechnen! Meinetwegen kann der Junge mitgehen.«

»Es müsste sich schon um einen Erwachsenen handeln. Ich werde mit dem Kollegen Erler sprechen.«

»Der kümmert sich schon viel zu viel um unsereins. Und ein Erwachsener kann Ihnen da auch nichts nützen. Gehen

Sie mit dem Jungen, oder lassen Sie es sein.« Sie öffnete geschäftig die Tür und rief: »Silvio!«
Der Oberleutnant wunderte sich. »Ist er nicht in der Schule?«
»Ich habe ihn zu Hause behalten.« Sie wirkte nur einen Augenblick verlegen. »Er hat es mit dem Magen. Ist ja kein Wunder bei so einer Aufregung …«
Silvio sah so blass aus, dass man ihm seine Magenschwäche glaubte. Oder machte er eher einen schuldbewussten Eindruck?
»Du gehst mit dem Herrn in die Garage«, sagte Ingrid Ney energisch. Sie drückte Jarosch eine lederne Schlüsseltasche in die Hand. »Viel Spaß.«
Der Oberleutnant folgte ihr zögernd. Während sie im Flur ihre Schürze überstreifte, fragte er: »Fährt jemand von den Bekannten Ihres Mannes einen braunen Wartburg? Oder einen blauen?«
»Ich habe Ihnen gesagt, ich kümmere mich nicht um seine Bekanntschaften.« Sie war jetzt sehr ungeduldig, doch Jarosch hatte noch eine Frage.
»Waren sie den ganzen Donnerstagvormittag in der Küche, Frau Ney?«
Sie sah ihn entrüstet an. »Der Erler ist ein altes Klatschmaul! Dabei hat er mir selber frei gegeben. Der Junge braucht Hosen. Ich war in der Stadt. Haben Sie eine Ahnung, was so ein Zehnjähriger für Hosen verbraucht? Und was die kosten, wenn es mal welche gibt?«
»Meiner ist fünfzehn«, sagte Jarosch verständnisvoll. Das beruhigte sie ein bisschen.
»Na, sehen Sie! Und nun muss ich wirklich los, sonst wird das Mittagessen nicht fertig.«

»Ich werde mich also mit Ihrer Zustimmung umsehen«, vergewisserte Jarosch sich noch einmal.
Sie hätte ihn am liebsten aus der Tür geschoben. »Meinen Segen haben Sie«, sagte sie ungeduldig. »Gucken Sie sich um. Mit seinen Sachen war der Reinhold eigen.«
War. Es hatte sich viel verändert seit dem Donnerstag. Die Frau hatte auf ihre Weise begonnen, mit der Situation fertigzuwerden. Jarosch war sicher, dass es ihr gelingen würde. Dem Jungen, der ihm zögernd den passenden Schlüssel aus dem Bund heraussuchte, war das Unbehagen über den Auftrag der Mutter deutlich anzumerken.
Jarosch schaltete das Licht in der Garage ein und blickte sich um. Seit seinem ersten Besuch vor zwei Monaten hatte sich hier wenig verändert. Vielleicht standen nicht mehr ganz so viele Möbelstücke herum. Es war etwas mehr Platz für den weinroten Golf, der ein wenig schräg und mit dem Heck zur Garagentür hereingefahren worden war. Damals hatte er andersherum gestanden. Jarosch vergewisserte sich noch einmal, dass die Radialreifen nicht dem Profil entsprachen, das er suchte.
Silvio sah ihm zu.
»Du weißt hier wohl gut Bescheid?«, erkundigte Jarosch sich freundlich.
Kopfschütteln. »Papa will nicht, dass ich hier rumkrame«, sagte er undeutlich.
»Aber du würdest gerne, stimmt's?«
Silvio wich seinem Blick aus und schwieg.
Jarosch hatte nicht die Absicht, das Kind auszufragen. Er stellte sich auf die Zehenspitzen und blickte in den mit Brettern und Leisten und allerlei Trödel vollgestopften Raum über den Balken. Was suchte er eigentlich?

Er öffnete den Wagenschlag, fand aber auch in der Ablage und in den Türfächern nichts, was ihn interessiert hätte.
Der Junge begann sich zu langweilen. »Ich fahr 'n bisschen Rad«, sagte er.
Jarosch schreckte aus seinen Gedanken. »Warte noch.«
Bei einer Durchsuchung sollte sich keine Person entfernen. Das gehört zum Grundwissen jedes Kriminalisten. Hier aber handelte es sich um ein Kind. Und um keine wirkliche Durchsuchung. Er wollte sich nur einen Überblick verschaffen.
Neben einem schäbigen Vertiko mit Spiegelaufsatz führte eine schmale Metalltür zu den übrigen Kellerräumen. Misstrauisch beobachtete der Junge, wie er den Schlüssel für das Zylinderschloss suchte. »Was ist da drin?«, fragte Jarosch.
»Weiß nicht.« Silvios Sprache war ein wenig stockend. »Papa macht seine Bilder. Da darf keiner rein.«
Eine Dunkelkammer also. Der Junge folgte ihm nur widerstrebend in den kleinen, sauber geweißten Raum, der anscheinend ein Durchgang zu den restlichen Räumen war, fensterlos und im Gegensatz zur Garage ordentlich und aufgeräumt. Auf dem mit Kunststoff belegten Arbeitstisch standen ein Vergrößerungsgerät und ein Gestell für die Anfertigung von Reproduktionen, Kartons mit Fotopapier befanden sich in einem Wandregal darüber, die Chemikalien in der toten Ecke zwischen Tisch und Wand.
Jarosch öffnete nacheinander die Tischschubfächer. Sie waren nicht verschlossen. Das obere enthielt säuberlich in die Löcher einer Schablone gesteckte Kleinbildfilme. Ungefähr achtzig Stück. Sie waren nummeriert, aber in den Reihen fehlten einzelne Filme. In den unteren Fächern befanden sich Fotos in den unterschiedlichsten Formaten. Alles Mo-

tive, die nicht auffällig waren: Landschaften, die Gebäude von Hahnshof, Personenporträts, Kindergruppen, einzelne Tierfotos. Die betrachtete Jarosch etwas genauer. Manche waren mit einem Teleobjektiv fotografiert, das erkannte er am unscharfen Vorder- und Hintergrund.
Silvio schaute ihm die ganze Zeit zu, mit einem Gesicht, das deutlich verriet, wie wenig er diesem fremden Mann traute.
Der Oberleutnant schob das Fach zu. Wenn Ney noch andere Fotos gemacht hatte, und daran zweifelte er nicht, dann war es kein Problem, sie in diesem Haus an einem weniger auffälligen Ort aufzubewahren. Sein Blick streifte über die Kartons mit den Fotopapieren. Ein bemerkenswerter Vorrat. Jarosch schaltete die grüne Dunkelkammerleuchte ein und löschte das Deckenlicht.
Silvio stand schweigend in der Nähe der Tür.
Im vierten Karton stieß Jarosch auf das, was er suchte. In das schwarze Schutzpapier eingehüllt war ein Packen Fotos, den er rasch vor den Augen des Jungen verbarg. Schon das obere Bild sah alles andere als jugendfrei aus.
»Ich gehe spielen«, sagte der Junge, der sich offensichtlich sehr unbehaglich fühlte.
Jarosch ließ ihn gehen. Es waren eine Menge Fotos, die Ney da gehortet hatte, Reproduktionen aus Porno-Magazinen zumeist, die Jarosch nur flüchtig durchblätterte. Der nächste Karton hingegen enthielt Fotos, und um deren intensive Betrachtung würde er nicht drumrumkommen. Auf eine künstlerische Wirkung war es dem Fotografen nicht angekommen. Auf Anhieb erkannte Jarosch Martina Fahrlandt, aufgenommen in Posen, die ihrem Kraftfahrer Paul ganz sicher nicht gefallen würden. Es waren auch Aufnahmen mit dem Teleobjektiv dabei, die Ney am Kiessee gemacht haben musste. Eine

Person, die Jarosch bekannt war, entdeckte er nicht darauf. Im untersten, sorgsam zugeklebten Karton fanden sich schließlich noch ein paar von den bunten Heften, derentwegen sich Ney anscheinend auf die Reproduktionsfotografie spezialisiert hatte. »Sex bizarr« hieß eins davon. Ein anderes, »Sadismus im Kloster«, versprach »die Folgen der grausamen Peitschung in schaurigen Details«. Angeekelt schloss Jarosch den Karton. Die Psychologen würden ihre Freude an dem Mann haben, dem das alles gehörte.

Der Nebenraum war der geräumige Heizungskeller. Er sah sich auch hier gewissenhaft um, öffnete sogar die Ofentür und machte eine interessante Entdeckung. Die Brennkammer war leer. Aber zuletzt hatte jemand Kunststoff verbrannt, dem stechenden Geruch nach zu urteilen. Und Papier. Vorsichtig förderte er einige Reste zutage. Fotopapier, das war unschwer zu erkennen. Auf dem Rost klebte eine schwärzliche Masse. Hatte da jemand nicht gewusst, dass Filme seit langem nicht mehr brannten?

Jarosch bückte sich und zog den Aschekasten heraus. Der war sorgfältig entleert. Schwerfällig erhob er sich wieder. Es war ein Fehler gewesen, die Untersuchung hier alleine zu beginnen. Er konnte schließlich nicht die Mülltonnen des Ferienheims als Beweismittel mitnehmen.

Ingrid Ney, inmitten einer Dampfwolke in der großen Küche hantierend, verlangte keine Erklärung, weshalb er den Keller versiegelt hatte. »Besuchen Sie heute Nachmittag Ihren Mann?«, fragte Jarosch.

Sie war sehr beschäftigt. »Erst nach fünf«, sagte sie. »Sie sehen ja, was hier los ist.«

»Dann kommen Sie bitte danach noch im Kreisamt vorbei.«

»Abends noch?«

Jarosch nickte ihr zu, da Erler gerade hereinkam. »Sie treffen mich auf jeden Fall an.«
Der Heimleiter erkundigte sich, wann er endlich den Barkas wieder benutzen dürfe. »Bald«, versprach Jarosch.
Als er in seinen Wagen stieg, keuchte Silvio mit seinem Fahrrad die Auffahrt herauf. Magenleidend wirkte der Junge im Augenblick nicht.
»Silvio.«
Der Junge hatte ihn offenbar nicht bemerkt, denn er erschrak und verlor beinahe das Gleichgewicht. Er blieb in einigem Abstand von Jarosch stehen.
»Silvio, du hast doch gewusst, dass dein Papa Fotos hat, die du dir nicht angucken darfst.«
Die Röte in Silvios Gesicht rührte nun nicht mehr von der Anstrengung des Bergauffahrens her. Jarosch griff in die Tasche, zog den Umschlag hervor und rückte Ederleins Profil in den Ausschnitt. »Komm mal her.«
Silvio hielt sich an seinem Rad fest und trat zögernd näher.
»Hast du dieses Bild schon einmal gesehen?«
Ohne recht hinzugucken, schüttelte der Junge heftig den Kopf. Zu heftig, fand Jarosch.
»Das ist einer deiner Lehrer.«
Kaum hörbar sagte Silvio: »Meiner nicht ...«
»Deine Lehrerin ist Frau Schildhauer, nicht wahr?« Silvio senkte seinen Kopf sehr tief und schwieg. Und plötzlich bebten seine Schultern.
Jarosch öffnete die rechte Vordertür. »Stell dein Rad ab und setz dich hierher. Und dann erzählst du mir mal, was mit den Bildern los war.«
Der Junge stand wie angewurzelt und schniefte. »Es – war – nur – nur eins ...«, entrang es sich ihm schließlich stockend.

»Gut«, sagte Jarosch sanft. »Du sagst mir, wo es ist, und wir beide vergessen die Sache.«
Er erwog, ob er aussteigen sollte, ließ es aber sein. Aus dem Wagenfenster konnte er Silvio aus gleicher Höhe ins Gesicht blicken.
»Na?«, ermunterte er ihn.
Silvio sagte beinahe unverständlich: »Ich will – nicht ins Heim …«
»Kinder kommen nicht ins Heim, wenn die Erwachsenen was anstellen«, entgegnete Jarosch ernst.
Diese Behauptung bedachte Silvio anscheinend lange.
»Hab's nur in' Kasten gesteckt …«, sagte er endlich trotzig. »Papa hatte – so – so viele.«
»In welchen Kasten? In der Dunkelkammer im Keller?«
Silvio schüttelte den Kopf. »Bei Frau Schildhauer«, sagte er dumpf. »Weil sie so gemein war zu mir …«

25

Auf dem Parkplatz neben der Kerchower Schule standen nur vier Autos, darunter ein beigefarbener Wartburg mit normalen Reifen. Kein blauer und kein brauner.
Aus den offen stehenden Fenstern der beiden Schulgebäude drangen gedämpfte Geräusche. Die Eingangstür war verschlossen. Es verging einige Zeit, bis jemand den Oberleutnant bemerkte und ihn einließ.
Arne Schildhauer saß alleine in seinem Direktionszimmer. Die Tür zum Sekretariat stand offen. Werner Jarosch hatte den Eindruck, dass es seiner Erklärung, er sei dienstlich hier, nicht bedurfte. Sein Besuch schien Arne nicht zu überra-

schen. Er wirkte beherrscht wie immer, und er verlor seine Fassung auch nicht, als Jarosch das Foto aus dem Umschlag zog und vor ihm auf den Tisch legte.
»Du kennst diese Aufnahme?«
Arne Schildhauer schaute lange auf das Bild. Nicht, weil er unsicher war. »Ich kenne ein ähnliches«, sagte er schließlich leise. »Es steckte Anfang voriger Woche zwischen den Zeitungen in unserem Briefkasten.«
»Du weißt, wer es fotografiert hat?«
»Ich vermute es.« Arne hob den Blick von dem Foto und sah ihn fest an. »Hier in der Gegend gibt es nicht allzu viele Leute mit einer entsprechenden Fotoausrüstung.«
»Und auf wen fiel dein Verdacht?«
»Auf den Falschen«, antwortete Arne nicht ohne Resignation. »Ich habe Pritzlaff beschuldigt.«
»Inzwischen bist du sicher, dass der es nicht war?«
Arne bewegte hilflos seine Hände. »Ich habe mit ihm zu sprechen versucht. Am Mittwoch, als er das Fischfutter lieferte. Er war sehr aufgebracht.«
»Hast du ihm das Foto gezeigt?«
»Natürlich nicht.« Arne schüttelte den Kopf. »Auf meine bloße Andeutung hin sprach er von einer Rufmordkampagne gegen ihn. Er wüsste genau, wer daran ein Interesse hätte.«
»Hast du das Foto noch?«
»Es war zerknittert, als hätte es bereits sonst wo gelegen … Die Personen darauf waren dennoch deutlicher zu erkennen als auf dem hier.« Arne senkte den Kopf. »Ich habe es – nicht mehr … Wie konnte ich denn ahnen, was noch passieren würde?«
Da Jarosch schwieg, fuhr er nach einiger Zeit von selber

fort. »Pritzlaffs Reaktion hat mich verunsichert. Ich besaß keinen Beweis, von wem das Foto stammte. Ich gebe zu, dass mir auch Ney einfiel. Ich habe ihn mal mit einer Kamera mit Teleoptik gesehen. Auf einem Hochstand in der Nähe einer verfallenen Feldscheune. Erst als uns die Nachricht von seinem Unfall erreichte, merkte ich an Swetlanas Reaktion, dass sie …«
Er sprach nicht weiter.
»Dass sie was?«
»Vermutlich wusste sie, dass Ney sie beobachtet hatte …«
Es fiel Arne sichtlich schwer, darüber zu sprechen. »Werner!«, sagte er beinahe flehend, »wenn Swetlana sich zu einer Unbedachtsamkeit hat hinreißen lassen – du musst versuchen, ihre Lage zu verstehen …«
Jarosch fühlte sich ausgesprochen unwohl. Arnes Appell erinnerte ihn daran, dass er einen zweiten Kriminalisten aus dem Kreisamt angefordert hatte. Ohne Erfolg. Kirsch war vermutlich gerade dabei, Rogel und seinen Kumpel zur Sache zu vernehmen, und von den anderen war keiner abkömmlich. Jarosch hatte darauf verzichtet, seine Befangenheit in diesem speziellen Fall über Funk zu erläutern.
»Wo bist du am Donnerstagmorgen gewesen?«, fragte er Arne beinahe schroff.
Der guckte ihn irritiert an. »Werner, bitte sage mir wenigstens, ob die Gerüchte der Wahrheit entsprechen und Ney tatsächlich der von euch gesuchte Sittlichkeitsverbrecher ist.«
Jaroschs Miene verschloss sich. »Tut mir leid«, sagte er steif. »Du fährst bitte anschließend mit mir ins Kreisamt.«
Arne schüttelte den Kopf. »Was ich dir zu sagen habe, kannst du an Ort und Stelle erfahren. Ich war am Donnerstag hier in

der Schule. Und du wirst verstehen, dass ich jetzt nicht einfach weg kann. Ich habe noch zwei Stunden zu unterrichten.«
»Gut. Dann wirst du heute Nachmittag ins Kreisamt fahren. Jemand wird dort deine Aussage protokollieren.«
»Du glaubst …?« Arne stand der Mund offen.
»Ich *glaube* gar nichts«, entgegnete Jarosch streng. »In meinem Beruf kommt es ähnlich wie in deinem nicht auf Glauben, sondern auf Wissen an. Tatsachen, Arne, nur Tatsachen interessieren mich. Meine Aufgabe ist es, die Wahrheit herauszufinden.« Er erinnerte sich an mehrere Gespräche mit Arne über diesen Begriff. »Für uns ist das keine philosophische Kategorie, Arne. Wir haben anhand objektiver Fakten festzustellen, was wirklich geschehen ist, und materielle Beweismittel dafür zu sichern. So ist das.«
Für Jarosch war das eine ungewöhnlich lange Rede. Arne war ein wenig in sich zusammengesunken. »Ich verstehe. Du bist im Dienst«, sagte er tonlos. »Möchtest du Swetlana sprechen?«
Jarosch sah ihn unschlüssig an. Der Major würde wenig Begeisterung zeigen, wenn er erfuhr, wie gut sein Untersuchungsführer zwei der Beteiligten kannte.
»Hat sie dir irgendetwas Konkretes mitgeteilt?«, erkundigte er sich unwirsch.
Arne schüttelte zögernd den Kopf. »Ich weiß nur, dass sie nicht in Sanssouci gewesen sein kann. Ich habe auf den Kilometerstand geachtet. Um nach Potsdam und zurückzugelangen, fehlen mindestens fünfzig Kilometer.«
Werner Jarosch kannte Schildhauers Trabant. Er fragte: »Ist dir jemals hier in der Gegend ein dunkler Wartburg mit M+S-Reifen aufgefallen?«
»Jetzt? Dem Kalender nach ist Sommer.«

»Dem Kalender nach. Ederleins Vater hat seinen alten Wartburg an einen deiner Kollegen verkauft. Kennst du den Wagen?«
»Ulberg. Der hat erwähnt, dass er neue Reifen benötigt …«
»Und du hast erwähnt, dass du am Donnerstag zuerst zu Ederlein wolltest, er aber bereits abgefahren war. Um welche Zeit genau bist du bei ihm gewesen?«
Arne überlegte. »Irgendwann nach neun. Er war wahrscheinlich mit dem Frühbus gefahren.«
»Er fuhr mit dem delphingrauen Wartburg seines Vaters.«
»Nein.« Arne sah ihn erstaunt an. »Der Wagen stand in der Einfahrt, aber es war niemand da. Den alten Ederlein traf ich dann im Dorf, und der erzählte mir, sein Sohn wäre abgereist.«
»Na gut.« Jarosch straffte sich. »Dann möchte ich Herrn Ederlein mal sprechen.«
»Werner!« Arne legte die Hand auf das Foto, das noch immer zwischen ihnen auf dem Tisch lag. »Ich möchte dir etwas erklären …«
»Nein«, entgegnete Jarosch kategorisch. »Du wirst ausreichend Gelegenheit haben, dich zu äußern.«
»Werner, diese Angelegenheit mit Swetlana …«
Jarosch erhob sich brüsk. »Wo finde ich Carsten Ederlein?«, fragte er sehr dienstlich.
Arne sah wohl ein, dass ein weiterer Versuch, Jarosch umzustimmen, zwecklos war. »Er gibt gerade seine erste Stunde in der neuen Klasse.«
»Sei so freundlich und lasse ihn ablösen.«
»Das müsste ich selber übernehmen.« Er wartete. Jarosch widersprach ihm nicht. Bedrückt verließ Arne den Raum.
Carsten Ederlein erschien innerhalb weniger Minuten: ein

sportlich wirkender Jüngling mit dunklen Locken und flottem Bärtchen, der betont locker auftrat und dennoch wie das personifizierte schlechte Gewissen aussah. Dieser Eindruck verstärkte sich noch, als er erfuhr, mit wem er es zu tun hatte. Arne hatte es ihm anscheinend nicht gesagt.
»Setzen Sie sich«, forderte Jarosch ihn höflich auf. Er hatte sich auf Arnes Platz niedergelassen. »Kennen Sie dieses Foto?« Er reichte es Ederlein über den Tisch.
Dem jungen Lehrer stieg die Röte bis an die Haarwurzeln. Er getraute sich nicht, nach dem Bild zu greifen.
»Ich – sehe es zum ersten Mal …«, sagte er stockend.
»Sind Sie sicher, nicht schon ein ähnliches gesehen zu haben?«
»Hören Sie«, begehrte Ederlein auf. »Die Beziehung zwischen mir und – und der Dame auf dem Bild, die liegt Monate zurück. Das ist längst zu Ende und vergessen, wenn …« Er schwieg plötzlich.
»Sprechen Sie bitte weiter.«
»Nichts weiter. Ich verstehe nicht, was die Polizei mit einem derartigen Foto zu tun hat.«
»Was haben Sie am vergangenen Donnerstag getan?«
Ederleins Jungengesicht war noch immer gerötet. Er versuchte, Zeit zu gewinnen, und wiederholte: »Am Donnerstag«, als hätte er nicht richtig verstanden oder müsste lange darüber nachdenken. »Da bin ich nach Hause gefahren. Ich meine, nach Oelsnitz. Zu – meiner Verlobten …« Er fühlte sich nicht wohl dabei, das angesichts des Fotos auf dem Tisch auszusprechen.
»Wann haben Sie das Haus verlassen?«
»Schon früh. Gegen acht etwa.«
»Wann sind Sie in Oelsnitz angekommen?«
»Ich bin zuerst nach Berlin gefahren.« Ederlein sagte das

ohne besonderes Zaudern. »Ich wollte noch einiges einkaufen.«
»Um welche Zeit waren Sie in Berlin?«
»Ich habe nicht auf die Uhr geguckt. Die Geschäfte hatten schon geöffnet. Ich bin dann noch bei einem Studienkameraden vorbeigefahren, aber der war nicht zu Hause. Und von dort gleich wieder zurück auf die Autobahn.«
»Dann sind Sie also quasi hier noch einmal vorbeigekommen.«
»Nein. Mir erschien die Leipziger Autobahn günstiger.«
Jarosch sah ihn nachdenklich an. »Und Sie sind auch morgens nicht noch einmal umgekehrt?«
»Weshalb sollte ich?« Das klang keineswegs sicher.
»Wie erklären Sie es, dass der Wartburg Ihres Vaters noch nach neun in der Auffahrt Ihres Hauses stand, wenn Sie damit bereits seit acht Uhr unterwegs waren?«
Ederlein fühlte sich sichtlich in die Enge getrieben. »Möglicherweise war es doch später, als ich dachte …«, sagte er hilflos.
Jarosch unterdrückte die sarkastische Bemerkung, dass man bekanntlich an Tagen, an denen man weite Reisen unternahm, nicht auf die Uhr guckt, sondern hakte sofort nach. »Zwischen neun und halb zehn waren Sie gar nicht zu Hause. Jemand wollte Sie besuchen und traf Sie nicht an.«
»Ja, jetzt erinnere ich mich!« Ederlein war ein schlechter Schauspieler. »Ich bin ja noch mal ins Dorf gefahren. Mit dem Fahrrad.«
»Merkwürdig. Ihr Besucher kam aus Kerchow und fuhr auch wieder dorthin zurück. Dennoch ist er Ihnen nicht begegnet.«
»Ich – vermeide es, auf der Chaussee zu fahren.«

Ein lächerliches Spiel. Trotzdem verlor Jarosch nicht die Geduld. »Wann waren Sie zurück?«
»Wahrscheinlich kurz nach halb zehn. Eher noch früher.«
»Um neun Uhr siebenunddreißig«, sagte Jarosch, als gäbe es da gar keinen Zweifel. Ederlein starrte ihn verblüfft an.
»Um neun Uhr siebenunddreißig meldete jemand bei der Schnellen Medizinischen Hilfe einen Unfallverletzten auf dem Zufahrtsweg zum Kuschwitzer Kiessee. Eine männliche Stimme, an die sich die diensthabende Kollegin gut erinnert, Herr Ederlein.«
Ederlein veränderte unruhig seine Sitzposition und atmete tief. »Also gut«, sagte er leise. »Wenn Sie es sowieso wissen: Ich war der Anrufer.«
Jarosch nickte befriedigt und wartete.
»Ich – ich war dort in der Nähe … Oben, auf einer Anhöhe. Weit weg. Ich sah ganz zufällig, wie der Mann – von dem Wagen angefahren wurde …«
»Was war das für ein Auto?«
»Ein heller Wartburg, soweit ich das von oben erkennen konnte. Ich sah eigentlich nur das Dach.«
»Kennzeichen?«
Ederlein schüttelte den Kopf. »Ich war mindestens dreihundert Meter entfernt. Der Wagen hielt, und der Mann rannte darauf zu. Der Fahrer setzte den Wagen zurück, vielleicht dreißig, vierzig Meter. Als – der Mann dann in den Hohlweg hinuntersprang, fuhr er wieder an. Direkt auf ihn zu. Der Mann fiel hin und schrie auf. Es war bis zu mir herauf zu hören – aber der Wagen fuhr weiter. Ohne zu halten.«
»In welche Richtung?«, fragte Jarosch nüchtern.
»In Richtung Kuschwitz. Den Weg kann man eigentlich kaum mit dem Auto befahren.«

»Und der Verletzte? Was war mit dem?«
»Ich sah ihn nicht mehr. Er lag an der Böschung im Hohlweg.«
»Sie haben sich nicht um ihn gekümmert?« Jarosch übertrieb seine gespielte Ungläubigkeit. Die ganze Geschichte klang wie schlecht erfunden, vielleicht weil alle Details zu den Feststellungen am Unfallort passten.
»Ich bin zu ihm gegangen«, gab Carsten Ederlein widerstrebend zu. »Er war anscheinend schwerverletzt. Ich konnte ihm nicht helfen … Deshalb bin ich nach Hause gefahren und habe sofort angerufen.«
Der letzte Satz ging ihm leichter von den Lippen.
»Sie sind mit dem Rad gefahren«, stellte Jarosch fest.
»Ja. Ich hatte es oben im Wald gelassen.«
»Sie kannten den Verletzten.«
Wieder zögerte Ederlein. »Ich hatte ihn schon einmal gesehen. Später erfuhr ich dann, dass er Ney heißt.«
»Wann – später?«
»Am Sonntagabend, als mir mein Vater von dem Unfall erzählte.«
»Sie sind Kraftfahrer und verfügen über Kenntnisse in der Ersten Hilfe. Haben Sie versucht, Ney in eine stabile Seitenlage zu bringen oder ihm sonst irgendwie zu helfen?« Carsten Ederlein senkte verlegen den Kopf. »Ich dachte, es sei besser, ihn nicht zu berühren«, sagte er leise.
»Weshalb nicht?«
»Er lag so zusammengekrümmt. Ich nahm an …« Er machte eine hilflose Handbewegung.
»Sie nahmen an, er sei tot.«
Ederlein schwieg. Werner Jarosch dachte an das Foto aus Neys Brieftasche, das jetzt vor ihnen lag. Es sprach dafür,

dass Ederlein den Verletzten wirklich nicht angefasst, ihn zumindest nicht durchsucht hatte. Und es gab auch keinen Grund, weshalb er ihm das Foto zugesteckt haben sollte.
Er sah Ederlein scharf an. Der hockte wie ein Häufchen Unglück auf Arnes Besucherstuhl.
»Wer saß in dem Auto?«
»Das konnte ich nicht sehen«, sagte Ederlein sofort eifrig. »Dazu war ich zu weit entfernt.« Er schien froh, dass Jarosch nicht länger nach dem Verletzten fragte. »Der Fahrer trug eine dunkle Jacke und eine Pudelmütze, tief in die Stirn gezogen.«
»Wie haben Sie denn das aus der angeblich so großen Entfernung erkennen können?«
»Er ist ausgestiegen …« Ederlein merkte, dass diese Erklärung nicht ausreichte. »Ich hatte ein Fernglas bei mir …«
Jarosch blieb zunächst einmal beim Wesentlichen. »Was war das für eine Person? Groß – klein – etwa mittelgroß wie Sie? Oder?«
»Nicht groß.« Ederlein dachte nach. »Von dort oben hatte ich keinen Vergleich. Ich sah ja nur die Schultern und den Kopf, und dann stieg der auch schon wieder ein, bevor ich ihn richtig im Visier hatte.«
»Die Person erinnerte Sie an niemand?«
Ederlein verstand überraschend schnell. »Nein«, sagte er, »nicht, was Sie denken! Herr Schildhauer war das bestimmt nicht. Es war auch nicht sein Wagen.«
»Der mittelgroße Unbekannte«, sagte Jarosch sarkastisch.
In einer hilflosen Gebärde streckte Ederlein die Hände aus. »Ich weiß, wie unwahrscheinlich sich das anhört. Ich konnte von dort oben wirklich nicht mehr erkennen.«
»Wenn Sie so unbeteiligt waren, wie Sie mich unbedingt

glauben lassen möchten – weshalb haben Sie Ihren Namen nicht angegeben, als Sie den Rettungsdienst anriefen?«

Ederleins Entschuldigung klang mehr als lahm. »Daran habe ich gar nicht gedacht. Und ich wollte endlich losfahren nach Oelsnitz …«

»Nachdem Sie Ney unschädlich gemacht hatten«, sagte Jarosch gallig. Zwei so billige Ausreden waren schlimmer als gar keine. »Wollen Sie mir allen Ernstes einreden, Sie hätten Ihren Ausflug mit dem Fahrrad nur unternommen, um bei strömendem Regen die Wildkarnickel mit dem Fernglas zu beobachten?«

Der Lehrer schwieg und horchte auf das Schellen der Schulglocke, als erhoffe er auch für sich eine Pause.

»Sie waren mit Ney verabredet«, sagte Jarosch.

Das gab Ederlein nach längerem Zögern schließlich zu. »Sie wussten, dass er der Fotograf war, der Sie und Frau Schildhauer beobachtet hatte.«

Auch das vermochte Ederlein nicht länger zu bestreiten. »Haben Sie versucht, sich in den Besitz der Fotos zu bringen?«

Carsten Ederlein hockte sehr kleinlaut auf dem Stuhl. »Er wollte sie mir verkaufen«, sagte er. »Jedenfalls hatte ich ihn so verstanden.«

»Wann hat er Ihnen dieses Angebot unterbreitet?«

»Am vergangenen Mittwoch. Er hat bei uns angerufen.« Ederleins Jungengesicht färbte sich erneut rosa. »Ich habe zur Begrüßung ein paar schöne Fotos für die Verlobte, hat er gesagt. Er wusste, dass sie in Kuschwitz arbeiten wird.«

»Und Sie wussten sofort, um welche Art von Fotos es sich handelt.«

»Frau Schildhauer – hatte eine Andeutung gemacht …«

Ederlein schaute zur Tür. Jarosch ließ sich seine Überraschung nicht anmerken. »Sie kennt die Aufnahmen also ebenfalls«, stellte er fest.

Zum ersten Mal verriet Ederlein so etwas wie Temperament. »Dieser Mistkerl hat versucht, sie unter Druck zu setzen!«, empörte er sich.

»Und dem wollten Sie ein Ende machen«, meinte Jarosch beinahe verständnisvoll. Was war er für ein Esel gewesen! Weshalb hatte er alle Zeichen von Swetlanas Unglück übersehen.

»Vielleicht …«, sagte Ederlein matt. »Ich wusste selber nicht, was ich tun sollte.« Es sah aus, als hoffte er noch immer, dass mit dem Ende der Unterrichtsstunde auch seine Befragung ein Ende nahm.

»Dann schildern Sie jetzt bitte, was Sie getan haben, Herr Ederlein!« Jarosch fand, dass es an der Zeit war, die Dinge auf den Punkt zu bringen. Im Schulhaus war es unruhig geworden. Vor dem Fenster strömten die Schüler in den Hof.

»Er hatte mich zu neun Uhr an eine bestimmte Stelle der Kiesgrube bestellt. Ich bin vorsichtshalber früher dorthin gefahren …« Er forschte in Jaroschs Gesicht, ob der ihm auch glaubte, und fügte eilig hinzu: »Mit dem Rad. Das habe ich wirklich im Wald versteckt. Und ich selber bin in ein Gebüsch gekrochen, oben auf dem Hang, zwischen dem Wald und der Feuerstelle, wo wir verabredet waren. Ney erschien dann auch eine ganze Weile vor neun. Er hockte sich in die Vertiefung und schien auf mich zu warten. Ich überlegte, ob ich es schaffen würde, mich an ihn heranzupirschen. Ich gebe zu, ich hatte so etwas vor. Aber dann kam unten plötzlich das Auto. Ich habe anfangs nicht darauf geachtet, doch Ney sprang auf, als hätte ihn etwas gestochen, und gestikulierte wild. Der Fahrer stieg aus dem Auto und guckte schließlich zu uns hoch. Als Ney losrannte, stieg er wieder ein. Ney brüllte irgendetwas und raste den Hang hinunter, direkt auf den Wartburg zu. Und dann passierte, was ich schon geschildert habe …«

»Was rief Ney dem Fahrer zu?«

Ederlein hob die Schultern. »Das Auto! Und so etwas wie: Bist du wahnsinnig geworden …«

»Er kannte ihn also?«

»Ich nehme an …«

Jarosch schob seinen Notizblock zur Seite und musterte Ederlein eine ganze Weile, bis der diesem durchbohrenden Blick endlich auswich. »Herr Ederlein!«, sagte er. »Das ist ja eine wunderschöne Geschichte, die Sie mir da auftischen. Es gibt nur einen Fakt, der mir ganz und gar unwahrscheinlich erscheint, und das ist der Radfahrer mit dem Fernglas im regennassen Ufergebüsch. Ich habe früher auch mal Karl May gelesen. Wollen Sie mir nicht lieber sagen, woher Sie den Wartburg mit den M+S-Reifen hatten?«

Aus Ederleins Gesicht war alle Farbe gewichen. »Ich habe das Auto zum ersten Mal gesehen«, sagte er mit fester Stimme.

»Wie sind Sie auf die Pudelmütze gekommen? Woher wussten Sie davon?«

»Ich habe Ihnen alles gesagt, was ich weiß. Ich bin bereit, die Konsequenzen für das zu tragen, was ich getan oder unterlassen habe.«

Oberleutnant Jarosch war unzufrieden. »Jeder Mensch trägt die Konsequenzen seines Handelns, Herr Ederlein«, sagte er düster. »Sie halten sich bitte weiter zu unserer Verfügung.«

Ederlein erhob sich zögernd. »Was heißt das?«, fragte er unsicher.

Inzwischen hatte es zum Ende der Pause geläutet, der Lärm war verstummt.
»Gehen Sie in Ihre Klasse.«
Jarosch öffnete die Tür zum Sekretariat. Am Schreibtisch hantierte eine ältere Frau mit Papieren und Broschüren.
»Rosner«, stellte sie sich vor. »Ich bin die stellvertretende Direktorin. Kollege Schildhauer hat mich informiert.« Ihr Blick galt Carsten Ederlein, der mit hängenden Schultern den Raum verließ. »Er ist jetzt im Unterricht.«
»Gut. Und die Kollegin Schildhauer?«
In ihren Augen blitzte etwas. »Ebenfalls!«, sagte sie mit erhobener Stimme.
Werner Jarosch hatte bisher nicht darüber nachgedacht, wie weit er den Stundenplan der Kerchower Oberschule durcheinanderbrachte. Beim Stand der Dinge war das früher oder später ohnehin nicht zu vermeiden.
»Vielleicht könnten Sie die Vertretung übernehmen?«
Ihr Blick ließ sich schwer deuten. Auf jeden Fall sah es aus, als wollte sie etwas dazu sagen. Noch an der Tür schluckte sie daran.
Jarosch fragte: »Ist etwas nicht in Ordnung?«
»Um das herauszufinden, sind Sie ja wohl hier!« Und damit rauschte sie hinaus.

26

Ein Tag war so abscheulich wie der andere. Benommen hatte Swetlana an diesem kühlen Septembermorgen aus dem Schlafzimmerfenster über die Felder gestarrt, über denen sich der Frühnebel hob. Drei Minuten nach sieben. Sie hatte keinen Wecker gehört, auch nicht, dass Arne aufgestanden war. Schwerfällig streifte sie das Nachthemd ab und tappte ins Bad.

Mit besorgter Miene war Arne in der Tür aufgetaucht. »Leg dich wieder hin. Heute Mittag fahren wir zum Ambulatorium. Sie werden dich ein, zwei Wochen krankschreiben. Du brauchst Ruhe. Deine Nerven sind angegriffen.«

Sie schüttelte den Kopf, der nicht ihr zu gehören schien. »Ich kann nicht am ersten Schultag fehlen«, sagte sie schwach. Auch das Reden fiel ihr schwer. Und was sie sagte, erschien ihr lächerlich. Der erste Schultag oder der letzte – was spielte das jetzt noch für eine Rolle.

Sie stieg in die Wanne und duschte, spürte die Eiseskälte des Wassers erst nach Minuten.

In der Küche bot ihr Arne Tee an. Er erwähnte nicht, wie spät es schon war. Sie trank nur einen Schluck, dann drängte sie selber: »Es wird Zeit.«

Unterwegs, auf dem holprigen Weg, sagte sie: »Du weißt längst nicht alles …«

Arne, den Blick nach vorn gerichtet, legte seine Hand für einen flüchtigen Moment auf ihre. »Quäle dich nicht.«

Woher nahm der Mann seine Großmut. Oder war es etwas anderes? Sie spürte eine bange Ahnung. Ganz gegen jede Gewohnheit küsste sie ihn auf die Wange, bevor sie in den zweiten Stock hinaufstieg. Es hatte bereits zum zweiten Mal geklingelt.

Wie sie die Unterrichtsstunden hinter sich gebracht hatte, wusste sie nicht. Nur mit aller Mühe war es ihr gelungen, sich zu konzentrieren. In der großen Pause fiel ihr auf, dass Carsten nicht im Lehrerzimmer erschien. Gab es dafür einen besonderen Grund?

Die Kinder spürten ihre Nervosität. Gerade ertappte sie sich dabei, einen Satz zum dritten Mal zu wiederholen, als sich die Tür öffnete und ausgerechnet Elfriede Rosner eintrat, die sich sonst nur selten in die Unterstufe verirrte. Swetlana wusste sofort, dass etwas passiert sein musste.
»Bitte unverzüglich ins Direktorat.«
Im Treppenhaus war es still. Beim Hinabsteigen hielt sich Swetlana am Geländer fest. Das hatte sie noch nie getan. Ihr Herz schlug laut und schmerzhaft. Sie fühlte sich krank. Ihr Kopf war bleischwer und dröhnte. Die Augen brannten.
Sie hatte das Sekretariat fast erreicht, als sich die Tür zum Waschraum am Ende des Ganges öffnete und Carsten heraustrat. Sein gerötetes Gesicht glänzte feucht und wirkte schrecklich jung. Sie wandte sich ab, um seinem hilflosen Blick zu entgehen.
»Swetlana!«, rief er unterdrückt, doch sie war schon die paar Schritte weitergegangen und öffnete entschlossen die Tür. Im Sekretariat war niemand. Arne suchte bereits seit geraumer Zeit eine neue Schulsekretärin. Unfähig, einen klaren Gedanken zu fassen, stand Swetlana in dem vertrauten Raum.
Die Tür zu Arnes Zimmer wurde geöffnet. Werner Jarosch. Wen sonst hatte sie erwartet? Er reichte ihr die Hand, mit einer Leichenbittermiene, die wohl sein Dienstgesicht sein musste. Es war so weit.
Sie wusste nicht, wie sie in den Besuchersessel an dem papierüberladenen Tischchen fand, sie sah nur in Werners ernstes, bemitleidenswertes Gesicht und sagte matt: »Ich hätte dir am Freitag alles erklären müssen.«
»Das wäre das Beste gewesen.«
Er sprach leise, und jetzt entdeckte sie in seiner Hand das

Foto, das sie sofort erkannte, obwohl er es mit der weißen Seite nach oben hielt. Sie wurde flammend rot.

Jarosch sagte unbeholfen: »Kein Unbefugter wird die Fotos zu sehen bekommen.«

Kam es darauf noch an? Dennoch nickte sie. Wo war Arne? Er fehlte ihr jetzt sehr. Sie hätte gerne geweint, doch ihre Augen brannten nur. Wie ein dummes kleines Mädchen hatte sie sich einschüchtern, erpressen, missbrauchen lassen. Von einem Sexualverbrecher.

Dass ihr selber niemals diese Idee gekommen war …

Sie saß im Sessel und zitterte.

»Was ist am vergangenen Donnerstag geschehen?«

Trotz ihres Zustandes fiel ihr auf, dass Werner eine Anrede vermied. Nun war also eingetreten, was sie die ganze Zeit gefürchtet hatte: Sie saß vor Jarosch, und der würde nicht eher Ruhe geben, bis er die kleinste Kleinigkeit aus ihr herausgefragt hatte. Weshalb hatte sie sich nicht rechtzeitig Arne anvertraut. Er hätte alles verstanden. Und er hätte ihr geholfen. Schon nach dem entsetzlichen Sonnabend im Juli.

»Ich weiß es nicht«, sagte sie müde. »Ich war nicht hier.«

Das genügte Werner Jarosch natürlich nicht. Er wartete.

»Nun gut, ich bin nicht in Potsdam gewesen. Ich bin zu meiner Mutter gefahren.« Und ich werde nie wieder zu ihr fahren, dachte sie bitter. Es war eine nutzlose Reise gewesen, die in einem Streit gipfelte, der das Ende jeder familiären Beziehung bedeuten musste. Um Geld! Und wofür?

Swetlana fühlte sich zu kraftlos, um das diesem dickfelligen Polizisten zu erklären. Sollte der doch bei der fremden Frau nachfragen, die einmal ihre Mutter gewesen war. Das würde das Fass endgültig zum Überlaufen bringen: Die Kriminal-

polizei kam ins Haus, um sich nach dem Alibi der missratenen Tochter zu erkundigen!
»Wann bist du zu Hause losgefahren?«, fragte Jarosch wohl schon zum zweiten Mal.
»Weshalb willst du das wissen? Ich habe ihn nicht überfahren. Ich wünschte nur, ich hätte den Mut dazu aufgebracht.«
Werner Jarosch sagte: »Die vollkommene Waffe …« Sie verstand nicht, was er meinte.
»Wer es auch immer war«, entgegnete sie heftig, »Ney hat es tausendmal verdient!«
»Wer es auch immer war …«, sagte Jarosch nachdenklich. »Eine Straftat schafft man nicht durch eine andere aus der Welt.«
Swetlana sah Carstens Gesicht vor sich, und dann erst dachte sie an Arne. »Ich hätte es ihm nicht zugetraut …«, sagte sie. Seltsamerweise fragte Werner Jarosch nicht, wem.

27

Es war eine schweigsame Fahrt zum Kreisamt. Swetlana Schildhauer, neben Jarosch in den Sitz gelehnt, hielt zwar die Augen geöffnet, schien aber nicht wahrzunehmen, was um sie herum geschah. Hinten hockte Carsten Ederlein, mindestens ebenso bleich wie Swetlana, und wich Jaroschs Augen aus, wenn sich ihre Blicke im Rückspiegel begegneten. Dass sie nicht miteinander reden sollten, brauchte der Oberleutnant den beiden nicht zu erklären.
Im Kreisamt platzierte er sie in verschiedenen Räumen und machte sich auf die Suche nach Kirsch, traf jedoch von den Kriminalisten nur Willert an.

»Ich glaube, Kirsch bringt den Rogel weg«, teilte der ihm auf seine phlegmatische Art mit.

»Er möchte sich bei mir melden. Und wenn ein Herr Schildhauer hier auftaucht, den lässt du warten.« Jarosch sah Willert an und entschied, dass es besser war, ihn nicht für die Befragungen in Anspruch zu nehmen.

»Suchst du immer noch einen braunen Wartburg?«, erkundigte sich Willert.

»Natürlich.«

Willert beguckte angelegentlich seinen linken Daumennagel, unter dem sich ein Bluterguss abzeichnete. »Der aus deiner Heidekrug-Siedlung hat sich wieder angefunden.«

»Ach«, sagte Jarosch nicht ohne Interesse. »Der saharafarbene?«

»Ich habe ihn nicht gesehen. In der Verlustmeldung war von Braun die Rede, soweit ich mich erinnere.«

Jarosch wartete, nun schon etwas gespannter.

»Nichts weiter«, sagte Willert. »Die Leute haben angerufen. Der Wagen wäre wieder da. Vielleicht nur ein Missverständnis.«

»Ist das deine oder deren Meinung?«

Willert bequemte sich zu einer längeren Rede. »Sie meinen, wahrscheinlich hätte der Schwiegersohn der Lebensgefährtin des verstorbenen Fahrzeughalters den Wagen unbefugt benutzt, obwohl die Eigentumsverhältnisse noch strittig sind. Kannst du mir folgen?«

»Ohne weiteres«, sagte Jarosch.

»Ich habe ihnen geraten, das über einen Anwalt zu klären. Wir haben genug anderes zu tun.« Willert raffte einen Aktendeckel an sich und wollte den Raum verlassen.

»Moment, Moment.«

Jarosch hielt ihn zurück. »Gib mir mal die Adresse dieses verhinderten Erben.«
Willert suchte eine Telefonnummer hervor und reichte sie Jarosch. »Der hat aus dem Betrieb angerufen.« Er griente. »Aus dem Baukombinat …«
»Dieser Schwiegersohn der Lebensgefährtin – was ist mit dem?«
»Nach dem habe ich nicht gefragt. Bis jetzt liegt ja keine Anzeige gegen ihn vor.« Willert wurde nun doch ein bisschen unsicher. »Ich kümmere mich darum, wenn du es für nötig hältst.«
Jarosch entschied sich rasch. »Ich werde mir das Auto selber angucken. Am besten sofort.«
Doch so schnell wurde daraus nichts. Als er im Eilschritt den Gang zu seinem Dienstzimmer entlangtrabte, hörte er ein Kind weinen. Und als er die Tür öffnete, saß da die strahlende Frau Steinkühler auf dem Platz, auf dem sie ihm jahrelang als Kathleen Frösch gegenübergesessen hatte, ohne den Säugling im Arm allerdings, der bei Jaroschs plötzlichem Eintritt erschrocken schwieg.
»Ich wollte meiner Tochter meinen Arbeitsplatz zeigen«, erklärte Kathleen heiter.
»Oder ihren künftigen«, frotzelte Jarosch. »Warst du schon beim Chef?«
»Wegen ihrer Einstellung?«
Sie lachten beide, und das Kind begann wieder zu weinen. Kathleen wiegte es auf ihrem Arm, bis es nur noch leise Laute der Unzufriedenheit ausstieß.
»Du hast Sorgen«, stellte Kathleen fest. Sie kannte ihn lange genug, um ihm das anzumerken.
»Ja«, bestätigte Jarosch knapp und zog die Luft durch die

Zähne, weil er sich wohl zum tausendsten Mal das Knie an diesem Ungetüm von Schreibtisch gestoßen hatte.
Kathleen wusste, dass er nicht reden würde, wenn er nicht wollte. Sie fragte dennoch: »Bartz?«
Werner Jarosch nickte. »Auch«, sagte er.
Kathleens Tochter guckte ihn aus ihren dunklen Knopfaugen so fasziniert an, als verstünde sie seine Probleme.
»Du meinst, du bist dem Hunderteinundzwanziger auf der Spur?« Kathleen sprach so heftig, dass die Tochter erneut zu weinen begann. Hunderteinundzwanzig war der Paragraph Vergewaltigung im Strafgesetzbuch.
»Weine nicht«, versuchte er das Kind zu beruhigen. »Wir haben ihn so gut wie sicher.« Er blätterte in der Ney-Akte, die er inzwischen herausgesucht hatte, fand aber die Fotos der Reifenspuren nicht. Die mussten noch unten bei Strelczyk liegen.
Ohne anzuklopfen kam Kirsch herein. Er winkte Kathleen nur freundschaftlich zu. Die beiden hatten sich also schon gesehen.
»Frohe Botschaft für dich, mein Lieber«, sagte Kirsch. »Rogel erinnert sich an Ney. Er hat ihn an dem bewussten Sonnabend in der ›Sonne‹ gesehen.«
»Ist das sicher?« Jarosch war plötzlich skeptisch. »Weshalb hat er das nicht bei der ersten Vernehmung in dieser Sache zugegeben?«
Kirsch hob die Schultern. »Weshalb lügt ein Beschuldigter? Weil er Dreck am Stecken hat. Weshalb sollte er zugeben, Ney gesehen zu haben, wo der ihn wahrscheinlich nicht mal bemerkt hatte. Rogel ging ihm aus irgendeinem Grunde aus dem Weg. Er hat ihn nur vom Saal aus an der Theke stehen sehen. Zufrieden?«

»Einigermaßen«, gab Jarosch zu. »Da du ein solcher Vernehmungsspezialist bist, möchte ich dich bitten, die Befragung von drei weiteren Personen zu übernehmen.«
»Ich habe gar nichts anderes zu tun! Was sind das für Leute?«
»Ein mir bekanntes Ehepaar. Deshalb machst du das besser. Und ein Kollege der beiden. Drei Pädagogen übrigens.«
»Bist du von allen guten Geistern verlassen?« Kirsch schien ehrlich entsetzt. »Weißt du, was das für Ärger gibt, wenn wir versuchen, die Volksbildung zu kriminalisieren?«
Kirschs Frau war Lehrerin. Studienrätin sogar, und bei den Schülern nicht unbeliebt, wie Jarosch von Marko wusste.
»Einer von ihnen hat vielleicht trotzdem den Wartburg gefahren, der Ney verletzte«, sagte Jarosch bedächtig.
»Und wer von den dreien hätte ein Motiv dafür?«
»Sie haben alle eins. Und keiner besitzt ein glaubwürdiges Alibi.«
Kirsch kannte ihn lange genug, um nicht an seinen Worten zu zweifeln. »Die Frau auch?«, fragte er dennoch. Natürlich sprang Kathleen auf dieses Stichwort an. Jarosch hatte es nicht anders erwartet. »Du verdächtigst eine Frau?«
Jarosch dachte für einen Moment an Edith und an die Geschichte vom Börsenpfeil. Er wandte sich Kirsch zu. »Du brauchst nur den Tagesablauf der drei aufzunehmen. So exakt wie möglich. Besonders für die Zeit zwischen sieben Uhr dreißig und zehn Uhr. Das Weitere wird sich finden.«
»Wenn ich euch zuhöre, bekomme ich Lust, morgen wieder anzufangen«, sagte Kathleen. Es klang nicht direkt sehnsüchtig. »Oder nie mehr«, fügte sie denn auch hinzu.
Es gelang Jarosch diesmal aufzustehen, ohne sich zu stoßen.
»Ich muss los. Kann ich dich ein Stück mitnehmen?«
»Danke. Wir haben unsere eigene Kutsche.«

Sicherheitshalber ging Jarosch im Labor vorbei, um das Profil mitzunehmen. Strelczyk tat harmlos. »Ich habe was für dich.« Er griff nach einem Fotopapier-Karton, Format Weltpostkarte, öffnete ihn und zog ein Foto heraus. »Na?«, fragte er erwartungsvoll. Das bezog sich wahrscheinlich nicht einmal auf den pikanten Bildinhalt. Er wollte einfach Jaroschs freudige Überraschung genießen.

»Danke«, sagte Jarosch kühl, schob das Foto in den Karton zurück und steckte den ein. »Das dachte ich mir, dass er die in dem Barkas versteckt hatte. In der Türverkleidung?«

Strelczyk war sichtbar enttäuscht. »Beim nächsten Mal guckst du gleich selber nach. Ich habe schließlich noch was anderes zu tun!«

Jarosch griente. »Das habe ich heute schon mal gehört. Kannst du mir ein Reifenprofil von dem Wartburg geben?«

»Welches Rad?«, fragte Strelczyk ärgerlich zurück. Und dabei breitete er schon seine Profilaufnahmen vor Jarosch aus. Jeweils sieben für die volle Umdrehung eines Rades. Und alle beinahe gestochen scharf.

Diesmal unterdrückte Jarosch seine Bewunderung nicht. »Du bist eben doch der Größte, Knut«, sagte er anerkennend.

»Ich weiß«, murrte Knut mit gespielter Unzufriedenheit. »Das größte fünfte Rad am Wagen …«

Jarosch schlug ihm freundschaftlich auf die Schulter.

28

Vielleicht war es ein Fehler, sich ausgerechnet jetzt um ein einzelnes Fahrzeug zu kümmern. Aber Oberleutnant Jarosch hatte nicht die Absicht, Kirschs Befragungen zu beeinflussen oder auch nur daran teilzunehmen. Und am Schreibtisch hielt es ihn erst recht nicht. Für die schriftliche Bestandsaufnahme blieb ihm der Abend. Und die Nacht, wenn es sein musste. Wenn Kirsch nämlich weiter kam als er. Oder wenn er in der Heidekrug-Siedlung den richtigen Wagen fand. Daran glaubte er selber nicht.

Es hatte zu tröpfeln begonnen. Jarosch störte das wenig. Die Zufahrt und die Wege in der Siedlung waren unbefestigt und bei Nässe besser zu befahren als in langen Trockenperioden. Er bog am »Heidekrug« von der Fernverkehrsstraße auf den Schotterweg ab, überquerte das Anschlussgleis der Industriebahn zur ehemaligen Ziegelei und beschleunigte, ohne eine Staubfahne hinter sich befürchten zu müssen.

Der Parkplatz bildete die Spitze des annähernd dreieckigen Siedlungsgeländes. Rechts führte der Weg in Richtung Wald weiter, links verliefen hinter einer schütteren Pappelreihe die Gleise bis zu den verfallenen Ziegeleigebäuden, aus deren Klinker mancher Kamin in der Siedlung gemauert war.

Der Vorstand der Siedlergemeinschaft hatte ein Fahrverbot auf allen Wegen durchgesetzt. Nur Leute wie Regulski, deren Grundstücke an die verkrautete Wiese zum Weg grenzten, hatten wieder mal ein Sonderrecht.

Herbert Keibus gehörte eins der größeren Eckgrundstücke am Ende der Siedlung, wo die Wege mit verschlossen gehaltenen Toren endeten. Seltsam, dass ausgerechnet Keibus als einer der kämpferischsten Verfechter des Fahrverbots auf seinen siebenhundert Quadratmetern eine Garage errichtet haben sollte.

Werner Jarosch ging, den Blick auf den Boden, den Rosenweg entlang. Fahrzeugspuren waren nicht zu entdecken. Bis

zum Grundstück von Keibus waren es gut dreihundert Meter. Doch so weit kam der Oberleutnant gar nicht. In seinem Garten stand der alte Hartung auf einer Leiter und pflückte Birnen. »Nanu«, staunte der, als er Jarosch erkannte, »was führt dich denn in unsere Gegend?«
»Der Dienst«, antwortete Jarosch knapp. Wahrscheinlich war der Alte der Einzige, den er bei diesem nieseligen Wetter hier antraf, also fügte er hinzu: »Es geht um das Auto von Herbert Keibus.«
Hartung kletterte behände die Leiter abwärts und nahm die Mütze von seinem kahlen Seehundschädel. »Na, du wirst das aufklären!«, sagte er, und es war klar, dass diese Feststellung einen gehörigen Zweifel einschloss. Jarosch und er kannten sich aus den Spartenversammlungen, auf denen sich der Oberleutnant in gewohnter Weise im Hintergrund hielt, während Opa Hartung den Leuten mit seiner unbezähmbaren Redewut auf die Nerven ging.
»Stell dir so was vor, in unserem friedlichen Verein! Autos klauen! Das kommt nur davon, dass gewisse Leute immer 'ne Extrawurst brauchen, nicht wahr. Offiziell will natürlich wieder keiner was gewusst haben.«
»Woher wissen Sie, dass das Auto gestohlen worden sein soll?«
Hartung starrte ihn verblüfft an. »Du meinst mich? Ach so, du bist ja im Dienst, nicht wahr. Brauchst aber trotzdem nicht gleich Sie zu sagen. Also, was dieser sogenannte Schwiegersohn sein soll vom Herbert, der hat ja hier vorige Woche genug rumkrakeelt, nicht wahr. Solange der Herbert lebte, da hat der sich hier besser nicht blicken lassen. Aber kaum steht die arme Frau alleine da, nahen die Erbschleicher, nicht wahr.« Er blinzelte Jarosch schlau an. »Nur von

dem Auto, da hat sie vorsichtshalber kein Wort gesagt, die Erna, nicht wahr …«

Er stakte am Zaun entlang und kam aus seinem Gartentor. »Ich werde dir mal was zeigen!«

Hinter Keibus' Zaun wuchs eine mannshohe Hecke. Der alte Hartung fummelte ein bisschen an dem fremden Tor herum und öffnete es schließlich. Jarosch guckte misstrauisch, erkundigte sich aber nicht nach der Herkunft des Schlüssels. Keibus' Bungalow war ein säuberlich gemauertes Häuschen mit gemusterter Holzkante über dem Terrassenplatz. Es sah ein bisschen wie ein Puppenhaus aus. »Schön, nicht wahr?« Opa Hartung hielt sich aber nicht weiter auf, sondern hinkte an einer Rosenrabatte vorbei auf den Schuppen im Hintergrund zu. Der war ordentlich mit Dachschindeln benagelt, Tür und Fensterrahmen dunkelrot lackiert.

»Na?«, fragte der Alte erwartungsvoll. »Was ist das hier?« Jarosch tat ihm den Gefallen. »Ein schöner Schuppen«, sagte er, obwohl ihn die halbkreisförmige Schleifspur im Gras ahnen ließ, worum es Hartung ging.

Der lachte meckernd. »Sieht so aus, nicht wahr?« Er hob eine der Schindeln rechts neben dem Fenster an, aber das war keine Schindel, sondern eine Nachahmung aus Kunstleder, und darunter verbarg sich ein kräftiges Vorhängeschloss.

Jarosch ging zur linken Seite des Schuppens hinüber. Kein Zweifel, Keibus hatte sich alle Mühe gegeben, sein Werk zu tarnen.

»Die ganze Wand geht auf, mit Tür und Fenster!«, sagte Hartung triumphierend. »Das hättste nicht gedacht, nicht wahr?« Nein, das hatte Jarosch wirklich nicht gedacht. Er versuchte, durch das Fenster der verkappten Garage zu blicken, aber auch da hatte der Erfinder vorgebaut.

»Es ist wieder drinne, verlass dich drauf!«, sagte Hartung. »Ich hab's ja gehört, wie er's gebracht hat. Bin bloß nicht gleich draufgekommen. War ja so um die Mittagszeit rum. Ich hatte mit 'm Kochen zu tun, nicht wahr.«

Der Oberleutnant, der schon dabei war, den Rasenstreifen abzusuchen, der sich bis zum Außenzaun erstreckte, wandte sich um. »Wer hat das Auto gebracht?«

»Wenn ich das wüsste …« Hartung wischte sich die Regentröpfchen von der Glatze und setzte seine flache Mütze auf.

»An welchem Tag war das?«

»Tja … Wird wohl Freitag gewesen sein …«

»Hat denn das Auto den ganzen Sommer über hier gestanden?«

Opa Hartung blinzelte listig. »Nichts Genaues weiß man nicht, nicht wahr? Als der Herbert noch lebte, da stand es ja meistens da draußen, wenn ich mit der Schubkarre raus bin. Vor so 'ne Art Extrator. Das ist mir schon aufgefallen, nicht wahr. Anscheinend hat er's dann über den Winter hier eingemottet, und dann …« Er machte eine Handbewegung, die Herbert Keibus' unerwartetes Ende symbolisierte. »So 'n junger Kerl noch. Nicht mal dreiundsechzig.«

»Wie sieht denn das Auto aus?«

»Braun. Richtig kackbraun, wenn du mich fragst. Nur mit 'm hellen Dach. Soll wohl besser sein wegen der Sonne, nicht wahr.«

Werner Jarosch ließ sich nicht anmerken, was er dachte. Er setzte seine Suche fort und achtete darauf, dass der Alte nicht auf den Grasstreifen trat, obwohl Spuren darauf nicht zu erkennen waren.

Der äußere Zaun, der die Siedlung umgab, bestand aus verzinktem Maschendraht, der stellenweise stark rostete, einssechzig hoch, zwischen Betonpfählen im Abstand von zweieinhalb Metern gespannt. Eins der Felder aber war durch einen Stahlrohrrahmen ersetzt, der sich nach außen öffnen ließ. Dort verlief eigentlich nur ein Trampelpfad. Auf dem unebenen Gelände war früher der Aushub der Tongrube gelagert worden. Inzwischen benutzten es einige Siedler als Müllkippe. Natürlich fuhren dort manchmal Leute mit ihren Autos zu den hinteren Grundstücken heran. Und Keibus hatte sich gar eine Einfahrt zu seiner illegalen Garage gebaut, ohne dass es jemandem aufgefallen war.

Jarosch begutachtete den Zaun, den oben doppelter Stacheldraht abschloss. Dann beugte er sich hinunter. Ungefähr siebzig Zentimeter über dem Boden war etwas an der scharfen Kante des Betonpfeilers entlanggeschurrt und hatte dunkle Farbpartikel hinterlassen. Er musste sich das von draußen angucken.

»Also Freitagnachmittag hat jemand den Wagen zurückgebracht«, sagte er zu Hartung, der jede seiner Bewegungen aufmerksam verfolgte. »Wann könnte er denn geholt worden sein?«

Der Alte hob die mageren Schulterblätter. »Ich bin ja kein Polizeihelfer, nicht wahr.«

»Und am Freitag hast du auch niemand gesehen.«

»Was heißt: niemand? Als ich drauf kam, dass was mit dem Auto sein könnte, das eigentlich weg sein sollte, da war es zu spät. Bevor ich das Tor aufgeschlossen hatte, war der fast vorne an der Ecke, nicht wahr.« Er wies in die Richtung zum Schotterweg. Bis dorthin waren es ungefähr zweihundert Meter.

»Es war auf jeden Fall ein Mann?«

Der Alte zögerte unentschlossen. »Vielleicht nur ’n Junge. Er hatte oben was Dunkles an, und dann so Jeans …«
»War er groß?«
»Eher nicht, nicht wahr …«, sagte Hartung nachdenklich. »War ja ziemlich weit weg …«
»Und die Frisur und die Haarfarbe?«
»Der hatte ’ne Kapuze auf. Es regnete ja, nicht wahr.«
»Eine Kapuze? Bist du sicher? Keine Mütze?«
»Keine Mütze«, bestätigte Opa Hartung und griff vorsichtshalber an die eigene.
»Und dieser Schwiegersohn …«
Der Alte wehrte ab. »Der ist das nicht gewesen. Der ist doch so lang wie dämlich. Den hätte ich erkannt, nicht wahr.«
Jarosch stieß sich nicht an Hartungs Lieblingsredewendung. »Hast du die Adresse von Keibusens Witwe?«, fragte er.
»Von der Else? Na, die war das erst recht nicht! Die kann gar nicht Auto fahren. Hat sie mal drüber geklagt, nicht wahr. Jetzt verstehe ich auch, warum. Immer das Auto vor der Nase, nicht wahr. Ich hab mich nur gewundert, warum sie keinen in den Schuppen gucken ließ, wenn ich mal ’n Werkzeug brauchte oder so was …«
»Irgendjemand muss doch ihre Adresse haben.«
»Von Else? Die ist doch seit vierzehn Tagen im Schwarzwald. Sonst wäre sie ja hier, nicht wahr. Stell dir mal vor, die wollen ihr am liebsten das Grundstück wegnehmen!«
»Dieser lange Schwiegersohn? Er ist mit Herberts Tochter verheiratet?«
Opa Hartung blies die Backen auf, dass sich die Bartstoppeln sträubten. »Verheiratet! Was du dir so denkst! So was Altmodisches ist bei denen nicht in! Nur noch neumodisch raffen, raffen, nicht wahr …«

»Da gibt es aber noch einen Schwiegersohn, der zu der Else gehört.«
»Richtig«, bestätigte der Alte. »Der war öfter mal hier. Auch kein besonders angenehmer Kunde, wenn du mich fragst. Aber der war's erst recht nicht. Den hätte ich erkannt.«
»Derjenige, der die Anzeige erstattet hat, behauptete, Elses Schwiegersohn hätte den Wagen unrechtmäßig benutzt.«
Hartung hatte keinerlei Schwierigkeiten, der Familiengenealogie seiner Gartennachbarn zu folgen. »Was der Lange weiß!«, sagte er verächtlich. »Der Mann hat doch selber 'n Auto. Ich habe ihn gesehen, wie er vorne am Parkplatz ausgestiegen ist, nicht wahr.«
»Ein Wartburg?«
»Frag mich was Leichteres. 'n rotes Auto jedenfalls. Fahren ja mehr davon rum, nicht wahr. Zu viele für meinen Geschmack.«
Gespannt fragte Jarosch: »Weißt du seinen Namen?«
»Nee.« Hartung schüttelte den Kopf. »Ein unangenehmer Mensch, wie ich schon sagte. So 'n Glatzkopf mit Froschmaul.« Er rückte die Mütze auf seinem kahlen Schädel zurecht. »Elses Tochter, die Ingrid, die ist viel zu nett für den, nicht wahr.«
Jarosch legte seinen Arm um die Schulter des Alten und ging langsam mit ihm zum Tor zurück. »Du hast mir sehr geholfen«, sagte er dankbar.
Opa Hartung war glücklich. »Ist schließlich jedermanns staatsbürgerliche Pflicht, nicht wahr«, sagte er wichtig.
Als der Oberleutnant draußen auf dem Trampelpfad dabei war, eine Reifenspur auszugießen, die sich auch Strelczyk nicht deutlicher wünschen konnte, tauchte der Alte noch einmal auf. »Mir ist da noch was eingefallen … Am Freitag

war ich ja vormittags in der Stadt. Das mit dem Auto muss schon am Donnerstag gewesen sein, wo es so geregnet hat.«
»Danke«, sagte Jarosch. »Ich komme in den nächsten Tagen noch mal auf dich zu.«
Opa Hartung kniff verständnisinnig ein Auge zu, legte die Hand an die Mütze und grüßte militärisch.

29

Das fehlende Glied der Kette. Alles war plötzlich klar. Oder schien ihm das nur so?
Werner Jarosch sah auf die Uhr. Sechzehn Uhr einunddreißig. Die Normaldienstler im Kreisamt hatten Feierabend. Von draußen drangen die Geräusche der startenden Kraftfahrzeuge zu ihm herauf. Er lehnte sich aus dem Fenster und beobachtete gedankenverloren, wie sich der Parkplatz leerte. Es regnete noch immer.
Gerade als er das Fenster wieder schloss, weil das Telefon läutete, bog ein Golf in eine der Parklücken ein. Jarosch verharrte noch einen Augenblick am Fenster, bevor er den Hörer abnahm. Es war Kirsch. »Ich bin einmal durch mit den dreien.« Er klang abgekämpft. »Willst du dir die Ergebnisse angucken?«
»Später«, sagte Jarosch. »Irgendetwas von besonderer Bedeutung?«
Kirsch schnaufte. »Ich weiß ja nicht, was du erwartest. Für die Volksbildung handelt es sich schon um gewisse Besonderheiten.«
»Hat jemand zugegeben, den Wartburg zum Kiessee gefahren zu haben?«

»Nein«, sagte Kirsch ärgerlich. »Obwohl ich bei jedem das Gefühl habe ...«
Es klopfte. Ein Oberwachtmeister führte die Frau herein.
»Ich melde mich wieder«, sagte Jarosch knapp. »Ende.«
Frau Ney, eine Reisetasche in der Hand, stand regungslos.
»Setzen Sie sich bitte«, forderte Jarosch sie höflich auf.
Sie ließ sich zögernd auf dem Stuhl nieder, auf dem schon so viele gleichermaßen zaudernd Platz genommen hatten, und zog ihre Tasche dicht zu sich heran.
Jarosch drehte einen Bleistift zwischen seinen dicken Fingern und legte ihn dann auf den Schreibtisch. »Frau Ney«, begann er, »Sie haben mir sicherlich einiges zu sagen ...«
Sie saß da, adrett, wenn auch nicht gerade modisch gekleidet; dunkler Rock, weiße, fast ein wenig feiertägliche Bluse, grauer Mantel. Zwischen den Fingern knüllte sie das Tuch, das sie auf dem Kopf getragen hatte.
»Sie sind mit Ihrem Wagen gekommen«, sagte Jarosch.
»Bei dem schlechten Wetter wollte ich nicht mit dem Moped fahren. Außerdem mussten die Äpfel zur Mosterei.«
»Ich habe mich neulich gar nicht nach Ihrem Führerschein erkundigt.« Das war einer der Punkte, worin er die Frau falsch eingeschätzt hatte.
»Sie meinen, weil der Reinhold mich nie hat fahren lassen? Bei der Ausbildung im VEG, da gehörte auch der Traktor dazu. Da haben wir die Prüfung fürs Auto gleich mitgemacht, obwohl damals an ein eigenes noch nicht zu denken war.«
Jarosch schaltete den Kassettenrecorder auf dem Schreibtisch ein und griff in die Mappe, die vor ihm lag. Er schob ihr über den Tisch einen Bogen zu. »Könnte das der Abdruck Ihres linken Schuhs sein, Frau Ney?«

Sie starrte lange auf das Blatt. »Woher haben Sie das?«, fragte sie leise.
Jarosch reichte ihr einen zweiten Bogen mit dem gleichen Sohlenmuster. »Der eine Abdruck stammt vom Weg zum Kuschwitzer Kiessee. Der zweite von der Toreinfahrt zu einem Garten in der Heidekrug-Siedlung.«
In ihren Augen war eher Erstaunen als Erschrecken.
»Beide Male neben Reifenabdrücken des Wagens, der dem Lebensgefährten Ihrer Mutter gehörte. Herbert Keibus.«
»Ich habe gewusst, dass Sie dahinterkommen«, sagte sie nach einer Pause. Sie schien sehr gefasst.
»Wollen Sie mir nicht alles erzählen, Frau Ney?«
Sie sah ihn voller Resignation an. Ihr Silberblick irritierte ihn nicht länger. »Sie wissen doch schon alles«, sagte sie. »Ich habe ihn überfahren.«
Jarosch nickte ganz leicht. »Er weiß, dass Sie es gewesen sind?«
Sie starrte verloren vor sich hin. »Deswegen bin ich heute gleich hierhergekommen. Ich will ihn nicht noch einmal sehen.«
Jarosch wusste, dass es ein langes Gespräch werden konnte. Er stoppte das Kassettengerät und rief Kirsch an.
»Lass die Protokolle unterschreiben und schicke die Zeugen nach Hause.« Kirsch stieß einen unverständlichen Laut aus und wollte anscheinend etwas fragen.
Jarosch legte auf, schaltete den Recorder ein und wandte sich wieder der Frau zu. »Weshalb haben Sie die Verkleidung mit der Pudelmütze gewählt?«
Sie zuckte kaum merklich. »Das wissen Sie also …«
»Ja«, sagte Jarosch ruhig. »Und wir wissen natürlich auch, wer diese Mütze vor Ihnen getragen hat.«

»Ich habe sie damals gefunden …« Ihre Stimme war so leise, dass Jarosch das Mikrophon ein Stück näher zu ihr heranschob. »Zusammen mit seinen Stiefeln. Im Heizungskeller. Er wollte wohl alles verbrennen am nächsten Tag. Er war erst sehr spät in der Nacht nach Hause gekommen. Eigentlich war er am Nachmittag nur losgefahren, weil wir meiner Mutter versprochen hatten, auf dem Grundstück nach dem Rechten zu gucken.«

»Erinnern Sie sich an das Datum?«

»Es war ein Sonnabend. Anfang Mai. Mutter wollte nach Berlin und hatte uns die Schlüssel gegeben. Wegen der Eisheiligen.«

»Am siebenten Mai?«

»Ist da die junge Frau überfallen worden?« Ein bitterer Zug war jetzt um ihren Mund. »Davon konnte ich ja nichts wissen. Ich habe seine Schuhe sauber gemacht und weggestellt. Aber später muss er sie dann doch beiseitegebracht haben. Die Pudelmütze hat ein paar Tage bei meinem Nähzeug gelegen, weil ein Loch reingerissen war, dachte ich. Und dann habe ich gemerkt, dass er richtige Schlitze reingeschnitten hatte. So, wie man das immer im Fernsehen sieht …« Sie schwieg.

»Woran haben Sie denn gedacht, als Sie diese Augenschlitze entdeckten?«

»An seine krummen Geschäfte …« Sie hob hilflos die Schultern. »Ich konnte mir gar nicht vorstellen, worauf er sich da wieder eingelassen hatte. Und ich wollte es auch gar nicht. Ich habe die Mütze einfach irgendwo weggesteckt und nicht mehr daran gedacht. Einfach vergessen – wollen … Wie so vieles in den Jahren. Ich habe ihn nicht gefragt wegen der Pudelmütze und wegen der Schuhe. Nicht mal nach der Schramme am Hals habe ich gefragt. Eine Woche ist er im Rollkragenpullover herumgelaufen, obwohl er so leicht schwitzt.«

Sie sah Jarosch gequält an. »Mein Gott, verstehen Sie denn nicht? Wenn das am Donnerstag nicht passiert wäre, mit dem Reinhold, das wäre doch immer so weitergegangen mit ihm! Der kann gar nicht anders, denke ich mir. Am Anfang habe ich manchmal versucht, mit ihm zu reden, aber es hat zu nichts geführt. Da war es besser stillzuhalten. Dann hatte er wenigstens öfter mal so was wie ein schlechtes Gewissen. Richtig gesagt hat er nie was, und zugegeben schon gar nicht. Da habe ich eben auch geschwiegen, all die Jahre. Schon wegen dem Jungen, damit er es nicht an ihm auslässt. Und das war auch verkehrt …«

Jarosch hatte reglos zugehört. Jetzt fragte er behutsam: »Wie kam es zu den Ereignissen am vergangenen Donnerstag?«

»Wenn ich fromm wäre, hätte ich geglaubt, er wird schon mal seine Strafe kriegen. Aber er hat immer nur Glück gehabt. Manchmal habe ich es ihm ja gegönnt und nicht weiter darüber nachgedacht. Bis ich das mit der Pudelmütze erfuhr. Dass der da in Bartz eine getragen hat, als er die Frau überfiel. Im Kuschwitzer Konsum haben sie darüber geredet. Da konnte ich mir alles ausrechnen. Auf einmal wusste ich, warum er ein paarmal erst in der Nacht zurückgekommen ist, und immer irgendwie so aufgeregt. Damals im Mai, da hat er noch richtig gezittert … Und jetzt war er wieder so unruhig. Ich habe das gespürt und ihn beobachtet. Er hat es nicht gemerkt. Saß stundenlang im Keller. Da hatte er so allerhand Zeug …«

Sie schwieg wieder und sah Jarosch aus glanzlosen Augen an.

»Sie meinen die Bilder, die Sie verbrannt haben?«

Sie fuhr auf. »Die können Sie gar nicht gesehen haben!« Sie war rot geworden. »Da waren Sachen dabei … Wenn der Junge so was in die Finger gekriegt hätte … Sie können sich das gar nicht vorstellen! Zwei Schubfächer voll damit. Und sogar Bilder von der Lehrerin dabei …«
Sie schüttelte den Kopf. »Ich hätte das nicht für möglich gehalten.«
Jarosch sagte: »Sie wollten mir vom Donnerstag erzählen, Frau Ney.«
»Das gehört alles dazu. Ich habe jedenfalls gewusst, dass da wieder was im Gange war bei ihm. Und am Mittwoch, da war der Erler nicht da, und ich wollte ins Büro, da habe ich Reinhold telefonieren hören. Ich weiß nicht, mit wem. Er sagte was von Bildern, und um neun Uhr am Kiesloch, an der bekannten Stelle. Ich bin zurück in die Küche und wusste nicht, was ich machen sollte. Ich wusste ja nicht mal, an welchem Tag um neun.
Ich bin mit dem Mittagsbus in die Stadt gefahren und zur Siedlung gegangen. Mit dem Moped konnte ich doch nichts ausrichten gegen ihn. Das Auto von Mutters Herbert stand dort im Schuppen. Ich hatte alle Schlüssel. Ich wusste nur nicht, wo ich den Wagen lassen sollte, bis mir die alte Feldscheune einfiel. Steht ja nur noch eine Wand und das Balkengerüst. Aber das Auto konnte ich da erst mal verstecken.
Reinhold hat wohl nicht mal gemerkt, dass ich überhaupt weg war. Der war viel zu sehr mit seinen Angelegenheiten beschäftigt. Und als er dann am Donnerstagmorgen kurz nach acht losfuhr, da wusste ich: Es ist so weit. Ich hatte nur den einen Gedanken: Jetzt macht er wieder was – du musst ihn daran hindern!

Ich hätte ja den Golf nehmen können, aber ich bin mit dem Moped wie eine Verrückte zur Scheune und mit dem Auto los, über Stock und Stein, in Richtung Kiesloch. Ich hatte keine Ahnung, wo ich ihn suchen sollte, aber das fiel mir erst auf, als ich fast da war. Ich habe angehalten und mich umgeguckt. Dass mit der Pudelmütze war mir so eingefallen, damit er einen Schreck kriegt. Auch damit mich kein anderer erkennt. Er hat schon gewusst, warum. Aber das Auto von Mutters Herbert, das hat ihn anscheinend viel mehr aufgeregt. Wie ein Wahnsinniger kam er den Berg heruntergestürmt und brüllte: Das Auto! Verschwinde mit dem Auto!
Da wusste ich, dass er es damals im Mai heimlich benutzt haben muss. Ich bin eingestiegen und ein Stück zurückgefahren, weil er schon so nahe war. Und dann …«
Sie machte eine fahrige Handbewegung. Schweigend betrachtete Jarosch sie. Trotz aller Verzweiflung schien sie sich jetzt besser zu fühlen. Er nickte ihr ermunternd zu.
»Er kam den Weg entlanggelaufen. Direkt auf mich zu. Sein Gesicht – so hatte ich ihn noch nie gesehen. Richtig entstellt. Er schrie irgendwas Schreckliches. Da bin ich losgefahren.«
Es verging lange Zeit, bis sie stockend fortfuhr: »Ich bin erst auf dem Holperweg nach Kuschwitz langsam zu mir gekommen …«
Jarosch ließ weitere Zeit verstreichen, ehe er fragte: »Mit welcher Absicht sind Sie zum Kiesloch gefahren, Frau Ney?«
Sie reagierte heftig. »Ich wollte allem ein Ende machen. So oder so. Ich habe nur an den Jungen gedacht dabei. Was sollte wohl aus dem werden, wenn der eigene Vater für Jahre ins Zuchthaus ging für so was. Vergewaltigung! Da konnte ich ihn und mich ja gleich selber umbringen!«

»Frau Ney«, sagte Jarosch sehr ruhig, »wenn Sie mit der Absicht dorthin gefahren sind, Ihren Mann zu töten – das wäre ein Mordversuch gewesen.«
Zum ersten Mal wich sie seinem Blick aus und senkte den Kopf. »Mein Vater ist auch so umgekommen«, sagte sie dumpf.
Nach einer Pause blickte sie auf und sah den Oberleutnant fest an. »Ja«, sagte sie. »Wenn es nicht anders geht, habe ich gedacht, dann eben Mord!«
Und dann begann sie zu weinen.